Le *Paradis* de Tintoret

Un concours pour le palais des Doges

Cet ouvrage accompagne l'exposition
« Le *Paradis* de Tintoret. Un concours
pour le palais des Doges » organisée à Paris,
musée du Louvre, du 9 février au 8 mai 2006 ;
à Madrid, musée Thyssen-Bornemisza, du
6 juin au 27 août 2006 et à Venise, Palazzo
Ducale, du 8 septembre au 30 novembre 2006.

Commissaire de l'exposition à Paris,
musée du Louvre
Jean Habert

Commissaire de l'exposition à Madrid,
musée Thyssen-Bornemisza
Maria del Mar Borobia Guerrero

Commissaire de l'exposition à Venise,
Musei Civici Veneziani
Giandomenico Romanelli

À la mémoire de W. Roger Rearick
J. H.

Le *Paradis* de Tintoret

Un concours pour le palais des Doges

Catalogue de l'exposition
sous la direction de *Jean Habert*
assisté de *Lucia Marabini*

Textes de

Sylvie Béguin
Jean Habert
Catherine Loisel
Stefania Mason
Gianfranco Ravasi

Cette exposition a été rendue possible grâce au mécénat
du groupe d'assurances Generali.

Cet ouvrage a été réalisé grâce au soutien d'Arjowiggins.

La présentation de l'exposition a été conçue et réalisée par la direction de l'architecture, muséographie et technique, sous la direction de Michel Antonpietri ainsi que de Clio Karageorghis au service architecture, muséographie et signalétique et Benoît Chalandard au service des travaux muséographiques. Françoise Gauchet a assuré la scénographie, Donato Di Nunno le graphisme, Eric Persyn et Sophie Feret la coordination des travaux.

L'exposition a été coordonnée au service des expositions de la direction du Développement culturel par Nicole Chanchorle sous la direction de Soraya Karkache.

Couverture
Tintoret, *Le Paradis*, détail
Paris, musée du Louvre

Quatrième de couverture
Tintoret, *Étude d'après la statue du Jour de Michel-Ange*
Paris, musée du Louvre, département des Arts graphiques

Liste des auteurs

Sylvie Béguin
Conservateur en chef honoraire du Patrimoine

Jean Habert
Conservateur en chef au département des Peintures du musée du Louvre

Catherine Loisel
Conservateur en chef au département des Arts graphiques du musée du Louvre

Stefania Mason
Professeur d'histoire de l'art à l'université d'Udine

Gianfranco Ravasi
Préfet de la Biblioteca-Pinacoteca Ambrosiana

Prêteurs

Les œuvres exposées ont été généreusement prêtées par les personnes privées et les responsables des institutions et des établissements suivants :

Allemagne
Berlin, Staatliche Museen, Kupferstichkabinett
Autriche
Salzbourg, Universitätsbibliotek, Sondersammlungen
Espagne
Madrid, Musée Thyssen-Bornemisza
États-Unis d'Amérique
Cambridge (Mass.), Harvard University Art Museums, Fogg Art Museum
New York, collection particulière
New York, The Metropolitan Museum of Art
France
Lille, palais des Beaux-Arts
Paris, Bibliothèque nationale de France, département des Estampes et de la Photographie
Royaume Uni
Cambridge, The Fitzwilliam Museum
Oxford, Christ Church Picture Gallery
Collection M. et Mme Edward D. Baker
Italie
Florence, Gabinetto Disegni e Stampe degli Uffizzi
Milan, Biblioteca-Pinacoteca Ambrosiana
Pays-Bas
Rotterdam, Museum Boijmans Van Beuningen
Russie
Saint-Pétersbourg, musée d'État de l'Ermitage

Musée du Louvre, direction du Développement culturel

Chef du service des éditions
Violaine Bouvet-Lanselle

Suivi éditorial
Fabrice Douar et Catherine Dupont

Collecte de l'iconographie
Chrystel Martin

Traduction de l'italien
Juliette Becq

5 Continents Editions

Suivi éditorial
Paola Gallerani

Secrétariat de rédaction
Marguerite Pactat

Direction artistique
Lara Gariboldi

Conception graphique
Marina Longo

Mise en page
Gaia Pasini

http://www.louvre.fr
info@5continentseditions.com

ISBN 5 Continents Editions : 88-7439-285-0
ISBN musée du Louvre : 2-35031-053-1

Sommaire

Remerciements

Cette exposition n'aurait pu être menée à bien sans le constant soutien d'Henri Loyrette, président-directeur du musée du Louvre, qui a manifesté son intérêt pour le projet dès sa première mention.

L'exposition n'aurait pas non plus vu le jour sans l'accord de Carlos Fernandez de Henestrosa, directeur du musée Thyssen-Bornemisza, et l'appui enthousiaste de Tomàs Llorens Serra, conservateur en chef de ce musée jusqu'à une époque récente, ainsi que de Maria del Mar Borobia Guerrero, conservateur de la peinture ancienne dans la même institution, qui dès l'origine ont souhaité associer leur musée au projet. Giandomenico Romanelli, directeur des Musées d'art et d'histoire de la ville de Venise, a lui aussi manifesté très vite son intérêt pour l'exposition. Cette convergence a conduit à l'établissement d'un partenariat entre les trois institutions, le musée du Louvre à Paris, le musée Thyssen-Bornemisza à Madrid et les Musées de la ville de Venise, l'exposition devant être présentée successivement dans les trois lieux.

Mes remerciements vont encore à Aline Sylla-Walbaum, administratrice générale adjointe du musée du Louvre et directrice du développement culturel, qui a toujours exprimé son soutien ; à Jean-Pierre Cuzin, conservateur général, qui a fait inscrire le projet dans le programme des expositions lorsqu'il dirigeait le département des Peintures du Louvre ; et à Vincent Pomarède, conservateur général, chargé du département des Peintures, qui a rendu l'exposition possible.

Rien, cependant, n'aurait pu être fait sans la bienveillance de nombreux amis et collègues en charge des collections qui ont été sollicitées pour cette exposition : Monsieur et Madame Edward D. Baker, Angleterre ; Hein-Th. Schulze-Altcappenberg et Ingrid Rieck, Kupferstichkabinett, Staatliche Museen, Berlin ; David Scrase, musée Fitzwilliam, Cambridge (Angleterre) ; Miriam Stewart, Fogg Art Museum, université Harvard, Cambridge (Mass.) ; Marzia Faïetti, Gabinetto Disegni e Stampe degli Uffizi, Florence ; Arnauld Brejon de Lavergnée, Annie Scottez-de Wambrechies, Donatienne Dujardin et Alain Tapié, palais des Beaux-Arts, Lille ; Cristiana Romalli, Sotheby's, Londres ; Gianfranco Ravasi et Marco Maria Navoni, Bibliothèque-pinacothèque ambrosienne, Milan ; Caterina Bon Valsassina et Maria Teresa Fiorio, Surintendance, Milan ; Carmen Bambach, Everett Fahy, George R. Goldner et Mary Zuber, The Metropolitan Museum of Art, New York ; les prêteurs anonymes de New York ; Jacqueline Thalmann, Christ Church Picture Gallery, Oxford ; Albert J. Elen, musée Boijmans Van Beuningen, Rotterdam ; Mihail Piotrovski, musée d'État de l'Ermitage, Saint-Pétersbourg.

Je tiens à remercier aussi les collègues qui ont accepté de contribuer au catalogue de l'exposition malgré leurs emplois du temps chargés : Gianfranco Ravasi, Sylvie Béguin, Stefania Mason et Catherine Loisel. Mais rien n'aurait été possible sans la fidèle assistance de Lucia Marabini, stagiaire au département des Peintures, à qui j'ai le plaisir d'exprimer ici toute ma gratitude pour sa grande disponibilité, son efficacité, sa patience, sa parfaite courtoisie et le temps considérable qu'elle a dépensé sans compter pour aider les auteurs dans leur recherche documentaire et le commissariat pour la coordination du catalogue et la mise en place de l'exposition.

En ce qui concerne le catalogue, j'exprime ma reconnaissance à Violaine Bouvet-Lanselle, Fabrice Douar, Paola Gallerani, Chrystel Martin et Catherine Dupont pour l'attention avec laquelle ils ont suivi ce projet, et pour la vigilance et la patience dont ils ont fait preuve pendant toute sa réalisation.

Ma reconnaissance va encore à tous ceux qui au Louvre ont contribué à donner vie au projet : Xavier Près, Soraya Karkache, Christophe Monin, Sophie Pidoux, Sophie Kammerer, Yann Le Touher et Nicole Chanchorle pour la mise au œuvre du partenariat et du mécénat et pour la gestion des prêts ; Françoise Gauchet, à qui est due la conception architecturale du projet, Michel Antonpietri, Clio Karageorghis, Benoît Chalandard, Sophie Féret, Eric Persyn, Stéphanie de Vomécourt, Donato Di Nunno, Olivier Roberty, Christian Sebastiani et toute la sympathique équipe des ateliers et des installateurs, pour la mise en place de l'exposition ; Paul Salmona, Marcella Lista, Catherine Pontet, Aggy Lerolle, Véronique Petitjean et Céline Dauvergne pour l'accompagnement et la promotion du projet.

Je n'oublie pas non plus, au département des Peintures, Souria Chinta, Guillaume Faroult, Aline François-Colin et l'équipe de l'atelier d'encadrement et de dorure, ni la régie, Malika Berri, Olivier Boissard, Laetitia Bolle, Brigitte Lot et Aurélie Merle, que je remercie vivement pour leur aide. Je remercie aussi Sébastien Allard, Cécile Bourdillat, Sylvain Laveissière et Stéphane Loire pour leur soutien.

Une mention spéciale doit être faite de Antoine Bernheim, Claude Tendil, Marie-Christine Lanne et Frédérique Maléfant aux assurances Generali, qui ont tout de suite manifesté leur intérêt pour le projet.

Je souhaite remercier aussi William Whitney, qui a restauré le Paradis du Louvre en 1994, ainsi que Geneviève Aitken, Odile Cortet, Agnès Malpel, Bruno Mottin et Nathalie Volle au Centre de recherche et de restauration des musées de France pour leur assistance.

Mes remerciements vont enfin à tous ceux qui, d'une manière ou d'une autre, ont aidé à la réalisation de ce projet : Catherine Chagneau, Sophie Cormary, Michela Dal Borgo, Séverine Derry-Laborie, Miguel Falomir Faus, Gerhard Fries, Guillaume Kaserouni, André Leprat, Jean-François Méjanès, Alfeo Michieletto, Mauro Natale, Giovanna Nepi Scirè, Guillaume Nicoud, Louis-Antoine Prat, Thérèse Prunet Brewer, Marie-France Ramspacher, Clémence Raynaud, W. Roger Rearick, Anne et Udolfo van de Sandt, Valentina Sapienza, Pietro Scarpa, Francesca del Torre, Jeannette Zwingenberger.

Jean Habert

Préface

En 1831, le Groupe d'Assurances Generali naissait à Trieste, premier port de l'empire des Habsbourg et plaque tournante du commerce de l'Europe centrale. L'essor industriel et commercial de la ville entraîna alors le développement des activités financières, de crédit et d'assurances. Le Groupe associa rapidement Venise à son développement et installa sa direction près du palais ducal, dans le palais des Procuratie Vecchie. Le palais vénitien représenta, jusqu'au début des années 1990, le siège de la direction pour l'Italie.

Notre Groupe ne pouvait donc pas rester insensible à cette exposition, qui présente le concours organisé en 1582 par le gouvernement vénitien pour le décor du palais des Doges.

Pour la première fois en effet, est réuni l'essentiel des travaux préparatoires au concours de la restauration de la salle du Grand Conseil du palais ducal. Cette exposition présente une trentaine d'œuvres, comprenant cinq esquisses, dont celles du Tintoret, et de nombreux dessins préparatoires. Elle retrace l'épopée que fut ce chantier de restauration et offre un instantané de la vie artistique vénitienne de la fin du Cinquecento.

Notre Groupe, dont l'histoire est si profondément enracinée à Venise, perpétue l'esprit de ses fondateurs qui prirent part à la vie civile et culturelle de leur époque et furent, pour certains, de grands mécènes. Devenu un acteur au rayonnement mondial, Generali reste fidèle à cette tradition. Son action en matière de mécénat est vaste. Il soutient de nombreuses initiatives culturelles, notamment dans le domaine des arts plastiques et de la musique. Mais surtout, Generali attache une grande importance à la conservation de son patrimoine immobilier qui comprend de prestigieux palais situés au cœur historique de la plupart des villes italiennes, à commencer par Venise. Pour l'ensemble de son action, Generali a reçu du président de la République italienne, en 1996, la médaille d'or du Mérite, de la Culture et de l'Art.

En France, notre politique de mécénat s'inscrit dans cette tradition. Depuis plusieurs années, Generali s'engage dans différentes actions de restauration du patrimoine italien conservé sur le sol français. Elles ont permis de préserver de grands chefs-d'œuvre d'artistes italiens parmi lesquels Tiepolo, Fra Angelico, Ghirlandaio, Bellini, Da Rimini et Le Primatice.

Aujourd'hui Generali est fier de devenir le partenaire du musée du Louvre autour de l'exposition « Le *Paradis* de Tintoret. Un concours pour le palais des Doges ». Cette manifestation est l'occasion d'une rencontre entre un grand groupe d'assurances et l'une des plus prestigieuses collections d'art italien au monde. Grâce à cette rencontre, un public national et international peut découvrir l'une des périodes les plus riches de l'histoire de l'art de la Sérénissime.

Antoine Bernheim
Président du Groupe Generali

Préface

Connaître le sort des justes après leur mort a toujours été une préoccupation humaine. Ce destin, évoqué dans la Bible, devient pour les croyants une récompense qui, proportionnée au mérite, se goûte pour l'éternité dans un lieu immatériel, désigné à partir du VIe siècle par un nom grec, *paradeisos*, tiré lui-même d'un mot de l'ancien persan signifiant jardin clos – donnant en français le mot paradis. La tradition a condensé ce paradis en images, d'abord fulgurantes sous l'influence du texte de l'Apocalypse attribué à saint Jean, ensuite radieuses lorsqu'on lit la troisième partie de la Divine Comédie de Dante, mais sombrant bien vite dans un merveilleux stéréotypé, prêtant parfois le flanc à une ironie condescendante. Rien n'est pourtant plus sérieux que de découvrir la finalité du passage dans ce monde et la récompense attendue dans l'autre quand on supporte le présent dans l'espoir d'un avenir meilleur.

Pourquoi un sujet aussi immatériel, d'ordre spirituel et eschatologique, dans un lieu purement profane au cœur du pouvoir de l'ancienne République de Venise, c'est-à-dire dans la salle du Grand Conseil au palais des Doges ? Ce n'est pas le moindre paradoxe de la très paradoxale civilisation vénitienne qui, au XVIe siècle, mêle joyeusement, pour ne pas dire naïvement, et sans état d'âme, le sacré et le profane dans un panthéisme profond et sincère, donnant des résultats artistiques éblouissants dont la sensualité a toujours fasciné l'Europe entière. C'est ce que cette exposition se propose de montrer, en étudiant comment ce singulier paradis à la vénitienne se déploie, ballotté entre les passions humaines et les raisons politiques, à travers l'étonnant concours organisé en 1582 pour le représenter. Pour la première fois depuis le XVIe siècle, l'ensemble des solutions artistiques créées à l'occasion de ce concours et encore existantes est présenté au regard du public. Celui-ci pourra juger à quel point chaque concurrent – Bassano, Palma le Jeune, Tintoret, Véronèse, Zuccaro – a su magnifiquement détourner en sa faveur les règles d'un exercice obligé et s'évader du carcan d'une représentation hautement codifiée depuis des siècles pour produire une série d'œuvres passionnantes par leur diversité. Cette première a été rendue possible par le partenariat exemplaire entre trois grandes institutions culturelles de l'Europe : le Louvre, le musée Thyssen-Bornemisza et les Civici Musei Veneziani – dont il faut remercier les personnels pour les efforts qu'ils ont déployés. Le musée du Louvre tient à remercier pour leur soutien éclairé les assurances Generali et tout particulièrment Antoine Bernheim, Président du Groupe Generali, Claude Tendil, Président-directeur général de Generali France et Marie-Christine Lanne, Directrice de la Communication.

Henri Loyrette
Président-directeur du musée du Louvre

Guillermo Solana
Conservateur en chef du musée Thyssen-Bornemisza

Giandomenico Romanelli
Directeur des Musei Civici Veneziani

Gianfranco Ravasi

Le paradis dans les Saintes Écritures

Dès que l'on s'intéresse à la manière dont les Saintes Écritures judéo-chrétiennes, c'est-à-dire l'Ancien et le Nouveau Testament, évoquent le paradis, un curieux contraste apparaît d'emblée. La Bible – qui reste notre grand code de références symboliques, théologiques et iconographiques – est en effet extrêmement discrète à ce sujet, pour ne pas dire réticente à en parler, tandis que la tradition chrétienne ultérieure s'est laissée aller à une fantasmagorie immodérée d'images et de scènes.

Nous aborderons ici les Écritures de manière synthétique, uniquement lorsque le champ lexical du paradis y est utilisé, et en nous arrêtant sur la valeur symbolique et idéale de ce dernier, non sans avoir au préalable tenté d'extirper un lieu commun pour de nombreux esprits : le célèbre « paradis » terrestre de l'Éden décrit par la Genèse (II, 9-10) n'est jamais nommé ainsi dans le texte hébreu originel, c'est au contraire un simple *gan*, un « jardin », planté de « tout arbre agréable à voir et bon à manger [1] ».

L'Éden ou le jardin « paradisiaque »

Cependant, au milieu de cette végétation fleurissent deux plantes inconnues de la taxonomie botanique, et dont la signification symbolique et théologique est évidente : « l'arbre de vie » et « l'arbre de la connaissance du bien et du mal ». La version grecque de la Bible, dite « Bible des Septante », puis la tradition chrétienne ultérieure ont désigné ce jardin par un terme rare, d'origine persane : *pairidaeza* en persan ancien, *pardes* en hébreu, *parádeisos* en grec, notre « paradis ». Le mot faisait référence à un jardin clos, fertile et fleuri, et en acadien, l'ancienne langue mésopotamienne, *pardesu* signifiait déjà « verger clos ». Dans l'Ancien Testament hébraïque, le terme n'apparaît que trois fois : une première fois dans le Cantique des Cantiques (IV, 13) – où il représente symboliquement l'horizon magique de l'amour et de l'intimité –, et deux autres fois pour définir un parc royal (dans *Néhémie* II, 8, où l'on parle d'un certain Asaph, gardien du « paradis », le parc du roi, et dans *Qoheleth* II, 5, où l'auteur, endossant l'habit du roi Salomon, parle des « paradis » ou parcs royaux ainsi que des jardins qu'il cultive). L'idée du « paradis terrestre » a donc été introduite pour ces raisons dans la description du jardin d'Éden et est devenue si populaire qu'elle a dominé dans la tradition ultérieure.

Nombreux alors sont les voyageurs qui se sont acheminés vers l'Arabie, le Yémen ou la Mésopotamie dans la vaine tentative d'identifier le vrai jardin d'Éden. Certes, l'auteur de la Genèse avait sûrement à l'esprit quelque scène exotique des terres orientales; toutefois, ce jardin demeure à ses yeux le symbole d'un cosmos pacifié et serein, un paysage existentiel, idéal, au sein duquel l'homme est placé pour le garder et le cultiver. Que l'horizon décrit par l'auteur sacré ne soit pas purement géographique mais symbolique apparaît aussi dans la présence, à côté d'une végétation « normale », des deux plantes métaphoriques déjà citées, « l'arbre de vie » et « l'arbre de la connaissance du bien et du mal », respectivement signes d'immortalité et du libre choix moral opéré par l'homme entre le bien et le mal.

Le jardin d'Éden est donc une grandiose représentation du projet de Dieu sur le créé, un projet contrarié par la liberté de choix et l'alternative laissées à l'homme (voir Genèse III, l'histoire du péché originel). Dieu ne cesse pas d'agir pour autant, car ce projet d'harmonie peut être réalisé. Son but est même de voir « de nouveaux cieux et une nouvelle terre » où la justice trouve sa place et où l'homme vit dans un dialogue serein avec la nature : voici le vrai « paradis », le jardin de la félicité et de la paix. Il est curieux de constater que si la Genèse place ce « paradis terrestre » aux débuts de la création et de l'histoire (schéma « protologique », selon le terme traditionnellement utilisé dans le langage théologique), Isaïe et d'autres pages bibliques le transfèrent à la fin (schéma « eschatologique »). Le prophète chante en effet la future ère messianique comme un « paradis » dans lequel « le loup habitera avec l'agneau, et le léopard couchera avec le chevreau ; et le veau et le jeune lion, et la bête grasse, seront ensemble [...] leurs petits coucheront l'un près de l'autre, et le lion mangera de la paille comme le bœuf. Le nourrisson s'ébattra sur le trou de l'aspic, et l'enfant sevré étendra sa main sur l'antre de la vipère [...] car la Terre sera pleine de la connaissance de l'Éternel, comme les eaux couvrent [le fond de] la mer » (XI, 6-9).

Cette présentation « eschatologique » d'un jardin « paradisiaque » comme espace de salut revient à plusieurs reprises dans la Bible. Au VIe siècle avant J.-C., pour faire naître l'espérance chez les Hébreux exilés à Babylone, le prophète Ézéchiel décrit une régénération de la terre en recourant à l'image de la mer Morte ramenée à la vie grâce à une eau pure et sainte qui jaillit du côté droit du Temple de Jérusalem. Pareille à une onde fécondatrice (Ézéchiel, XXXXVII), celle-ci ne purifie pas seulement les eaux de la mer Morte, où pullulent désormais les poissons, mais transforme le désert de Judée en un jardin : « Et sur la rivière, sur son bord, d'un côté et de l'autre, croissaient toutes sortes d'arbres dont on mange. Leur feuille ne se flétrira pas, et leur fruit ne cessera pas : tous les mois ils porteront du fruit mûr ; car ses eaux sortent du sanctuaire. Et leur fruit sera pour nourrir, et leur feuille, pour guérir » (XXXXVII, 12).

Dans l'esprit de cette page, le dernier livre de la Bible, l'Apocalypse, chant eschatologique par excellence – celui de la fin ultime vers laquelle tend l'histoire – décrit la cité sainte, la nouvelle et parfaite Jérusalem, arrosée par un fleuve et entourée d'un jardin vraiment « paradisiaque ». Dans cette description grandiose, de même que dans celle d'Ézéchiel, on devine un frémissement de vie et d'espérance. Ainsi parle l'auteur de l'Apocalypse : « Puis l'Ange montra le fleuve de vie, limpide comme du cristal, qui jaillissait du trône de Dieu et de l'Agneau. Au milieu de la place, de part et d'autre du fleuve, il y a des arbres de vie qui fructifient douze fois, une fois chaque mois ; et leurs feuilles peuvent guérir les païens » (XXII, 1-2). Au-delà de la prodigieuse fécondité de ces arbres, capables de fructifier chaque mois (la symbolique du nombre « douze »), et de leur énergie thérapeutique, il y a dans l'oasis paradisiaque de la cité sainte un arbre déjà rencontré dans la Genèse, « l'arbre de vie » : la référence est faite au jardin d'Éden où cette plante « théologique » – alors interdite à l'homme – incarnait l'immortalité, aujourd'hui offerte au juste parce qu'il vit toujours avec son Dieu dans l'éternelle béatitude. Il est significatif que la Bible débute et s'achève sur ce symbole de notre destin de gloire que nous pouvons perdre, mais qui demeure accessible à qui suit les voies de Dieu.

Le jardin « paradisiaque » de l'amour

Le « paradis » de l'amour célébré par le Cantique des Cantiques mérite aussi une mention à part : « Tes plants sont un paradis de grenadiers et de fruits exquis, de henné et de nard, de nard et de safran, de cannelle[2] et de cinnamome, avec tous les arbres à encens; de myrrhe et d'aloès, avec tous les principaux aromates » (IV, 13-14). L'image est insérée dans une strophe poétique (IV, 12 – V, 1) où prédomine le symbolisme du jardin irrigué, riche d'une végétation luxuriante. S'y développe un dialogue entre Lui et Elle, les deux protagonistes du petit poème biblique.

C'est surtout l'amoureux qui chante la beauté de son aimée et, dans la plupart de ses mots, perceptible au rythme des vers, se trouve l'image du jardin arrosé par une fontaine et empli de végétation, un symbole pour le moins classique dans la poésie amoureuse. La comparaison se poursuit en un *crescendo* qui transforme finalement le chant de l'époux en un duo avec son épouse. Le jardin est couplé à une fontaine et tous deux sont scellés, fermés aux étrangers (IV, 12). Ce thème, allusion assez claire à la virginité de la femme, à sa fidélité et à l'exclusivité de la possession réciproque des deux amoureux, est aussi présent dans de nombreux textes de l'Égypte ancienne dont voici un exemple : « Je suis ta première sœur. Je suis pour toi comme un jardin planté de fleurs et de chaque sorte d'herbe odorante. » Nous sommes face à un vignoble protégé par un mur ou devant une oasis irriguée, défendue par une haie ou une palissade. Mais l'accès n'en est autorisé qu'au seul époux et interdit à tout autre. L'intimité ne peut être qu'exclusive, elle ne doit pas être violée, mais seulement donnée par amour.

Une fois entré dans le jardin, qui, comme nous l'avons déjà dit, est appelé « paradis », l'aimé découvre tout un triomphe de grenadiers, l'arbre cher au Cantique, et d'autres végétaux, énumérés par dix : grenadier, henné, nard (répété deux fois), crocus, cannelle, cinnamome – arôme extrait de l'écorce d'un arbre indien et utilisé comme ingrédient pour un baume de consécration (Exode XXX, 23) – encens arabique, myrrhe, aloès aromatique indien (différent de l'aloès amer médicinal) et chaque sorte d'arbre à encens, dans une espèce de nuée parfumée composée d'arômes sacrés et profanes (IV, 13-14).

Le chant de l'époux s'achève sur la reprise thématique et presque littérale, telle une antienne, d'un vers déjà utilisé (IV, 12) : « une fontaine dans les jardins, un puits d'eaux vives, qui coulent du Liban ! » (IV, 15). La femme est pour l'homme une source d'eaux abondantes et très fraîches, alimentée par les neiges de la chaîne du Liban. La force de cette comparaison doit être comprise dans le paysage brûlé et asséché de la terre d'Israël. Sur l'itinéraire souvent âpre et désolé de la vie, l'amour est comme un puits que l'on atteint pour se désaltérer et se revigorer. Cette symbolique du jardin « paradisiaque » comme giron fécond, comme refuge de paix et comme oasis offrant des fruits et à boire, a souvent rappelé Sion aux lecteurs juifs et chrétiens du Cantique, jardin parfait au sein duquel Dieu accueille l'homme et le comble de biens et de consolations (Psaume 46). Le poème deviendrait alors un hymne des fidèles qui se sentent accueillis en terre bénite par un amour infini, l'amour divin.

C'est alors qu'Elle, la femme, intervient dans un appel d'une grande puissance poétique, lancé à la fois aux vents froids du nord et aux vents chauds du sud l'enveloppant elle et son jardin. Et son appel est destiné à exhaler dans toute leur intensité les arômes enfermés dans le jardin (IV, 16). Autour de son axe vertical nord-sud, le monde entier se concentre en ce jardin-*pardes* où l'aimé est invité à pénétrer. L'oasis close est ouverte par la femme elle-même; le sceau de la source est rompu et l'époux est appelé à se nourrir des fruits exquis et exaltants de l'amour. L'homme répond en accueillant l'invitation avec joie (V, 1). Il est alors dans le jardin de l'amour.

Là il se laisse séduire par les parfums, là il est revigoré par le miel qui s'y trouve, là il est désaltéré par un lait très doux et par un vin généreux. À cette table d'amour, qui repousse chaque limite et guérit chaque faiblesse, il est assis comme un prince.

C'est ainsi que dans un appel final adressé au chœur, il invite compagnons et amis du cortège nuptial à participer à sa grande joie. Le poète fait une allusion claire au grandiose banquet nuptial auquel on était admis seulement sur l'invitation de l'époux (voir Matthieu XXII, 1-14; XXV, 1-13). Mais, au-delà de l'appel concret de l'époux, c'est une déclaration sur la force de diffusion recélée par l'amour qui est faite. L'amour porte en lui une énergie qui se propage et cherche à provoquer l'amour. Un commentateur a même pensé que le poète, l'auteur du Cantique, rompant un instant l'anonymat, prononçait lui-même cet appel en invitant les époux à jouir pleinement de leur amour : « Mangez, amis; buvez, buvez abondamment, bien-aimés ! » (V, 1). Le poète lui-même se serait ainsi laissé attirer par le merveilleux de ce couple et par la splendeur de son amour sous cet horizon « paradisiaque ». Un autre savant, au contraire, a émis l'hypothèse que l'époux invite ses amis à choisir eux aussi la voie du mariage pour expérimenter la félicité dont il jouit en cet instant. Ce qui est sûr est que ce chant a pleinement incarné la parole éternelle d'un amour chaleureux et authentique qui exalte, enivre et comble le cœur humain. Et il l'a fait en recourant à ce symbole universel de vie, de fécondité et de beauté qu'est le jardin-*pardes*.

« Aujourd'hui tu seras avec moi dans le paradis »

À ce stade où nous a conduit le jardin paradisiaque de l'amour dans son sens le plus « symbolique », capable d'assembler corps et esprit en une unité très pure, notre attention se porte vers la totale spiritualisation de l'image. Celle-ci apparaît dans les trois seuls passages du Nouveau Testament où figure le terme *paràdeisos*, « paradis ». Le premier est de Paul et témoigne d'une expérience mystique de transcendance et de communion divine. L'apôtre parle de lui à la troisième personne : « Je connais un homme en Christ qui, il y a quatorze ans (si ce fut dans le corps, je ne sais; si ce fut hors du corps, je ne sais, Dieu le sait), [je connais] un tel homme qui a été ravi jusqu'au troisième ciel. Et je connais un tel homme, (si ce fut dans le corps, si ce fut hors du corps, je ne sais, Dieu le sait), qui a été ravi dans le paradis, et a entendu des paroles ineffables qu'il n'est pas permis à l'homme d'exprimer » (II Corinthiens XII, 2-4).

Paul décrit donc son expérience mystique comme un « enlèvement », métaphore biblique classique indiquant l'arrivée du juste dans l'éternité de Dieu et l'union avec son Seigneur (Genèse V, 24 pour Énoch; II Rois II, 1-12 pour Élias; I Thessaloniciens IV, 17 pour les chrétiens). La visée de cette « assomption » en Dieu est d'abord désignée comme « le troisième ciel » selon la conception sémite de la stratification des cieux (en trois, sept ou dix strates). Pour l'apôtre, il s'agirait de l'horizon suprême et transcendant, au-delà des cieux atmosphérique et stellaire. Que cette visée soit ensuite appelée « paradis » importe beaucoup: nous sommes ainsi face à un usage clairement eschatologique du terme. L'expérience vécue par Paul est donc une sorte d'anticipation de l'heureuse immortalité concédée au juste, en grâce après son itinéraire terrestre (Sagesse III, 1-9).

Le second passage se situe explicitement sous ce même éclairage. L'évangéliste Luc, dans le célèbre épisode des deux larrons crucifiés avec Jésus (probablement deux révolutionnaires anti-romains), fait dire, de la bouche du Christ, cette phrase au sujet du larron repenti : « Aujourd'hui tu seras avec moi dans le paradis » (XXIII, 43). Le parallèle avec l'invocation de l'homme qui implore est significatif : « Souviens-toi de moi, Seigneur, quand tu viendras dans ton royaume » (XXIII, 42). Le « paradis » est donc le royaume de Dieu, planté depuis le début de l'histoire mais destiné à fleurir pleinement dans l'horizon eschatologique. L'« aujourd'hui » de Luc entretisse la dimension historique du salut présent et la suprême instantanéité de l'éternité au moment où le converti rejoint le Christ.

Enfin, le troisième passage « paradisiaque » du Nouveau Testament doit aussi être considéré dans cette même optique. Il clôt la première des sept épîtres envoyées aux sept Églises d'Asie Mineure, placées au début du livre de l'Apocalypse. L'Église d'Éphèse reçoit cette promesse de la part du Christ glorieux : « À celui qui vaincra, je lui donnerai de manger de l'arbre de vie qui est dans le paradis de Dieu » (II, 7). Le rappel du jardin de la Genèse, désormais relu – dans la droite ligne de la version grecque des Septante – comme un

« paradis », y est évident. De même, saint Jean de Patmos évoquera à son tour dans son œuvre les cieux où les justes célèbrent la liturgie de l'Agneau et attendent la résurrection finale (voir Apocalypse VI, 9-11 ; VII, 9-17). La promesse est donc claire. L'homme chassé du paradis, désormais perdu, en retrouvera la splendeur. Il y entrera et découvrira que « l'arbre de vie » (Genèse III, 22-24) n'est plus interdit, mais que c'est Dieu qui en donne le fruit, offrant ainsi à la créature humaine de participer à la vie divine, à la communion avec l'éternelle béatitude. La tradition iconographique ultérieure a souvent choisi de représenter cet arbre tel la croix du Christ, source de salut et de vie. C'est avec cet arbre que le désert de l'histoire fleurit à nouveau, comme s'il s'agissait encore du jardin paradisiaque de l'Éden.

« L'utopie paradisiaque »

Notre itinéraire à travers les textes bibliques prend fin ici. À leur suite s'étend la prolifération « paradisiaque » de la tradition chrétienne que nous ne pouvons traiter, vu l'horizon infini suggéré par l'art, la littérature et la théologie elle-même, avec ses vastes et complexes réflexions sur l'eschatologie chrétienne. Que l'on pense seulement qu'en 1609, à Lyon, le jésuite allemand Jeremias Drexel a eu besoin de 640 pages pour dresser, dans son *Tableau des joyes du paradis*, un panorama historique et théologique des seules joies paradisiaques. C'était mettre l'eau – une eau céleste – à la bouche du pécheur le plus invétéré qui apprenait en même temps du docte jésuite que l'abysse infernal était alors déjà peuplé par cent mille millions de damnés ! Nous pourrions aussi nous reporter au célèbre historien Jean Delumeau qui, d'une manière bien plus rigoureuse mais toujours attrayante, a consacré trois volumes entiers au paradis en composant ce qu'il appelait lui-même *Une histoire du paradis*. L'historien avertissait cependant que l'homme moderne, toujours plus sceptique, était désormais peut-être convaincu, avec Voltaire, que « le paradis terrestre est où je suis » et avec Sartre, que « l'enfer c'est les autres ».

Dans le troisième tome de son triptyque (*Que reste t-il du paradis ?*), Delumeau concluait en nous rappelant que par le passé, le paradis était un *tópos*, en grec, un « lieu » bien délimité et tracé. Aujourd'hui celui-ci est devenu un *útopos*, un « non-lieu » inexistant et insignifiant. Dans la lignée du message évangélique des Béatitudes, il devrait au contraire être une *utopie*, c'est-à-dire un projet à considérer comme conduisant à la transformation du monde et de l'histoire, une réalité que Dieu et l'homme accompliront ensemble et qui sera finalement pleinement concrétisée, au-delà de l'espace et du temps. Le Christ aussi avait affirmé « le Royaume de Dieu est parmi vous ». Mais parallèlement, il en avait renvoyé la pleine concrétisation dans un « au-delà » de la même histoire, l'« au-delà » chanté par l'Apocalypse : « Voici l'habitation de Dieu et des hommes, et il habitera avec eux ; et ils seront ses peuples, et Dieu lui-même sera avec eux, leur Dieu. Et [Dieu] essuiera toute larme de leurs yeux ; et la mort ne sera plus ; et il n'y aura plus ni deuil ni cri ni peine, car les premières choses sont passées » (XXI, 3-4).

L'espérance des chrétiens sera fondée sur cette promesse, exprimée de manière solennelle, voire emphatique, par le philosophe chrétien russe Piotr Iakovlevitch Tchaadaïev (1794-1856) qui provoquait ainsi ses interlocuteurs agnostiques : « Entre vous et le Ciel vous ne voyez rien d'autre que la pelle du fossoyeur. Mauvaise est la philosophie qui ne veut pas comprendre que l'éternité n'est rien d'autre que la vie elle-même et le destin de l'homme juste. »

Jean Habert

Venise et le *Paradis*. Un concours au palais des Doges

Lorsque le visiteur pénètre dans la salle principale du palais des Doges, c'est-à-dire l'immense salle du Grand Conseil, cœur du pouvoir de l'ancienne sérénissime république de Venise, il voit tout de suite, adossée contre le mur oriental, une plate-forme en bois portant des stalles (fig. 1 et 2). C'est la tribune sur laquelle siégeait le gouvernement de la Sérénissime, dit la Seigneurie, composée du doge, qui s'asseyait sur le banc central surmonté d'un fronton triangulaire, et de ses conseillers. Sur le mur au-dessus et autour de la tribune, on remarque également une peinture de taille colossale attribuée à Tintoret, le *Paradis*.

Le but de cette étude est, d'une part, d'expliquer la présence de cette décoration à thème sacré, surprenante dans ce lieu purement politique et laïc – où l'on ne trouve sur les autres murs et sur le plafond plat à la vénitienne que des scènes historiques ou des allégories profanes à la gloire de la Sérénissime –, d'autre part de suivre l'histoire de la réalisation de ce décor, qui dura longtemps et dont les péripéties marquèrent la vie artistique de la lagune pendant une trentaine d'années à la fin du XVIe siècle, entre 1564 et 1592.

Pourquoi le Paradis

Le paradis céleste

Le terme « paradis » vient de l'ancien persan *pairidaeza*, mot qui signifie « jardin clos » (voir *supra* l'essai de Gianfranco Ravasi). Passé dans la langue grecque, il désigne pour les chrétiens le jardin d'Éden et, par extension, le séjour des élus dans le ciel après le Jugement dernier. Selon la Bible, l'histoire a en effet un sens, donc une finalité : à la fin des temps, les élus seront séparés des damnés et jouiront d'un bonheur éternel auprès du Père. Dans sa seconde lettre aux Corinthiens (XII, 4), saint Paul déclare que le paradis céleste est inexprimable. Au XVIe siècle, sainte Thérèse d'Avila (1515-1582) réitère cette idée, et le concile de Trente (1545-1563), dans sa XXVe session, rappelle que les formes et les couleurs du Père éternel ne sont pas perceptibles par les yeux du corps[1]. Pourtant, face à la nécessité de permettre aux fidèles de se figurer les fins dernières, une image du paradis a été progressivement mise au point au cours des siècles. L'idée que l'on s'en fait à la fin du XVIe siècle est donc le produit d'une tradition millénaire élaborée par les théoriciens de l'Église et la littérature mystique depuis le début du christianisme jusqu'au concile tridentin.

Le paradis céleste est incorporel, un lieu de transformation (I Corinthiens XV, 51-53), un changement d'état [2], une manière d'être [3] : après leur séparation des damnés, les élus accèdent à un bonheur et à une sécurité éternels. Ayant retrouvé leur corps dans l'éclat de la jeunesse, affranchis de la loi de la pesanteur et délivrés de la tentation, ils contemplent Dieu face à face sans pouvoir s'en détourner, dans une sereine impassibilité. Dieu est lumière, éternelle, surnaturelle, parfaite : à la fois visible et immatérielle, sans source ni fin, sans déclin, invariable, sans température, cette lumière ne brûle pas. Fluide, omniprésente, indivisible, elle abolit les ténèbres et le temps, elle est le triomphe de la raison : à travers elle, les élus, qui se déplacent d'un bout à l'autre de l'univers en un instant, connaissent tout ce qui s'est passé dans le ciel et sur la terre.

Comment figurer cette joie ? Il faut d'abord situer le lieu, évalué depuis le sol terrestre, puis essayer de le définir. Selon saint Paul, le bonheur pur est atteint par un mouvement ascensionnel hors de l'atmosphère de la Terre, à travers des cieux successifs. Comme ce lieu se trouve nécessairement au-delà des nuages, il est perçu, quand on cherche à l'imaginer, à travers eux et semble reposer sur les nuées. L'eschatologie traditionnelle considère l'univers comme un emboîtement de sept sphères homocentriques sans intervalle entre elles, chacune portant un des astres du système solaire perçus depuis la Terre, ceux que l'on connaît depuis l'Antiquité (la Lune, Vénus, Mercure, le Soleil, Mars, Jupiter, Saturne). Au-delà du septième ciel, se trouve la sphère dite ciel des étoiles fixes ou firmament, correspondant au reste de l'univers (seuls les astres de notre système semblent bouger). Au-delà encore, on trouve la sphère dite ciel cristallin ou neuvième ciel, séjour des anges : c'est le « premier mobile » (selon Dante), qui imprime à toutes les sphères leur mouvement circulaire, uniforme, sans ralentissement ni accélération [4].

Fig. 1
Vue générale de la salle du Grand Conseil dans le palais des Doges à Venise, avec, au fond, la tribune de la Seigneurie adossée au mur est.

Fig. 2
Vue rapprochée du mur de la tribune de la Seigneurie, avec le *Paradis* de Domenico Tintoretto, vers 1588-1592
Huile sur toile, H. 7 ; L. 22 m
Venise, palais des Doges.

Le ciel cristallin est lui-même contenu dans la sphère dite ciel supérieur, appelé aussi l'empyrée (mot grec qui veut dire « enflammé »). Le ciel supérieur est un miracle de la nature, il est généralement figuré sous la forme d'un soleil immobile flottant au milieu ou au sommet du ciel cristallin (fig. 3) : premier créé et plus grand de tous les corps, antérieur à la création du ciel et de la terre, englobant tous les autres corps, toutes les autres sphères, parfaitement circulaire, totalement simple et uniforme, sans commencement ni fin, toutes ses parties à égale distance de son centre insondable (Pascal, dans les *Pensées*, dit que son centre est partout et sa circonférence nulle part), il est fait d'une matière

sublimée, nuée impalpable et légère comme la fumée, luminescente, diaphane, ni chaude ni froide, ayant l'éclat de l'or, « vermeil au milieu du feu » (Ézéchiel, I,I), qui est la couleur de la gloire, c'est-à-dire de la béatitude éternelle. Contrairement aux autres ciels, l'empyrée est parfaitement immobile et sans perturbation interne. Il contient la source et la fin de tout mouvement : cette stabilité est le signe de sa perfection.

Une hiérarchie dans le ciel

Une fois le lieu du paradis céleste situé et défini, il faut préciser son apparence et décrire ses habitants. Pour cela, le fondement est la *Hiérarchie céleste* écrite par un néoplatonicien converti au christianisme appelé le Pseudo-Denys (Ve-VIe siècle), qui disait tenir son enseignement de saint Paul. Ce texte fondateur, qui a influencé tous les commentateurs pendant des siècles, est utilisé pour décrire le Paradis dans la *Divine Comédie* (chants XXX à XXXIII), achevée en 1321 par l'écrivain florentin Dante Alighieri (1265-1321)[5], qui avoue sa dette envers Denys dans le chant XXVIII (130-132) de son *Paradis*. Le texte du grand poète italien est devenu à son tour une source inépuisable d'images pour la représentation du bienheureux séjour.

La hiérarchie céleste est une sorte de Toussaint éternelle qui ressemble à une cour entourant un monarque. Dante (*Paradis*, XXX, 103-126) la compare à une rose « aux pétales extrêmes » dont le cœur jaune « monte et se dilate, exhalant son parfum de louange au soleil d'un éternel printemps ». Ce séjour bienheureux s'organise, affranchi de la loi de la gravité, dans le ciel cristallin en un amphithéâtre formé de gradins normalement circulaires où les élus prennent place avec les anges autour du ciel supérieur. Ces gradins, qui semblent composés de nuages, sont en mouvement : ils tournent autour de la lumière divine, « fleuve fulgurant de splendeur, entre deux rives peintes d'un merveilleux printemps » (*Paradis*, XXX, 63), et leur rotation produit un son particulier à chaque cercle. Au centre ou au sommet (ce qui revient au même dans le ciel) se trouve l'empyrée, parfaitement immobile, séjour de Dieu en

Fig. 3
Antonio Campi (vers 1525-1587)
Les Mystères de la Passion, de la Résurrection et de l'Ascension du Christ, 1569
Détail : l'Ascension, avec une représentation du Paradis
Huile sur toile, H. 1,65 ; L. 2,04 m
Paris, musée du Louvre, R. F. 1985-2.

trois personnes, qui englobe tout, n'ayant ni commencement ni fin. C'est la Sainte Trinité.

La Trinité est dominée par le Saint-Esprit, émanation du Père et du Fils confondus (le Verbe incarné). Elle est symbolisée par une colombe irradiant la lumière divine et planant au-dessus de Dieu le Père et de Jésus-Christ placés côte à côte, Jésus siégeant toujours à la droite du Père. La tradition place en outre légèrement sous l'empyrée ou quelquefois en son sein la Vierge Marie, mère du Christ, la « dame auguste » du paradis (Dante, *Paradis*, XXXII, 119), lieu qui est embelli « de Marie comme du soleil l'étoile du matin » (XXXII, 108). Jésus est généralement dans l'acte de couronner sa mère. C'est le sacre et le triomphe de la Vierge protectrice, reine du ciel, porte du paradis : le couronnement de cette « beauté qui donne la joie » (XXXI, 134) est une fête pour les élus, car il incarne la couronne de vie éternelle qu'ils reçoivent après le Jugement. Par analogie avec la Femme de l'Apocalypse (XII, 1), Marie a quelquefois la tête auréolée d'étoiles d'or. Saint Jean Baptiste, le précurseur, est souvent à proximité : ayant pris la place de Lucifer déchu, il a assisté le Christ pendant le Jugement. Les autres esprits célestes, anges ou élus, tournent autour de l'empyrée sur des cercles rendus mobiles par un effet d'ascension ou d'aspiration vers le centre. Ces cercles, plus ou moins éloignés de la lumière selon la capacité de béatitude de leurs passagers, s'élargissent, s'épaississent et se diversifient vers les bords. Le système du ciel possède ainsi une organisation nécessairement ascensionnelle, verticale et symétrique autour de la Trinité.

Les anges

La hiérachie céleste est immuable. Elle se compose de deux hiérarchies distinctes, parallèles, mais étroitement mêlées. La première, qui existe de toute éternité dans le neuvième ciel, est celle des anges. Ils sont, à la vérité, les rayons de la lumière divine. Organisés en neuf degrés, ou chœurs, répartis en trois ordres, ou mobiles, ils diffusent la lumière de Dieu du haut vers le bas ou font monter les prières vers lui de proche en proche comme à travers les anneaux d'une chaîne, souvent figurée par l'échelle de Jacob. Leurs ailes symbolisent la rapidité avec laquelle ils accomplissent leurs missions, se déplaçant instantanément d'un bout à l'autre de l'univers. Le premier mobile du ciel critallin se tient à la limite de l'empyrée immobile : formant un cercle ou une mandorle autour de la Trinité, il se compose des séraphins, esprits de feu qui ne brûlent que pour Dieu, puis des chérubins, dont le seul rôle est de recevoir et de renvoyer la lumière divine, et les trônes, qui escortent le Christ. À l'étage inférieur, tournent les dominations, qui assistent les principaux saints et les grands contemplatifs, puis les vertus, qui communiquent la force de Dieu à ceux qui combattent pour lui, ensuite les puissances, qui inspirent ceux qui gardent la foi et respectent la loi divine. Enfin, tout en bas, directement au contact de l'humanité, les principautés, qui soutiennent les saints, puis les archanges, qui assistent les bienheureux, enfin les anges, qui veillent près de chaque homme, bon ou mauvais. Plus nombreux que les hommes passés, présents ou à venir, plus nombreux que toutes les choses matérielles, plus nombreux que les étoiles, ces esprits célestes sont incandescents ; montrés généralement vêtus de blanc, couleur de l'innocence, ils sont toujours jeunes et d'une beauté éblouissante : aucun plaisir ne dépasse la contemplation d'un seul d'entre eux.

Les anges musiciens forment une catégorie à part : leur importance grandit jusqu'au XVIe siècle à cause de la place croissante que prend la musique dans la civilisation occidentale. La louange de Dieu et la musique étant synonymes, selon le psaume 150, elle est le seul son entendu au paradis : compagne de l'amour et marque de la vertu, elle est le signe du bonheur, le plaisir des esprits célestes et, l'ouïe étant considérée comme supérieure à la vue, elle exprime l'harmonie divine. L'idéal néoplatonicien de la Renaissance reprend à l'Antiquité l'idée que la musique est le premier des arts libéraux, la science des nombres dont la consonance gouverne le monde ; elle est donc la source de l'harmonie universelle. L'ordre musical régit tout : la course des astres et la rotation des sphères. Ces dernières, en tournant, produisent un son inaudible à l'homme, d'autant plus aigu que sa vitesse sur son orbite est plus élevée ; c'est la beauté harmonique du monde voulue par la Divinité. Quant aux anges, ils ne se meuvent qu'en dansant et leur seul langage est le chant : les dominations et les principautés font la contrehaute, les vertus et les puissances, le ténor, les archanges et les anges, la basse. Et les élus chantent avec eux.

Les élus

Les élus ont retrouvé leur corps avec leurs sens (et leur sexe). Devenu incorruptible par l'abolition du temps, ce corps a recouvré sa jeunesse : les justes ont l'âge de Jésus à son baptême dans l'eau du Jourdain, c'est-à-dire trente ans. Avec leur corps parfait nourri uniquement de lumière divine, ils sont accueillis dans la société des anges et se répartissent en trois ordres selon la même hiérarchie. Celle-ci dépend de l'exercise du libre arbitre : chacun est placé selon ses mérites, son degré d'amour, sa capacité à recevoir la lumière par la contrition, sa capacité de béatitude aussi bien de l'âme que du corps. On trouve, du haut en bas, les douze apôtres, avec les quatre évangélistes au milieu, puis les héros de l'Ancien Testament : les patriarches (Élie, Moïse, Abraham, Isaac, Jacob, Josué…) et les prophètes. Adam et Ève, causes premières de la venue du Christ, sont souvent à proximité entièrement nus, surtout au XVIe siècle (thème humaniste de la rédemption). Ensuite viennent les héros de la chrétienté : martyrs, ermites, vierges saintes, puis les docteurs, les confesseurs, les combattants de la foi (chevaliers et soldats), enfin les prélats (papes, évêques, clercs), les princes pieux, les juges intègres. Sur le dernier cercle, on trouve la foule des élus : les saints, puis les bienheureux et les repentis (pèlerins et autres pénitents), parfois guidés par saint Christophe qui porta Jésus enfant, enfin la masse des fidèles mais aussi des justes non chrétiens qui sont des « chrétiens d'intention ». Tous vivent tournés vers l'Esprit saint, sans émotion, dans une contemplation tranquille et lucide, une bienheureuse impassibilité. Incapables d'envie et de péché, communiquant entre eux non par la parole mais par le regard qui ne bute sur aucun obstacle, ils ne désirent rien d'autre que la gloire d'un seul qui est celle de tous : c'est la gloire, ou béatitude éternelle, des élus au paradis, où tout n'est que lumière, beauté, musique, amour et paix.

Venise et le paradis

Cette gloire ou béatitude, dont la moindre parcelle, selon le théologien de Louvain Molanus (*Traité des saintes images*, 1570), est impossible à décrire, les Vénitiens en avaient fait l'emblème de leur État. Ancienne possession de l'empire byzantin, la république de Venise obtint son indépendance à la fin du IXe siècle, date à laquelle elle se mit sous la protection de l'évangéliste saint Marc. Cette république dura jusqu'en 1797, année où elle fut abolie par le général Bonaparte, puis annexée par l'Autriche avant de rejoindre l'Italie en 1866. Au XVIe siècle, son vaste territoire comprenait toutes les lagunes du nord de la mer Adriatique et la terre ferme voisine jusqu'à l'Istrie, à l'est, la chaîne des Dolomites, au nord, et, au-delà du lac de Garde, la Lombardie septentrionale, à l'ouest. Son économie était fondée sur le commerce avec le Levant, qu'elle conduisait à travers ses colonies et ses comptoirs établis à partir du début du XIe siècle sur les côtes orientales de l'Adriatique et de la Méditerranée. La prospérité des Vénitiens venait du monopole qu'ils exerçaient sur la redistribution des produits importés d'Asie dans toute l'Europe. Mais ce trafic florissant, qui avait atteint son apogée vers le milieu du XVe siècle, était en déclin au XVIe siècle du fait des conquêtes ottomanes en Orient et de l'expansion portugaise dans l'Atlantique sud, l'océan Indien et la mer de Chine. Au XVIe siècle, l'opulence de Venise dépend ainsi des richesses accumulées au siècle précédent.

Un système oligarchique

Le régime de la Sérénissime est oligarchique : le gouvernement est réservé à la noblesse qui, contrairement à ce qui se passe dans le reste de l'Europe, est une aristocratie marchande. Elle est composée des descendants des familles (150 familles au XVIe siècle, soit 5 % de la population) représentées en 1297 au Grand Conseil, assemblée législative et organe suprême du pouvoir créé dès le XIIe siècle. Tous les hommes de lignage noble inscrits sur le livre d'or et âgés de plus de 25 ans (environ 2 500 personnes au XVIe siècle) jouissent à égalité des droits politiques et sont automatiquement membres du Grand Conseil. Celui-ci, siégeant chaque dimanche, vote les lois et choisit les titulaires des charges publiques. Il élit surtout en son sein le chef de l'État, qui porte, depuis le VIIe siècle, le titre de *doge* (déformation locale du mot latin *dux*, qui signifie « chef ») et qui règne jusqu'à sa mort. L'organisation de la Sérénissime ressemble à celle de l'Église, gouvernée par le collège des cardinaux, « princes de l'Église », qui choisissent en leur sein le pape, lequel reste en fonction jusqu'à sa mort. La république de Venise est ainsi une Église

Fig. 4
Le palais des Doges vu depuis l'île de San Giorgio Maggiore.

laïque, rivale du Saint-Siège dont elle accepte mal l'autorité, en particulier pour la nomination des évêques et des cardinaux. Cette attitude explique son art panthéiste mêlant sans état d'âme le sacré et le profane.

Le paradis dans la lagune

Ce caractère se vérifie spécialement au palais des Doges (fig. 4). Bâtiment grandiose de style gothique du XIVe siècle donnant, dans une superbe scénographie alliant le ciel à l'eau, sur la lagune – appelée à cet endroit le *Bacino di San Marco* (le bassin de Saint-Marc) –, et sur une place – la *Piazzetta* (la petite place Saint-Marc) – qui prolonge vers la rive la grande place Saint-Marc, située devant la basilique du même nom et dédicacée au saint patron de Venise, c'est la demeure du chef de l'État et le siège du gouvernement, appelé la *Serenissima Signoria* (Sérénissime Seigneurie). Outre la Seigneurie de Venise composée du doge et de ses conseillers, soit dix personnes, le palais abrite le pouvoir législatif, le tribunal de justice et tous les organes centraux de l'administration.

Le Grand Conseil et la Seigneurie se réunissent depuis 1419 au premier étage du palais des Doges dans le plus grand espace de l'édifice, la salle dite précisément du Grand Conseil élevée en 1341 (fig. 5), l'une des salles les plus vastes d'Europe à cette époque (longueur : 53 m ; largeur : 25 m ; hauteur : 12 m). La Seigneurie siégeait à l'extrémité orientale de la pièce sur une plate-forme en bois, le *Bancale di San Marco* (le Banc de Saint-Marc), appelée couramment le *Tribunale* (la tribune). Cette tribune était traditionnellement surmontée, et l'était encore au milieu du XVIe siècle, d'une immense fresque qui, occupant la totalité du mur à ce bout de la salle, mettait en scène le *Couronnement de la Vierge en présence des hiérarchies célestes* que les Vénitiens appelaient couramment le « Paradis » (fig. 6, 7, 8). Depuis la montée du culte marial, à partir du XIIe siècle, le thème du couronnement de Marie, proclamée ainsi *sponsa Christi* (« épouse du Christ » ou mère de l'Église, personnification du mariage de l'Église avec le Christ), était utilisé en Occident dans les États qui, comme la république de Venise, étaient alors en cours de constitution ou de consolidation et avaient le souci d'affirmer leur indépendance par des images montrant le sacre de la reine du ciel[6].

Les Vénitiens considéraient en outre la Vierge comme leur intercesseur privilégié auprès du Christ et célébraient leur fête nationale le jour de l'Annonciation. L'historien Francesco Sansovino[7] nous apprend que cette peinture murale avait été réalisée vers 1365[8] à la demande – selon une inscription ancienne placée sur le trône de la tribune – du doge Marco Cornaro (qui régna de 1365 à 1368) et par l'artiste le plus en vue à Padoue à cette époque, Guariento di Arpo (actif à Padoue entre 1338 et 1367). Cet historien est le premier à mentionner, à propos de la fresque, le nom de ce peintre[9], attribution confirmée ensuite par le biographe Carlo Ridolfi (1648)[10]. Sansovino est également le premier à rapporter le nom de *Paradis*, mot qui depuis lors désigne couramment cette décoration[11].

Cette peinture s'efforçait d'adapter le thème du paradis, d'une structure par essence verticale et symétrique, au vaste espace horizontal à décorer au-dessus de la tribune de la Seigneurie qui comportait, au sommet du mur, une série de dix arcades ogivales soutenant le plafond (fig. 6, 7, 9). De style gothique tardif caractérisé par la matité crayeuse de sa facture et ses auréoles d'or et d'argent en relief, la fresque montrait en son centre, au sein d'une structure architecturale octogonale à deux arcs portée sur des nuages au-dessus du siège du doge, le Christ en train de couronner la Vierge au milieu des anges, tous deux assis sur un même trône de gloire. On voyait en-dessous, dans une composition pyramidale, les quatre évangélistes sur les marches du trône et, sous ceux-ci, des anges musiciens placés directement à l'aplomb du siège ducal. Ce groupe central était entouré, de chaque côté, de prophètes, de patriarches et de saints assis, avec des anges derrière eux, sur des bancs placés symboliquement dans la même position perpendiculaire que les très longues banquettes longitudinales accueillant dans la salle les membres du Grand Conseil. Un rapport visuel étroit était ainsi établi entre l'ordre divin décrit dans la fresque et les rassemblements réels dans cet espace névralgique du pouvoir vénitien, afin de suggérer un parallélisme entre la hiérarchie céleste assistant dans les nuées au triomphe de la Vierge et les vraies assemblées délibérant en présence de la Seigneurie.

Selon Sansovino (1581)[12] quatre vers, attribués à Dante, étaient gravés dans le marbre au-dessus du siège du doge :

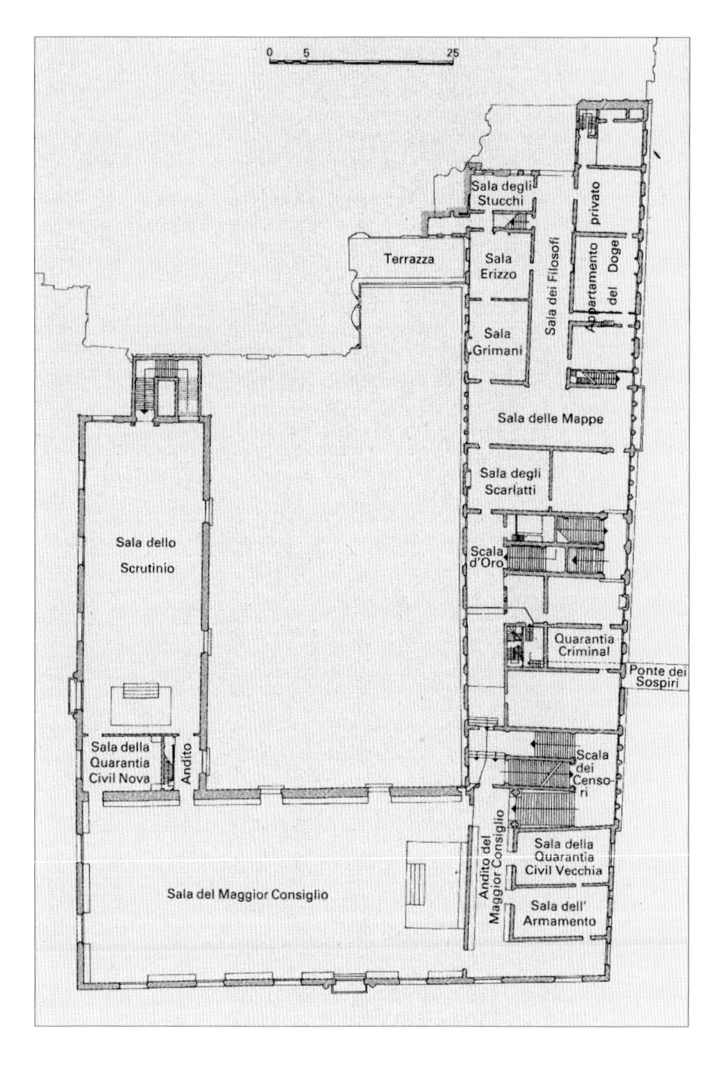

Fig. 5
Plan de l'étage principal du palais des Doges, avec la salle du Grand Conseil (*Maggior Consiglio*) au sud, donnant sur la lagune.

L'amor che mosse già l'eterno Padre
Per figlia hauer de sua deità trina
Chostei che fù del suo figliuol poi madre
De l'universo qui la fà Regina

L'amour qui poussa jadis le Père éternel
À avoir pour fille de sa triple nature divine
Celle qui fut ensuite la mère de son fils
La fait ici Reine de l'univers

Fig. 6
Guariento di Arpo (actif entre 1338 et 1367)
Couronnement de la Vierge parmi les hiérarchies, dit *Le Paradis*, vers 1365
Fresque
Vue prise en 1903 lorsque la fresque était encore en place.

Fig. 7
Reconstitution de la fresque de Guariento au palais des Doges avec une *Annonciation* figurée de chaque côté dans des édicules, d'après Francesca Flores D'Arcais, 1965.

Fig. 8
Guariento di Arpo (actif entre 1338 et 1367)
Couronnement de la Vierge, dit *Le Paradis*,
fragments exposés aujourd'hui dans la salle
de l'Armement
Venise, palais des Doges.

Le message politique de ce décor était clair : Venise, nouvelle Jérusalem (expression tirée de l'Apocalypse), est un paradis, et son gouvernement hiérarchisé est la réplique terrestre de la hiérarchie céleste. L'analogie était complétée par l'image de l'Annonciation qui, figurée en deux parties dans des édicules au-dessus des portes de chaque côté de la tribune, rappelait la fondation de la ville le 25 mars 421, commémorée le jour de la fête de cet événement : c'était le seul moment de l'année où le public, émerveillé, accédait à la salle qualifieé de « paradis ». Ce que l'aristocratie vénitienne retenait du paradis était donc moins le jardin délicieux ou la cité resplendissante de l'Apocalypse que le modèle d'une stricte hiérarchie, celle détaillée par le Pseudo-Denys et reprise par Dante, dont le respect est la condition du bonheur sur cette terre, sous la protection de la Vierge. Venise, assimilant son destin à celui de Marie, est elle aussi une radieuse « reine de l'univers ». Sansovino (1581) traduit cette idée ainsi : « Venise Vierge, dont l'incorruptible pureté la protège des entreprises d'autrui et lui mérite le soutien du monde, car elle est seule restée entre toutes immaculée et

Fig. 9
Vue d'une assemblée dans la salle du Grand Conseil, avec une représentation de la fresque de Guariento au-dessus de la tribune de la Seigneurie Gravure anonyme, avant 1577
Venise, musée Correr.

préservée de la barbarie et de la tyrannie des empires. [Son gouvernement] harmonieusement organisé, équilibré et parfaitement adapté à sa situation dure déjà depuis tant de siècles [...] inviolable et sans tache [13] ». C'est aussi ce qu'affirme Véronèse avec éclat dans la magnifique toile (vers 1582) qui orne la partie du plafond de la salle du Grand Conseil située, comme un dais, au-dessus de la tribune de la Seigneurie, et qui montre le *Triomphe de Venise* sous l'aspect d'une déesse trônant dans les nuages et couronnée par un génie ailé (fig. 10).

Federico Zuccaro, Venise et le *Paradis*

Une lettre, datée du 19 août 1564, envoyée de Venise par Cosimo Bartoli à Vasari à Florence [14], révèle qu'un artiste d'Italie centrale, Federico Zuccaro (Sant'Angelo in Vado, 1540/41 – Ancône, 1609), est pressenti pour un travail dans la salle du Grand Conseil au palais des Doges : « Quoique la décision ne soit pas encore prise, il semble qu'il soit question de lui faire réaliser ici je ne sais quelle peinture d'histoire dans la grande salle du conseil. [15] » On retrouve cette assertion, quatre ans plus tard, imprimée dans la seconde édition des *Vite* de Vasari, en 1568 [16]. Mais le biographe ajoute l'importante précision – première allusion au projet de substition de la fresque de Guariento – qu'il s'agit du remplacement du *Couronnement de la Vierge* [17]. De fait, l'œuvre était décrite depuis le milieu du XVIe siècle comme dégradée par l'air marin, humide et salé, de la lagune [18], et elle avait subi quelques tentatives de restauration en 1524-1525 et en 1541 (par le peintre Francesco Cevola) [19].

Originaire des Marches et frère cadet du peintre Taddeo Zuccaro (Sant'Angelo in Vado, duché d'Urbin, 1529 – Rome, 1566), Federico, peintre lui aussi, arrive à Venise en 1563. Il est appelé dans la lagune par le cardinal Giovanni Grimani, patriarche d'Aquilée (la plus haute instance religieuse de la République, équivalant à la fonction d'archevêque). Ce prélat est issu d'une des principales familles dites « papalistes » de la cité (entretenant des liens avec le Saint-Siège et ayant des évêques parmi leurs membres), qui veulent favoriser la modernisation de l'art lagunaire en faisant venir à Venise des représentants du mouvement maniériste de l'Italie centrale. Zuccaro décore en 1563 la voûte à caissons en stuc de l'escalier du palais du cardinal, le Palazzo Grimani à Santa Maria Formosa, l'édifice le plus « romanisant » de la ville à cette époque. Il termine aussi pour le prélat, en septembre 1564, la décoration des murs latéraux de la chapelle Grimani dite « du patriarche » à San Francesco della Vigna, laissée inachevée par Battista Franco (vers 1510-1561), artiste vénitien atypique ayant séjourné longtemps à Rome, où, favorisé pour cela par les papalistes, il marqua son adhésion totale à l'art de Michel-Ange.

Le concours de San Rocco

Quoique étranger à la lagune, Zuccaro tente en même temps de s'insérer plus profondément dans la vie artistique de Venise en participant, selon l'historiographe Giorgio Vasari[20], à un concours en juin 1564 pour l'une des plus prestigieuses décorations de la cité, le plafond ovale de la *Sala dell'Albergo* (salle de direction) d'une importante *scuola* vénitienne (confrérie d'entraide corporative), la *Scuola Grande di San Rocco*. Selon Cristina Acidini Luchinat (1998)[21], une étude pour le projet de Zuccaro représentant *Saint Roch en gloire* est conservée au British Museum, à Londres[22]. Ce peintre joue probablement un rôle dans l'introduction à Venise de la technique florentine du *chiaroscuro* (dessin en clair-obscur), qu'il semble avoir fait découvrir à un artiste plus âgé, originaire de terre ferme, qui participe aussi au concours après s'être récemment affirmé sur la scène artistique de la lagune : Paolo Veronese, dit Véronèse (1528-1588). Celui-ci réalise son propre projet pour *Saint Roch en gloire* dans cette technique : selon Cocke (1984)[23], une copie de cette proposition, provenant des collections de Crozat et de Mariette à Paris, est conservée à l'Isabella Stewart Gardner Museum, à Boston, ce qui permet d'avoir une idée du projet de Paolo pour la *Scuola di San Rocco*.

C'est le moment où le peintre de Vérone vient de terminer, en 1563, pour le réfectoire des bénédictins de San Giorgio Maggiore, une toile colossale utilisant de façon virtuose un nouvel illusionnisme scénographique à caractère maniériste, les *Noces de Cana* (musée du Louvre, Paris). Zuccaro et Véronèse s'apprécient et s'influencent mutuellement : l'artiste des Marches trace de son côté, apparemment dans la même année 1564, un dessin d'après la grande toile de San Giorgio (Stockholm, Nationalmuseum ; c'est la première copie connue d'après les *Noces de Cana* de Véronèse) ; la date de cette copie est discutée[24], mais son style étonnamment vénitien est un hommage de Federico à ce moment novateur de la carrière de son ami véronais. L'intérêt que manifeste Zuccaro pour la peinture lagunaire – il a séjourné à Venise à trois reprises durant sa vie et aurait sans doute aimé s'y installer – est un des signes du renversement des rapports de force, dans le domaine artistique, entre l'Italie centrale et l'Italie du Nord dans la seconde moitié du XVIe siècle[25].

Fig. 10
Paolo Caliari, dit Véronèse (1528-1588)
Le Triomphe de Venise, vers 1582
Huile sur toile, H. 9,04 ; L. 5,80 m
Venise, palais des Doges, salle du Grand Conseil, compartiment du plafond situé au-dessus de la tribune de la Seigneurie.

Fig. 11
Photomontage montrant *Le Triomphe de Venise* de Véronèse avec l'esquisse du *Paradis* de Lille (cat. 7) sur le mur de la tribune Venise, palais des Doges, salle du Grand Conseil.

Giuseppe Porta, dit Giuseppe Salviati (1520/25 – après 1575), peintre d'Italie centrale installé depuis 1542 à Venise, où il avait accompagné son maître Francesco Salviati (1509-1563) dont il prit le nom, participe également à cette compétition. Mais c'est Jacopo Robusti, dit Tintoret (1518-1594), un artiste lagunaire rival de Véronèse, qui remporte le concours. Signe de la résistance du milieu artistique vénitien à la participation d'étrangers aux commandes importantes de la cité, Vasari raconte que Tintoret peint sa proposition directement et en secret sur une toile à la dimension du plafond – toujours un *Saint Roch en gloire* de forme ovale – qu'il livre et fait mettre en place gratuitement avant la réunion de délibération des juges dans la même salle. Cette politique du fait accompli permet à Robusti d'imposer son projet, car il démontre aux membres de la corporation qu'il peut travailler vite et à peu de frais : le concours est annulé et, en remerciement, Tintoret devient membre de la confrérie l'année suivante, en 1565, s'assurant pour l'avenir – même si son style « halluciné » ne fait pas l'unanimité des membres – le monopole des peintures des murs de l'*Albergo* et de toutes les salles de la *Scuola* en échange d'une pension annuelle versée par l'institution. Pour les commandes significatives, Zuccaro se heurte ainsi à Venise à l'hostilité plus ou moins avouée des artistes locaux, avec à leur tête Tintoret, le peintre le plus vénitien et l'enfant terrible de l'art lagunaire du XVIe siècle.

Le Paradis *de Federico Zuccaro*

C'est probablement Pietro Foscari, depuis 1574 l'un des principaux administrateurs du palais des Doges (les *provveditori sopra la Fabbrica del Palazzo*, qui sont élus) et ami des Grimani, qui prend l'initiative de demander en 1564 à Federico des idées pour le remplacement de l'œuvre de Guariento[26]. On connaît deux dessins de Zuccaro pour une peinture – ou, plus précisément sans doute, pour une fresque, technique pour laquelle le peintre des Marches est surtout réputé – destinée à se substituer à l'œuvre de Guariento (voir l'essai de Catherine Loisel). Il s'agit de deux études d'ensemble, l'une partielle et de petit format pour la partie gauche de la composition, conservée au Louvre (cat. 1)[27], l'autre de grand format pour la composition entière, conservée au Metropolitan Museum of Art, à New York (cat. 2)[28]. Si les deux feuilles montrent avec précision le dos de la tribune et le haut des portes de la salle du Grand Conseil, aucune ne reprend le motif de l'Annonciation, présent au-dessus des portes dans la fresque de Guariento. Cette absence, sans doute voulue par les autorités, est commune à tous les projets de remplacement de la fresque.

Jeroen Giltaij (cat. exp. Rotterdam, 1983-1984) date ces deux dessins de 1568, tandis que Hermann Voss (1954)[29], Richard Cocke (1984, p. 221) et Roger Rearick (1995)[30] pensent qu'ils ont été réalisés pendant le second séjour du peintre à Venise, à partir de l'automne de 1582, durant lequel Zuccaro participe en effet à la décoration de la salle du Grand Conseil, peignant une toile murale signée et datée de 1582 en bas sur un cartouche, la *Soumission de l'empereur Frédéric Barberousse au pape Alexandre III*.

Fig. 12
Federico Zuccaro (1540/41-1609)
Le Jugement dernier, 1579
Fresque
Florence, cathédrale Santa Maria del Fiore, coupole.

Fig. 13
Federico Zuccaro (1540/41-1609)
Le Jugement dernier, 1579
Détail : Adam et Ève
Fresque
Florence, cathédrale Santa Maria del Fiore, coupole.

À cela, Walter Vizthum (1954)[31] et John Gere (cat. exp. Paris, 1969, nº 49) objectent que les voûtes gothiques de la salle figurant sur les deux dessins ont été supprimées cette année-là par le *protomaestro* du palais (du latin *magister prothus* : architecte en chef) Antonio da Ponte (Venise, vers 1512 – Venise, 1597), titulaire du poste de 1563 à 1596, conformément à la proposition formulée dès 1578 par l'architecte d'intérieur Cristoforo Sorte (1506/1510 – vers 1594). Ce dernier, qui veut moderniser l'architecture des murs et du plafond, propose de remplacer ces arcs par une frise en bois sculptée d'angelots portant les instruments de la Passion[32]. Ces petites voûtes, qui ont de toute évidence été gravement atteintes par l'incendie ayant ravagé le principal étage du palais en 1577 (dont il sera question plus bas), sont remplacées par Da Ponte par un plafond plat joignant le mur à angle droit – celui qui couvre encore la salle de nos jours – mais il ne crée pas au-dessus de la tribune du doge l'entablement devant recevoir la frise souhaitée par Sorte : celui-ci s'en plaint sans succès auprès des *Proveditori sopra la restauration del gran conseglio*, fonctionnaires chargés depuis avril 1582 de suivre la restauration du palais des Doges après l'incendie[33], ce qui permet de dater de cette année-là le changement architectural intervenu dans la jonction du mur de la tribune avec le plafond. Sorte est finalement démis de ses fonctions en 1583 et part ensuite pour l'Espagne où il séjourne trois ans, de 1585 à 1588.

La datation de ces deux études vers 1564, c'est-à-dire du premier séjour de Federico Zuccaro à Venise, suggérée par la lettre de Bartoli citée plus haut, s'accordent avec les positions de Walter Vizthum (1954, p. 291), Jürgen Schulz (1980)[34], Wolfgang Wolters (1987)[35] et James Mundy (cat. exp. Milwaukee-New York, 1989)[36], qui situent leur réalisation avant l'incendie de 1577 puisque les voûtes à pendentifs, sûrement en place encore à cette date[37], y sont clairement représentées. En outre, selon Vizthum, cette datation n'est pas contredite par le style des deux feuilles. Cristina Acidini Luchinat (1998)[38] et Michel Hochmann (2004)[39] pensent toutefois que le second dessin, celui de New York (cat. 2), est postérieur de presque vingt ans à la feuille du Louvre (cat. 1) et le datent de 1582, au cours du deuxième séjour vénitien de Federico : il pourrait bien être le projet qu'il présenta au concours du *Paradis* après l'incendie du palais. Si cette hypothèse n'explique pas pourquoi cette étude d'ensemble, en effet très poussée comme s'il s'agissait d'un dessin de présentation mis au carreau pour une transposition à grande échelle, montre si nettement les voûtes pourtant endommagées pendant le sinistre et remplacées vers avril 1582 par un plafond plat – alors que d'autres concurrents, Tintoret et Véronèse, ont, eux, supprimé ces voûtes de leur proposition –, et même si la participation de Zuccaro au concours du *Paradis* n'est pas clairement attestée, cette datation plus tardive que celle du dessin du Louvre semble confirmée par le rapprochement que l'on peut faire des figures d'Adam et d'Ève (fig. 13) avec les mêmes personnages dans la fresque du *Jugement dernier* terminée par Federico en 1578 dans la coupole de la cathédrale Santa Maria del Fiore de Florence (fig. 12)[40].

Fig. 14
Federico Zuccaro (1540/41-1609)
Étude pour la partie gauche du Paradis (cat. 1)
Détail de la nouvelle mandorle collée sur l'ancienne, en haut au milieu du dessin
Paris, musée du Louvre.

Fig. 15
Federico Zuccaro (1540/41-1609)
Étude pour la partie gauche du Paradis (cat. 1)
Détail de l'ancienne mandorle, en haut au milieu du dessin
Paris, musée du Louvre.

On remarque, en outre, que Zuccaro propose le remaniement de ces voûtes dans chacun de ces dessins. Il supprime certaines arches, les mêmes dans chaque feuille, pour donner plus de respiration à la scène en intégrant mieux les pendentifs dans la composition, surtout au centre : quatre arches sont supprimées au-dessus du banc du doge et une au-dessus de chacune des deux portes de la salle de part et d'autre de la tribune, réduisant leur nombre de moitié (cinq au lieu de dix). Cet agencement crée une alternance rythmique qui ordonne symétriquement l'espace autour d'un axe vertical traversant le corps du Christ. Enfin, si les deux dessins étudient bien une œuvre de même étendue que la fresque de Guariento, c'est-à-dire couvrant entièrement la paroi au-dessus de la plate-forme de la Seigneurie de mur à mur – ces feuilles indiquant en bas, de manière à bien marquer le lien entre la composition proposée et l'espace réel de la salle, le dossier de la tribune encadré de chaque côté par les deux portes de la salle situées au droit des longs murs latéraux de la pièce –, le programme iconographique change d'une étude à l'autre. La feuille conservée au Louvre (cat. 1) traite encore, comme dans la fresque de Guariento, le thème traditionnel du *Couronnement de la Vierge* : le motif du couronnement (fig. 14) – qui a fait l'objet d'une proposition alternative à l'aide d'une feuille ovale appliquée par-dessus la partie centrale du dessin (fig. 15) – est placé dans le dispositif archaïsant mais traditionnel à Venise d'une mandorle de chérubins (le Christ figure dans une mandorle sur la face de la principale pièce de monnaie vénitienne, le ducat d'or, depuis le XIIIe siècle)[41] et des anges musiciens sont figurés assis directement au-dessus du banc du doge.

L'étude plus grande et beaucoup plus élaborée de New York, si l'on suit Mundy (1989), Acidini Luchinat (1998) et Hochmann (2004), est une seconde proposition, postérieure au dessin du Louvre (figure A). D'un aspect plus moderne, proto-baroque, avec peu d'indications d'ombre et de lumière, elle est mise au carreau au crayon rouge. Le sujet semble remanié, encore à l'aide d'une feuille – ici rectangulaire et également mise au carreau – collée sur la partie centrale du dessin, en une *Déisis* (fig. 17), motif d'origine byzantine visible sur la mosaïque du *Jugement dernier* dans la basilique de Torcello : c'est le motif traditionnel du *Christ en majesté entre la Vierge et saint Jean*

Fig. 16
Federico Zuccaro (1540/41-1609)
Étude d'ensemble pour le Paradis (cat. 2), vers 1582
Détail : Anges musiciens
New York, Metropolitan Museum of Art.

Fig. 17
Federico Zuccaro (1540/41-1609)
Étude d'ensemble pour le Paradis (cat. 2), vers 1582
Détail de la partie centrale : *Déisis*
New York, Metropolitan Museum of Art.

Baptiste utilisé dans les scènes de Jugement dernier. La mandorle du premier dessin, celui du Louvre, a été abandonnée dans cette seconde étude, et le groupe sacré est doublé d'une Trinité incluant la figure du Christ trônant. Les trois figures principales sont vues frontalement, assises au centre sur des nuages au milieu des élus, qui sont clairement identifiés par leurs attributs. L'impression est plus celle d'un Jugement dernier que celle d'un Paradis. Cette feuille, d'un style typiquement romain par sa parfaite lisibilité, la symétrie de la composition, l'étagement frontal des plans et la précision du dessin qui détache les formes contre le fond dans une lumière peu contrastée, s'oppose à l'effet d'ensemble, au clair-obscur et à la touche expressive des projets des artistes vénitiens pour le *Paradis*. On remarque sous le groupe central, à l'aplomb du siège du doge, un somptueux concert d'anges pleins de vie – certains d'entre eux en train de danser – considérablement amplifié et détaillé par rapport au dessin du Louvre : ces anges musiciens sont placés directement sur la tribune, dont ils occupent toute la largeur, et leurs instruments sont soigneusement décrits (une basse de viole, des cercles de basque qu'on enfilait sur les bras, des violes de gambe, une harpe, un triangle, des cymbales, un luth, un cornet, une flûte de Pan) (fig. 16). Zuccaro s'inspire, surtout dans le premier dessin, à la fois de la *Dispute du saint sacrement* de Raphaël (fig. 18), qui montre aussi à son sommet la *Déisis* utilisée dans l'étude new-yorkaise, et du *Jugement dernier* de Michel-Ange (fig. 19), et il adapte à ces deux modèles le motif vénitien des myriades d'âmes et d'anges se matérialisant progressivement à partir du fond.

Mais l'idée de remplacer la fresque de Guariento en général et de confier le projet à Zuccaro en particulier n'a pas de suite en cette année 1564 à cause, selon Vasari (dans l'édition des *Vite* de 1568), « des querelles et de l'opposition des peintres vénitiens » (*le gare e le contrarietà che ebbe dai pittori viniziani*), opposition vraisemblablement exprimée, encore une fois, avec le plus de véhémence par Tintoret [42]. Federico, toutefois, nuance sérieusement cette affirmation dans les annotations qu'il porte

Fig. 18
Raphaël (1483-1520)
La Dispute du Saint-Sacrement, 1509
Fresque murale, base 7,70 m
Cité du Vatican, palais du Vatican,
chambre de la Signature.

Fig. 19
Michel-Ange (1475-1564)
Le Jugement dernier, 1541
Fresque murale, H. 13,7 ; L. 12,2 m
Cité du Vatican, chapelle Sixtine.

sur son exemplaire des *Vite* de Vasari (1568) : « Il n'y eut à ce propos ni opposition ni polémique, écrit-il, mais la Seigneurie de Venise avait alors d'autres préoccupations que la peinture, l'expédition contre les Turcs qui tournait mal : c'est à cause de cela que le projet n'eut pas de suite[43]. » La seconde moitié des années 1560 est marquée en effet par les progrès de l'empire ottoman dans la Méditerranée sous Soliman le Magnifique (1520-1566), auquel la Sainte Ligue cherche à infliger un coup d'arrêt à Lépante en 1571. En fait, l'abandon de l'idée de remplacer le *Paradis* de Guariento dans la salle du Grand Conseil avant l'incendie du palais des Doges en 1577 résulte sans doute de la combinaison de ces deux facteurs. Sûrement déçu de ne pas voir aboutir le projet, Zuccaro, après avoir peint le décor disparu d'un théâtre éphémère installé pour le carnaval de 1565 par Andrea Palladio et après avoir effectué un voyage dans le Frioul avec cet architecte, quitte la lagune cette année-là pour rejoindre Rome.

Un concours au palais des Doges

Le concours du *Paradis*

Le 20 décembre 1577, sous le règne du doge Sebastiano Venier (1577-1578), un incendie catastrophique ravage une bonne partie des principaux locaux du palais des Doges, détruisant entièrement l'intérieur de la salle du Grand Conseil, notamment toute sa décoration peinte, et ne laissant debout que les quatre murs de la pièce[44]. Ce sinistre n'est pas le premier, puisqu' il succède à un autre incendie, presque aussi grave, qui a détruit d'autres salles officielles du palais à peine trois ans auparavant, en 1574. Le sinistre de 1577, plus dévastateur (et lui-même précédé par la terrible peste de 1576 pendant laquelle meurt Titien), détruit les salles les plus importantes du palais et s'arrête précisément, dans la salle du Grand Conseil, au mur sur lequel est peint le *Paradis* de Guariento. Les restes de cette fresque ont été découverts en 1903 derrière l'immense toile du *Paradis* de

Domenico Tintoretto actuellement en place, que l'on déposait à cette date pour la restaurer : des fragments de peinture murale ont été détachés, transposés sur toile, restaurés eux aussi (par Stefanoni), et sont aujourd'hui exposés au palais des Doges dans la *Sala del Armamento* (salle des Armes), dite aussi *Sala del Guariento*, tout près de la salle du Grand Conseil[45].

La restauration du palais des Doges

Le doge Niccolò da Ponte (qui règne de 1581 à 1584) et surtout le Sénat, qui prend en charge la restauration du palais, affirment leur volonté de rétablir rapidement les fonctions de ce centre névralgique de la République de Venise. Le gros œuvre des salles endommagées est restitué, semble-t-il, dès 1578[46]. Il s'agit d'un des plus considérables chantiers de restauration en Europe à la fin du XVIe siècle, impliquant tous les corps de métier dans un bâtiment colossal. En ce qui concerne les travaux de décoration intérieure du palais, on connaît le programme iconographique – tantôt historique tantôt allégorique – de la nouvelle salle du Grand Conseil et celui, complémentaire, de la vaste pièce voisine, la salle dite du Scrutin, par quatre manuscrits, tous conservés à Venise. Ces quatre écrits sont postérieurs à 1584[47], mais il semble que leur contenu, avec l'idée d'organiser un concours pour le *Paradis*, soit connu des artistes dès 1579[48]. Au début de ces documents sont énumérés, en forme d'hommage, les noms de deux patriciens, Giacomo Marcello et Giacomo Contarini[49], auxquels les responsables de la restauration du palais (les *provveditori sopra la restauration del gran conseglio* Girolamo Priuli et Giacomo Foscarini : voir *infra* l'essai de Stefania Mason dans ce catalogue) ont confié, en raison de l'importance politique des espaces à décorer, la formulation du programme[50].

Les deux érudits sont assistés dans leur tâche par un historien toscan recruté comme « expert », le père Girolamo Bardi, moine camaldule de Santa Maria degli Angeli à Florence, mort en 1594 dans la charge de curé de San Samuele à Venise[51]. Ces manuscrits servent à la rédaction d'un opuscule publié par le père Bardi en 1587 sous le titre : *Description de toutes les Scènes incluses dans les tableaux placés récemment dans les Salles du Scrutin et du Grand Conseil dans le palais des Doges de la Sérénissime République de Venise*[52]. Si un certain nombre des œuvres annoncées dans l'ouvrage sont bien terminées à cette date, d'autres, malgré le titre de l'opuscule, ne sont pas encore en place : nous verrons que c'est le cas de la toile devant remplacer la fresque de Guariento, qui n'est pas même commencée en 1587.

Le programme du concours

Même si l'on envisage d'introduire de nouveaux cycles picturaux qui n'étaient pas présents avant l'incendie, le principe général de la restauration du palais est le remplacement des œuvres détruites – qui représentaient le plus souvent les moments importants ayant assuré l'indépendance et la puissance de Venise, et les exploits de ses citoyens les plus méritants ayant agi en ce sens – par d'autres de thème identique. En ce qui concerne le mur du *Paradis* dans la salle du Grand Conseil, Bardi indique : « À un bout de la Salle se trouve la tribune au-dessus de laquelle on devra peindre, comme c'était avant, la gloire des Élus au Paradis, et il faudra faire réaliser plusieurs projets sur ce thème pour ensuite en choisir le meilleur.[53] » La description est courte mais claire : le sujet de la décoration du mur le plus auguste de la salle, celui de la tribune du doge, sera, selon la tradition vénitienne, la gloire, c'est-à-dire la béatitude des élus au Paradis. Le camaldule annonce en même temps – précision capitale confirmée par Ridolfi en 1648[54] – qu'il s'agit, pour le *Paradis*, d'organiser un concours avec présentation de projets. Étant donné la sensibilité politique et artistique de la décoration de la tribune du doge – démontrée par les déboires de Federico Zuccaro en 1564 –, celle-ci est donc la seule pour laquelle un concours est prévu dans le cadre de la rénovation du palais des Doges. Comme le montre les vicissitudes matérielles de l'œuvre de Guariento, le climat de la lagune rend une fresque impossible à conserver et l'on prévoit de lui substituer, comme pour chaque peinture à remplacer dans le bâtiment, une toile, que l'on va se contenter dans ce cas précis (cela fut découvert en 1903) de superposer à la décoration précédente. le *Paradis* sera donc un tableau de dimensions colossales : à peu près 7 mètres de haut sur 22 mètres de large, la plus grande huile sur toile de son époque.

Quant au thème, le moine camaldule insiste sur le fait que la scène, qui peut être conçue de diverses manières, montrera cette gloire « comme c'était avant », c'est-à-dire qu'elle doit inclure, comme dans la fresque du XIVe siècle, le motif du *Couronnement de la Vierge* au milieu des hiérarchies célestes. De fait, on constate que la composition de chacune des cinq esquisses peintes pour le concours du *Paradis* s'organise bien autour du thème traditionnel du sacre de Marie. Seul le grand dessin de Zuccaro conservé à New York (cat. 2) s'en écarte et montre pour des raisons inconnues (changement de destination ?) une *Déisis*, comme il a été dit plus haut. Puisque Bardi ne parle par ailleurs que de gloire des élus, on renonce aussi au motif, extérieur à celui du paradis, de l'Annonciation pourtant incluse dans la décoration du XIVe siècle, sans doute pour se conformer au goût moderne pour l'unité de la représentation et pour des raisons de cohérence avec le décor du reste de cette zone du palais des Doges, dédié exclusivement à la gloire de Venise. L'abandon de l'annonce à Marie semble avoir été envisagé très tôt, avant même les incendies du palais, puisque Zuccaro en tient compte dès 1564. Le *Paradis* doit ainsi constituer la suite logique de la vaste scène du *Jugement dernier*[55], allégorie religieuse prévue pour le mur de la tribune de la pièce précédente, celle du Scrutin, que l'on traverse à cette époque pour accéder à celle du Grand Conseil, et où l'on voit de face l'événement eschatologique précédant le rassemblement des élus dans le ciel (allusion à la fonction politique de cette salle), c'est-à-dire le jugement, condition nécessaire à l'accès au bonheur éternel figuré dans la salle suivante, au cœur du pouvoir vénitien.

Les concurrents doivent résoudre de nombreuses difficultés. Outre le problème complexe de la représentation en format horizontal et en deux dimensions d'un sujet dont l'espace est par essence vertical et circulaire, donc à trois dimensions, les peintres doivent tenir compte des contraintes imposées par l'agencement de la salle du Grand Conseil : deux portes d'accès à chaque bout de la paroi à décorer, une tribune en bois avec ses stalles au milieu du mur (fig. 2) et dix arcades voûtées au sommet de la paroi, finalement supprimées en 1582. Tous les espaces résiduels – entre les portes et les murs latéraux, entre celles-ci et la tribune – doivent être compris dans la décoration peinte qui sera donc une décoration totale comportant une part d'illusionnisme, la tribune devenant une sorte de scène de théâtre. Il est également implicite, à cause du sujet et du lieu, que les projets doivent adopter, comme l'avait fait Guariento dans le style de son époque, un parti de symétrie autour d'une ligne de force verticale marquant une liaison directe entre le Saint-Esprit et le trône du chef de l'État. Le thème implique enfin que la lumière très particulière de l'œuvre, surnaturelle par essence, doit rayonner en tous sens depuis un point focal dans l'empyrée occupé par la colombe, symbole du Saint-Esprit. À travers les projets peints ou dessinés qui nous sont parvenus (presque tous exposés à Paris), on constate que chaque artiste apporte une solution personnelle à ces difficultés : les projets se distinguent ainsi nettement les uns des autres, donnant naissance à des créations hautement originales, sans équivalent dans l'œuvre des concurrents et dans l'art vénitien en général. C'est sur cette diversité de vision d'artistes de grand talent tendus vers un même but que l'exposition souhaite insister.

Le déroulement du concours

En l'absence de sources décrivant le déroulement et les modalités de la compétition, la date de la tenue du concours est discutée. Il a forcément lieu entre l'incendie de 1577 et la publication de la *Dichiaratione...* par Bardi en 1587, puisque celui-ci y indique pour la première fois le résultat de l'épreuve. Sinding-Larsen (1974) fait remarquer que l'assise de la tribune de la Seigneurie étant abaissée, selon Lorenzi (1868) après avril 1579 – une fois terminés les travaux de restauration du gros œuvre de la salle –, le concours ne peut avoir lieu qu'après cette date[56]. La compétition est donc annoncée après le mois d'août 1579, année où est mis à la disposition des artistes le programme iconographique des salles du Scrutin et du Grand Conseil, comme il a été dit plus haut. Rossi et Pallucchini (1990)[57] placent ainsi la compétition entre 1579 et 1580, mais Pignatti (1990a) allonge la période de sa tenue jusqu'en 1582, penchant plutôt pour une date vers 1582, tandis que Schulz (1979)[58], suivi par Mason Rinaldi (1984), Cocke (1984)[59] et Rearick (1995)[60], recule sa date en 1582 ou 1583, avec une préférence pour 1582. Schulz (1980)[61] et Rearick (1996) argumentent logiquement que l'installation du nouveau plafond de la salle du Grand Conseil n'étant à peu près achevée qu'en avril 1582 – puisque c'est à cette date que l'architecte décorateur se plaint auprès des *Proveditori sopra la restauration* que ses plans ne sont pas suivis – ce n'est qu'après cette date que l'on a pu songer sérieusement au remplacement de la fresque. Guiffrey (dans Rouchès, 1929) et Mazza (1996)[62] quant à eux, optent plutôt pour une date en concordance avec la publication de Bardi, c'est-à-dire vers 1587. Analysons les faits : Tintoret et Véronèse modifient leurs projets en cours de route pour tenir compte du changement intervenu dans la structure du plafond en 1582 ; quant à Sansovino (1582), il ne dit rien du concours dans son guide de Venise paru cette année-là (donc trop tôt pour pouvoir en tenir compte)[63] ; enfin, Francesco Vendramin, ambassadeur de la Sérénissime à Rome, écrit en 1603 que Federico Zuccaro prétend que la *Soumission de l'empereur Frédéric Barberousse au pape Alexandre III*, tableau daté de 1582 en bas sur un cartouche peint par Zuccaro en 1603, lui fut commandé en compensation de ne pas avoir été choisi pour le *Paradis*[64]. Tous ces faits convergent pour indiquer que le concours a bien lieu en 1582, après le mois d'avril, comme le pensent Schulz, Pignatti, Mason Rinaldi, Cocke et Rearick.

Les participants au concours

Les principaux peintres actifs à Venise à la fin du XVIe siècle prennent part à cet événement considérable de la vie artistique de la lagune. Ce sont, d'une façon générale, des peintres qui sont impliqués par ailleurs dans les immenses travaux de restauration du palais des Doges après l'incendie de 1577 et qui adhèrent aux nouvelles normes stylistiques et iconographiques du maniérisme tardif (dont celles préconisées par le concile de Trente clos en 1563). Les peintres en concurrence sont les deux très grands maîtres vénitiens qui dominent la scène lagunaire depuis la mort de Titien, Jacopo Robusti, dit Tintoret (Venise, 1518 – Venise, 1594), et Paolo Caliari, dit Véronèse (Vérone, 1528 – Venise, 1588) ; mais aussi des artistes plus jeunes, Jacopo Negretti, dit Palma le Jeune (Venise, 1544 – Venise, 1628), petit-neveu de Palma le Vieux ; Francesco dal Ponte, dit Francesco Bassano (Bassano del Grappa, 1549 – Venise, 1592), fils aîné du grand Jacopo Bassano ; et sans doute, comme nous l'avons vu, Federico Zuccaro (Sant'Angelo in Vado, 1540/1541 – Ancona, 1609), pendant son second séjour à Venise.

Il reste de remarquables témoignages de la participation de ces peintres à la compétition : outre la grande étude de Zuccaro du Metropolitan Museum of Art à New York (cat. 2) commentée plus haut, cinq esquisses peintes (*modelli* en italien) mettent en scène le *Paradis*, et un certain nombre de dessins préparatoires étudient soit l'ensemble de la composition soit, en majorité, les figures individuelles ou des groupements de figures. Les cinq peintures, réunies pour la première fois dans l'exposition depuis les années 1580, sont des originaux liés au travaux de remplacement de la fresque sans aucun doute possible : la toile de Palma le Jeune (Milan, Bibliothèque ambrosienne, huile sur toile, H. 1,25 ; L. 4,10, cat. 3), celle de Véronèse (Lille, palais des Beaux-Arts, huile sur toile, H. 0,87 ; L. 2,34, cat. 7), celle de Francesco Bassano (Saint-Pétersbourg, musée d'État de l'Ermitage, huile sur toile, H. 1,27 ; L. 3,51, cat. 12) et deux tableaux de Tintoret (Paris, musée du Louvre, huile sur toile, H. 1,43 ; L. 3,62, cat. 13 ; Madrid, musée Thyssen-Bornemisza, huile sur toile, H. 1,64 ; L. 4,92, cat. 14). En ce qui concerne les feuilles en rapport avec ces propositions, celles de Tintoret – exclusivement des dessins de figures isolées – sont

Fig. 20
Jacopo Palma le Jeune (1548-1628)
Le Jugement dernier, vers 1595
Huile sur toile, H. 3,95 ; L. 15,65 m
Venise, palais des Doges.

les plus nombreuses, conservées principalement au musée des Offices à Florence.

Quant à Federico Zuccaro (voir *infra* le texte de Catherine Loisel), un doute subsiste sur sa participation au concours de 1582 puisque la grande étude d'ensemble de New York, seule candidate possible comme projet éventuel présenté par l'artiste à ce concours, montre encore l'ancien plafond à voûtes de la salle du Grand Conseil pourtant supprimé cette année-là et propose, à la place du *Couronnement de la Vierge* souhaité dans le programme, une *Déisis*, motif plus rare, surtout à Venise, inspiré de Raphaël au Vatican (fig. 18). Le projet de New York montre-t-il, caché sous le papier collé, un *Couronnement de la Vierge* ? Zuccaro a-t-il envoyé ce dessin depuis Florence ou Rome sans connaître le changement survenu dans le plafond de la salle du Grand Conseil ? Puis, son projet n'ayant pas été retenu, a-t-il envisagé d'utiliser cette étude extrêmement soignée, qui lui a certainement coûté beaucoup de travail, pour une autre destination, d'où sa modification et sa mise au carreau ?

Le projet de Palma le Jeune

L'esquisse peinte de Jacopo Palma le Jeune[65], conservée aujourd'hui à la pinacothèque de la Bibliothèque ambrosienne à Milan, est étudiée dans ce catalogue par Stefania Mason (cat. 3) en relation avec les trois études préparatoires connues pour ce projet[66] : une vue d'ensemble appartenant au Fogg Art Museum de l'université Harvard à Cambridge (cat. 5), l'un des plus beaux dessins de Palma, et deux autres études à l'Universitätsbibliothek de Salzbourg (en fait une seule feuille recto et verso, cat. 4)[67]. La toile de Palma montre, avec plus de précision que les autres œuvres citées ci-dessus, les portes de la salle du Grand Conseil et l'emplacement de la tribune du doge. Elle offre une vision du paradis moins foisonnante que celle des autres propositions, plus aérée notamment dans sa partie haute, ce qui lui donne un caractère prébaroque peu étonnant de la part d'un des plus jeunes participants au concours, mort assez tard, dans le XVIIe siècle, en 1628. Dans cette scène strictement symétrique, les gradins nuageux portant les justes, au lieu d'être étagés en hauteur selon la tradition pour former la sphère tournant autour de l'empyrée, se succèdent en profondeur posés sur un arc de cercle clairement représenté, indiquant que les élus et les anges se répartissent sur un matelas de nuages adhérant à la face interne d'une sphère solide dont l'épaisseur est matérialisée par deux lignes courbes au premier plan. À cause du point de fuite abaissé, les figures disparaissent progressivement les unes derrière les autres dans le fond lumineux, occultant la sensation d'une giration des personnages autour d'un centre. La conception circulaire du paradis est ainsi très différente chez Palma et chez ses concurrents. Elle est plus savante : au lieu d'être disposé en amphithéâtre, le paradis ressemble à une vaste demi-coupole renversée dont le sommet serait tangeant au trône du doge et dont les nervures peuplées de figures de plus en plus grandes vers l'avant sembleraient rayonner depuis un empyrée assez bas.

Par ce système en arc de cercle, les élus semblent réunis sur les flancs d'une vallée nuageuse dont le fond, placé sur l'axe vertical de la composition, repose sur la tribune et s'ouvre en fente juste au-dessus du doge pour laisser passer l'influx divin (*infusio gratiae*), tandis que les bords remontent en escalier dans les coins jusqu'au plafond. Au creux de ce val descend sur un nuage la sphère de l'empyrée, double cercle éblouissant qui entoure la forte image d'un Christ sculptural triomphant après la résurrection, assis torse nu en position frontale avec la colombe au-dessus de sa tête, ce qui est proche du schéma d'un Jugement dernier, thème que Palma peindra effectivement dans la salle voisine du Scrutin vers 1595 (fig. 20). Le dispositif du tableau de l'Ambrosienne annonce l'héliocentrisme spirituel du XVIIe siècle, par lequel Dieu est décrit comme « un beau et rayonnant soleil dans le Paradis[68] ». Même s'il est difficile de distinguer si Jésus tient quelque chose dans sa main droite étrangement aplatie (on remarque ici un repentir ou un repeint), l'idée pourrait être qu'il couronne de ce geste énergique Marie, qui, debout sur une nuée au-dessus des élus, attend, mains croisées sur la poitrine, à gauche du vaisseau divin.

La hiérarchie céleste de Palma est moins nette que celle des autres artistes du concours. Les anges retiennent toute son attention : si les séraphins et les chérubins sont bien là, à peine esquissés, tout près du Christ, et si de nombreux anges se répartissent dans la foule en battant lentement des ailes, d'autres, en nombre moins important mais nettement discernables, forment de gracieuses figures dans des attitudes et des raccourcis d'une variété et d'un dynamisme extrêmes (quelques-unes de ces figures sont étudiées au verso de la feuille de Salzbourg cat. 4) : composant une sorte de guirlande au sommet de la composition, ils volent dans toutes les directions dans l'espace laissé libre autour du Christ et portent des objets symboliques clairement détaillés et faciles à reconnaître, principalement des instruments de musique ou de la Passion (fig. 21). D'autres anges musiciens occupent, assis ou debout sur des nuages tout en bas de la composition, donc tout près de l'observateur, les espaces situés entre les portes de la salle et la tribune.

Fig. 21
Jacopo Palma le Jeune (1548-1628)
Le Paradis (cat. 3)
Détail : Anges volant en haut à droite
Milan, Pinacoteca Ambrosiana.

Par le style comme par l'iconographie de son projet, Palma le Jeune se distingue de ses concurrents par sa volonté de clarté cherchant à dépasser le maniérisme de son époque et l'on constate sur ce point dans son travail une certaine convergence de nature proto-baroque avec la grande étude de Federico Zuccaro conservée à New York (cat. 2). En optant pour un mouvement partant du fond vers l'avant afin de suggérer l'idée généreuse d'un paradis céleste avançant vers le spectateur au lieu de l'obliger à monter vers lui, il cherche à mieux impliquer l'observateur dans l'action. Les figures, contrairement à celles des autres propositions, sont tournées vers la salle plutôt que vers la bulle divine et semblent conscientes de la présence du spectateur vers lequel elles se tournent.

Lorsqu'on compare l'esquisse de l'Ambrosienne avec l'impressionnant dessin d'ensemble de Harvard (dont la lumière est plus contrastée, cat. 5) et l'étude de la partie droite du tableau conservée à Salzbourg (cat. 4), on constate que l'artiste, dans une première idée plus proche d'un Jugement dernier, pensait montrer le paradis présidé par le Christ sauveur (*Salvator Mundi*) et justicier, Marie étant assise à sa droite et non debout pour être couronnée, les élus étant plus franchement tournés vers le cercle divin et l'horizon étant placé plus haut.

Malgré la difficulté de lecture, le jeune artiste semble revenir au contraire dans la peinture – avec un minimum de changements – au motif traditionnel du couronnement de la Vierge préconisé par le programme du concours, même si l'on n'aperçoit pas (ou plus ?) de couronne dans la main droite, étrangement raide et aplatie, de Jésus ; cette correction peut donc confirmer que l'œuvre est un projet présenté au concours de 1582, pour lequel tous les participants incluent le motif du sacre marial. Palma renforce en outre le lien de l'œuvre avec la salle en abaissant l'horizon, donc aussi le trône divin, et en tournant un certain nombre d'élus vers le spectateur : le point de fuite plus bas, ajouté à la superposition en profondeur des gradins et des personnages permet de détacher clairement les saints majeurs figurés en grand format au premier plan, leur identification par le spectateur étant rendue plus aisée par leurs attitudes, diversifiées avec soin, et les principaux d'entre eux siégeant directement au-dessus de la tribune de la Seigneurie.

La politisation de l'image, périlleux exercice mélangeant les genres par des allusions à la vie contemporaine, est plus prononcée chez Palma que chez les autres peintres. On aperçoit, par exemple, au-dessus de la porte de droite, un détail – un peu étrange pour le paradis –, faisant allusion à un événement récent de l'histoire européenne où Venise a joué un rôle prépondérant : la bataille de Lépante en 1571 contre l'empire ottoman. Le pouvoir qui s'oppose à la Sérénissime en Orient y est figuré par la bête de l'Apocalypse, le dragon à sept têtes : la menace turque sans cesse renaissante – réalité confirmée par le piètre résultat de la prétendue « victoire » de Lépante – est en effet représentée volontiers dans la lagune comme une hydre[69]. Palma le Jeune montre ainsi à tous les niveaux une liberté d'interprétation qui fait que son projet n'est pas retenu. Il ne respecte pas assez la tradition ni le programme du concours, et son modernisme prémonitoire déroute. Mais de toutes les esquisses présentées à la compétition, sa proposition est pourtant la seule, alors qu'elle n'a pas été choisie, à être diffusée par l'estampe du vivant même de son auteur. Fait significatif, c'est un étranger, le Français Pierre Brébiette (1598 ? – 1642), qui la grave à Venise en 1625 à la demande de l'évêque de Chartres (cat. 6) : probable hommage d'un pays aimant la clarté à un grand prédécesseur vénitien de la peinture européenne du XVIIe siècle.

Les artistes retenus : Véronèse et Francesco Bassano

Bardi est le premier à donner les noms des vainqueurs du concours, qu'il n'indique que dans son opuscule de 1587, où il écrit (p. 46 recto) : « une gloire des élus du Paradis [...] faite une partie par Francesco Bassano, et l'autre par Paolo Véronèse » (*una gloria de i beati del Paradiso* [...] *fatta parte da Francesco Bassano, et parte da Paolo Veronese*)[70]. Ce sont donc deux peintres au lieu d'un qui sont choisis conjointement, le grand Paolo Véronèse et Francesco Bassano, artiste né en 1549, le plus jeune de tous les participants au concours. La décision est surprenante : les deux hommes sont très différents, pour ne pas dire opposés, par leurs centres d'intérêts, leurs styles et les genres qu'ils traitent de préférence. En fait, après beaucoup d'hésitations et de dissensions, les juges n'ont pas réussi à trancher[71]. C'est que chacun de ces peintres a de puissants soutiens : la notoriété de Véronèse est immense au sein de l'élite intellectuelle et de la grande aristocratie, notamment des familles papalistes comme les Barbaro ; et Francesco Bassano bénéficie de la célébrité internationale de son père, Jacopo Bassano (vers 1510-1592), trop âgé pour intervenir lui-même mais qui, avec l'aide probable du *proto* Antonio dal Ponte, a imposé son fils le plus doué dans l'équipe des peintres restaurateurs du palais des Doges.

Il faut ajouter que les Véronèse et les Bassano ne sont pas des rivaux, mais s'estiment au contraire au point que Paolo met vers cette époque son fils Carletto en apprentissage dans l'atelier vénitien des Bassano, dirigé justement par Francesco. Les responsables de ce choix improbable espèrent ainsi échapper aux pressions en laissant les deux artistes se débrouiller, comptant sur leur entente pour trouver la bonne solution au remplacement de la fresque. Cette collaboration peut aussi leur avoir été soufflée par Véronèse lui-même, qui, accablé de travail, a besoin d'être soulagé par des proches dans une commande qui ne se refuse pas, avec sans doute l'idée acceptée de tous qu'il serait le maître d'œuvre et que Francesco jouerait le rôle d'assistant. Mais Paolo meurt subitement en 1588, plus d'épuisement que de maladie, alors que l'immense toile n'est pas commencée : la difficulté à accorder les deux styles a certainement fait traîner la réalisation en longueur[72].

Véronèse

Ridolfi (1648) ajoute à l'histoire une précision importante, somme toute logique. C'est le groupe principal du tableau qui est confié à Paolo : « lui étant destinée la partie de la Trinité et des Anges, comme plus adaptée à ses capacités » (*essendo à lui destinato la parte della Trinità e degli Angeli, come più proportionata al di lui operare*)[73]. Du projet de Véronèse pour le *Paradis*, il reste l'esquisse du palais des Beaux-Arts de Lille (cat. 7), qui montre l'emplacement des portes de la salle du Grand Conseil et de la Tribune de la Seigneurie, et quatre études préparatoires (une à Cambridge, Harvard, Fogg Art Museum cat. 8 ; deux à Berlin, Staatliche Museen, Kupferstichkabinett cat. 9 et 10 ; et celle de la collection Herring à New York cat. 11). Les dessins indiquent que la partie que doit traiter Paolo inclut en fait, outre la Trinité (avec Marie) mentionnée par Ridolfi, le groupe, visible directement sous cette dernière dans la toile de Lille, des évangélistes et des apôtres, et celui, encore en-dessous, des martyrs, avec, probablement, un groupe d'anges musiciens. Dans le tableau lillois, dont la place dans le processus créatif de Véronèse est étudiée dans ce catalogue par Sylvie Béguin, on remarque que ces personnages s'enlèvent à contre-jour sur des nuages sombres étagés en forme de cône au centre de la

Fig. 22
Paolo Caliari, dit Véronèse (1528-1588)
Le Paradis (cat. 7)
Détail : Couronnement de la Vierge
Lille, palais des Beaux-Arts.

composition, écho probable du double trône pyramidal du Christ et de la Vierge dans l'œuvre de Guariento. Au sommet de ce cône, on aperçoit, traité dans l'esprit maniériste en toute petite vignette difficile à distinguer à ras du bord supérieur de la toile (mais celle-ci est coupée des quatre côtés), un motif que le maître a déjà abordé sur le plafond de la sacristie de San Sebastiano en 1555, et qu'il est le seul à proposer pour le *Paradis* : la Vierge couronnée non par le Christ, comme dans la fresque du XIVe siècle, mais par la Trinité (fig. 22).

Tout en haut de la forme pyramidale du centre, Marie est donc sacrée conjointement par le Père et le Fils, qui posent ensemble la couronne sur sa tête tandis que la colombe plane au-dessus d'eux. La Vierge leur fait face à genoux, et plus loin, en bordure de l'empyrée, sont également agenouillés de chaque côté saint Jean Baptiste le précurseur, à gauche, et saint Joseph l'époux terrestre de la Vierge, à droite. Cette conception du culte marial avec un couronnement trinitaire, qui existe seulement depuis le XVe siècle dans les pays latins mais s'impose progressivement dans l'Europe entière jusqu'au XVIIe siècle, a pour effet de renforcer le rôle de la mère de Jésus. Véronèse n'utilise pas cette iconographie sans raison. Comme il vient de le montrer lui-même dans le *Triomphe de Venise* (terminé avant

Fig. 23
Paolo Caliari, dit Véronèse (1528-1588)
Le Paradis (cat. 7)
Détail : Anges vers le haut à gauche de la composition
Lille, palais des Beaux-Arts.

1582) décorant le compartiment du plafond situé immédiatement au-dessus du trône du doge (fig. 10 et figure C), la Sérénissime s'identifie à Marie reine du ciel et de l'univers, dont le sacre trinitaire renforce le rôle.

Tout autour, les figures se matérialisent progressivement dans la lumière divine vive et dorée, venant du haut et du fond du tableau, filtrée à travers les nuages comme celle d'un soleil couchant. Comme le démontre le dessin d'ensemble de Harvard (cat. 8), sur lequel Véronèse a inscrit deux fois avec quelques variantes la liste des personnages à représenter, Paolo ordonne ses figures en respectant la hiérarchie céleste traditionnelle. Il mêle les anges et les élus en files continues sur des cercles de nuages concaves et concentriques formant un amphithéâtre se rétrécissant vers le haut et en giration autour du cône convexe portant l'empyrée et les élus du premier ordre, l'axe vertical de la composition passant par le sommet de cette pyramide jusqu'à la partie médiane de la tribune, tout en bas, où se trouve le siège du doge. C'est ainsi une section intérieure de la sphère du paradis que le maître met en scène, lui prêtant l'apparence d'une coupole illusionniste surplombant la plate-forme de la Seigneurie. Sous l'influence probable des créations mouvementées et visionnaires de Tintoret, Paolo donne à l'image un dynamisme cosmique tenant compte des observations de l'astronomie moderne[74], en rupture complète avec la conception du paradis céleste héritée de Byzance ou de Guariento.

Comme le montre Sylvie Béguin dans ce catalogue, l'esquisse de Lille n'est pas l'œuvre, certainement plus achevée, que Véronèse présente au concours, mais elle en est l'étape essentielle, indispensable à sa réalisation. Son but est d'étudier dans une gamme colorée restreinte de roses, de blancs et de gris verts plus ou moins foncés les contrastes d'ombre et de lumière. De toutes les propositions pour le *Paradis*, c'est elle qui comporte le plus grand nombre de figures, suggérant une immense foule fantômatique s'étendant à l'infini. L'identification, très ardue, des personnages importe peu, car il s'agit pour le maître d'étudier l'apparence des masses humaines dans la matière lumineuse et impalpable du paradis. La lumière émanant de la minuscule colombe à peine perceptible tout en haut de la composition – réverbérée par le prisme des séraphins et des chérubins formant autour d'elle des cercles concentriques de petits points incandescents – enveloppe, absorbe, traverse les figures, les rendant diaphanes et indistinctes au point qu'on devine rarement leur sexe même si l'on repère ici ou là quelques martyrs ou quelques anges musiciens parmi les toutes petites silhouettes, évoquées avec une dextérité éblouissante en quelques coups de blanc de plomb (fig. 22 et 23).

La conception de l'image, enfin, est résolument illusionniste : à mesure que les extrémités des gradins nuageux flottent vers le spectateur comme pour l'entraîner dans leur rotation, les personnages les peuplant à contre-jour aux endroits où ces gradins s'interrompent (à l'instar du cercle nuageux de Raphaël dans la chambre de la Signature au Vatican, voir fig. 18) – laissant apparaître leurs revers obscurs qui forment des sortes de rideaux de coulisse aux bords du tableau – deviennent plus grands, plus précis, plus colorés, plus reconnaissables enfin parce que plus proches du spectateur, qui a l'impression de faire partie des ressuscités du cercle inférieur de l'amphithéâtre. Cette fusion unique entre la représentation d'une lumière surnaturelle, dont Véronèse étudie en camaïeu les effets fantastiques, et l'illusionnisme qui caractérise son art, annonce une création novatrice, profondément originale dans son œuvre, faisant regretter une mort soudaine qui en empêcha la réalisation.

Francesco Bassano

Quant au projet du vainqueur *ex aequo* Francesco Bassano, on peut difficilement imaginer proposition plus différente de celle de Véronèse. Le tableau conservé au musée de l'Ermitage à Saint-Pétersbourg (cat. 12), qui indique lui aussi – avec beaucoup plus de précision – l'emplacement des portes et de la tribune, est certainement l'esquisse présentée par Francesco au jury du *Paradis* et l'unique pièce connue de sa participation au concours. On peut dire que le fils de Bassano prend l'exact contrepied de Paolo. Si le séjour du bonheur éternel a pour lui également un aspect cosmique, la structure entièrement convexe du tableau inverse la proposition du maître véronais : la sphère du paradis est vue non de l'intérieur, mais de l'extérieur, comme s'il s'agissait d'un globe planétaire sur lequel se tiendraient les personnages. Au sommet de cette sphère flotte l'empyrée, sorte de satellite ou boule lumineuse coupée par le bord supérieur de la toile. On aperçoit un peu plus de la moitié de son orbe formé d'innombrables points lumineux, des séraphins et des chérubins dont la disposition en cercles concentriques donne au ciel supérieur l'apparence d'une bulle transparente et irisée. Au sein de l'empyrée, on distingue, en minuscule vignette maniériste à peine lisible quoique violemment éclairée (comme c'est l'habitude dans les ateliers des Bassano), le motif traditionnel, repris de la fresque de Guariento, de la Vierge (ici, à genoux) à gauche, couronnée par son fils assis à droite, avec la colombe planant au-dessus.

Cette bulle incandescente et dorée semble plonger lentement dans l'atmosphère du paradis, provoquant des vagues qui se propagent de proche en proche dans la foule des élus. Les esprits célestes sont progressivement tirés de l'ombre par la lumière divine du haut vers le bas, comme par un soleil levant. Au lieu de graviter autour de l'empyrée sur des gradins en amphithéâtre comme dans la vision de Paolo, ils convergent en diagonale vers la colombe, gravissant péniblement la face escarpée de la sphère paradisiaque composée d'amas inégaux et verdâtres censés figurer les nuages. Les personnages, nettement distingués les uns des autres, se suivent en files parallèles (comme les bancs des membres du Grand Conseil dans la salle) et s'éloignent vers le haut, irrésistiblement attirées comme par un aimant vers l'infini lumineux qui les absorbe et les dématérialise progressivement, évoquant l'idée de l'échelle de Jacob. Vues de loin, ces lignes de personnages rayonnant depuis le sommet de la sphère en suivant sa courbure ressemblent aux côtes d'un gigantesque fruit (figure D). Cette construction en striures convergeant vers le haut a quelque chose d'archaïque qui rappelle un tympan gothique ou une voûte ogivale dont l'empyrée serait la clef pendante. Contrairement à Véronèse, Francesco Bassano sépare nettement les anges des élus. Les premiers, plus éloignés vers le haut près du globe divin, sont assis et beaucoup d'entre eux jouent de la musique – certains, en haut vers la droite, soufflent même dans des trompes comme dans une scène de Jugement dernier ; les seconds, plus proches du spectateur invité à s'identifier à eux, grimpent vers la bulle, à genoux ou même à quatre pattes comme dans un pèlerinage, guidés par les anges qui les précèdent.

Au milieu de la composition les figures s'écartent, laissant apparaître un vide en forme de puits ou de sentier qui relie la base de l'empyrée au centre de la tribune, marquant l'axe vertical du tableau. Ce dispositif suggère une communication directe – l'*infusio gratiae* – entre l'Esprit-Saint et le doge siégeant plus bas. Détail significatif, un moine placé au débouché de ce tunnel, juste au-dessus du doge et tournant le dos à la scène, tient un grand livre ouvert qui semble posé de manière illusionniste sur le dossier de la tribune (fig. 24) : l'homme se penche vers le doge comme pour lui souffler à l'oreille l'influx reçu d'en haut, suggérant une interpénétration des espaces du tableau et de la salle. On aperçoit le long de la voie de communication avec Dieu deux symboles évocateurs : presque à mi-parcours, le lion de

Fig. 24
Francesco dal Ponte, dit Francesco Bassano (1549-1592)
Le Paradis (cat. 12)
Détail : Moine, au centre du premier plan, se penchant vers le doge
Saint-Pétersbourg, musée d'État de l'Ermitage.

saint Marc, et, juste sous l'empyrée, la nef de Noé, allusion à la puissance navale de Venise et à la pérennité de sa république insubmersible[75].

Selon Carlo Ridolfi (1648), comme il a été dit, Francesco Bassano est désigné pour exécuter – en quelque sorte comme un assistant de Véronèse – les anges et les élus entourant la scène principale, c'est-à-dire les parties latérales de la composition seulement. Cela veut dire que le fils aîné du grand Jacopo doit se contenter d'aider le maître véronais à peindre l'énorme masse des figures secondaires. À son couronnement traditionnaliste de la Vierge par le Christ, les juges ont donc préféré l'idée plus moderne du couronnement de Marie par la Trinité proposée par Véronèse, sans doute à cause de la signification politique de cette iconographie, expliquée plus haut. En outre, si le puits de communication céleste fait peut-être partie du parti souhaité (voir plus loin la discussion des esquisses de Tintoret), l'archaïsme ogival de l'ensemble de la composition a dû paraître étrange. D'une manière générale, Francesco a une conception plutôt sombre et contrite du paradis, dont il brouille l'image de pure sérénité en y mêlant des impressions de la Résurrection, du Purgatoire et du Jugement dernier. Il met en outre l'accent, non sur la lumière surnaturelle émanant de la Trinité comme Paolo, mais sur la présence réelle des élus avec leurs corps, dont il détaille l'aspect, la pesanteur, les efforts et même les pertes d'équilibre dans leur rocailleuse ascension vers Dieu.

Du moins ce réalisme rend-il facile l'identification des personnages. Toute la société est représentée dans cette hiérarchie dont Francesco respecte la répartition traditionnelle : apôtres, patriarches, prophètes, martyrs, vierges, docteurs. Il insiste, en bas, sur la présence des puissants de ce monde, que les autres peintres, même Palma le Jeune qui en représente quelques-uns, répugnent à montrer en tel nombre. On repère par exemple, assis ou agenouillés juste au-dessus et autour du banc de la Seigneurie, des papes et autres princes de l'Église, un empereur, des doges, des rois, des courtisans, tous accompagnés de la pompe de leurs fonctions temporelles. Ces grandes figures évoquant la Résurrection semblent se lever de terre juste au-dessus du trône de la tribune pour passer insensiblement dans le ciel, suggérant que la république de Venise joue un rôle d'intermédiaire privilégié dans la communication avec la divinité – une allusion à la diplomatie d'équilibre pratiquée par la Sérénissime depuis le début du siècle. Cette lisibilité des figures secondaires, audacieuse pour un tel sujet, flatte les responsables, qui, à Venise, aiment se faire représenter dans les scènes sacrées, ce qui les pousse à admettre le fils de Bassano dans l'équipe du *Paradis* car son projet, malgré ses défauts, leur convient mieux sur ce point que celui de Véronèse. Rien pourtant n'est plus éloigné de la peinture radieuse de Paolo que le réalisme répétitif de Francesco, dont les allusions contemporaines contredisent la vision sereine du séjour céleste voulue par la tradition. Si le temps a manqué aux deux artistes pour peindre leur œuvre commune avant la mort de Paolo, c'est bien, comme l'écrit Ridolfi (1648), parce que les deux conceptions et les deux styles ne pouvaient s'accorder. Entre l'illusionnisme enveloppant de Véronèse et l'aspérité ascensionnelle de Francesco la contradiction semble insoluble, empêchant toute collaboration effective.

Le deux projets de Tintoret

On connaît deux esquisses de Tintoret pour le *Paradis* : celle du Louvre (toile H. 1,43 ; L. 3,62, cat. 13) et celle, plus grande, du musée Thyssen-Bornemisza à Madrid (toile H. 1,64 ; L. 4,92, cat. 14)[76]. Si toutes les deux adoptent le motif traditionnel du couronnement de la Vierge par le Christ en présence du Saint-Esprit, elles ont la particularité commune de ne pas indiquer, contrairement aux autres propositions pour le concours, l'emplacement des portes de la salle du Grand Conseil ou l'encombrement de la tribune de la Seigneurie.

Si l'on superpose cependant leur image à une reproduction de la salle telle qu'elle existe actuellement, on constate que leur composition semble néanmoins tenir compte elle aussi des portes et de la tribune : les photomontages effectués pour ce catalogue (figures E et F) montrent que celles-ci empiètent sur des parties non essentielles de la représentation, personnages secondaires au premier plan dans la toile du Louvre, sections de ciel étoilé plus ou moins vides dans celle de Madrid, comme si le peintre souhaitait faire de ces œuvres des objets de collection, ce qui fut le cas : elles devaient donc se suffire à elles-mêmes en tant que tableaux achevés.

Si l'attribution des deux toiles à Tintoret ne pose pas de problème, leur datation est controversée. L'idée le plus souvent exprimée est que l'esquisse du Louvre, très différente par sa conception de l'œuvre finale encore en place dans la salle du Grand Conseil, précède celle du musée Thyssen et qu'elle est peinte pour le premier concours du *Paradis*, donc vers 1582. Quant à la seconde esquisse, son style plus tardif et sa composition plus proche de celle du tableau achevé laissent penser qu'elle est réalisée après la mort

Fig. 25
Jacopo Robusti, dit Tintoret (1519-1594)
Le Jugement dernier, vers 1563-1564
Huile sur toile, H. 14,50 ; L. 5,90 m
Venise, église de la Madonna dell'Orto.

Fig. 26
Jacopo Robusti, dit Tintoret (1519-1594)
Le Jugement dernier
vers 1563-1564
Détail de la partie supérieure
Huile sur toile, H. 14,50 ; L. 5,90 m
Venise, église de la Madonna dell'Orto.

de Véronèse, donc après 1588. D'autres critiques, comme Schulz (1980) et Hochmann (2004)[77], estiment au contraire que les deux toiles sont peintes avant le concours de 1582 et avant l'incendie de 1577, en fait en 1564 lorsque apparaît l'idée de remplacer la fresque de Guariento. C'est donc l'histoire de ces deux œuvres et leur position relative l'une par rapport à l'autre et par rapport au *Paradis* du palais des Doges qu'il convient de préciser.

La première esquisse

La restauration de la première esquisse, celle de Paris, en 1994, a donné lieu à des révélations inédites à ce jour et capitales pour l'histoire des deux projets de Tintoret. Le premier enseignement est que le maître, comme Zuccaro dans les deux dessins du Louvre (cat. 1) et de New York (cat. 2), et comme Véronèse dans celui de Harvard (cat. 8), a d'abord tenu compte des dix anciennes voûtes sur pendentifs dominant, avant l'incendie de 1577, le mur de la tribune de la Seigneurie dans la salle du Grand Conseil : la radiographie du tableau (fig. 63 et 64) montre en effet la présence des extrémités de ces pendentifs sous la couche picturale. La toile a donc été coupée en haut, ce qui a mutilé la trace de ces supports dont il ne reste que les parties inférieures sous la couche peinte. Cette suppression a eu pour conséquence de placer l'empyrée tout en haut de la composition, c'est-à-dire que la colombe de l'Esprit se retrouve, comme dans l'esquisse de Véronèse (elle-même coupée, cat. 7), plus près du bord supérieur de la toile. La matière picturale recouvrant le bas de ces voûtes est ancienne, cohérente et parfaitement intégrée au reste de la peinture dont elle montre toutes les qualités ; elle a donc été posée par le maître lui-même afin de masquer les pendentifs. La seconde révélation de la restauration est que le tableau a été agrandi en bas afin de rétablir l'équilibre de l'image diminuée en partie haute. Cela confirme que les grandes figures que l'on voit peintes dans le bas étaient en fait destinées à disparaître, comme il est dit ci-dessus, sous les portes et le dos de la tribune, de manière à placer les anges musiciens directement sur la tribune, comme dans la fresque de Guariento (figure E).

Fig. 27
Attribué à Francesco Botticini (1446-1497)
La Vierge accueillie dans le ciel après l'Assomption, vers 1475-1476
Huile sur bois, H. 2,28 ; L. 3,77 m
Londres, National Gallery, inv. NG 1126.

Fig. 28
Corrège (vers 1489-1534)
L'Assomption de la Vierge, vers 1526-1530
Fresque
Parme, cathédrale, coupole.

L'esquisse du Louvre semble donc avoir été réalisée avant la suppression des voûtes de la salle du Grand Conseil en 1582. À cause de sa proximité stylistique avec la partie supérieure du *Jugement dernier* de la Madonna dell'Orto achevé par le maître vers 1563-1564 (fig. 25), il apparaît qu'elle a été peinte avant le concours, vers le milieu des années 1560. La facture de l'œuvre correspond bien, par la clarté de la composition et l'équilibre des couleurs typiquement vénitiennes, légères et scintillantes, au style de Tintoret pendant cette période où il montre encore des affinités avec Schiavone, même si le coloris s'enrichit d'une qualité presque fluorescente qui cherche à traduire le caractère surnaturel de la lumière. Compte tenu de cette datation, il devient aussi évident, à cause du thème et du format de l'œuvre, qu'elle a dû être réalisée au moment où apparaît l'idée de remplacer le *Paradis* de Guariento, c'est-à-dire vers 1564 : il devait donc s'agir pour Tintoret de contrer, une fois de plus, Federico Zuccaro. Cette hypothèse est corroborée par le témoignage de Vasari, qui rapporte en 1568 l'opposition des artistes vénitiens à l'idée de confier ce décor à un étranger, le contradicteur le plus véhément étant Tintoret lui-même : les deux peintres étaient en effet à cette époque, comme il a été dit, en rivalité pour la décoration de la salle de réunion de la Scuola

di San Rocco. Selon la méthode utilisée alors avec succès, Tintoret, « hanté comme il l'était par le désir de réaliser cette grande œuvre » du *Paradis*[78], produit dans ce cas également un projet concurrent sans être sollicité. Au moment du concours proprement dit, en 1582, il présente à nouveau l'esquisse élaborée avec passion en 1564 et se contente d'en supprimer les arcs devenus caduques en coupant la toile en haut et en l'agrandissant en bas pour retrouver les proportions du mur de la tribune de la Seigneurie (fig. 64).

L'inquiétude spirituelle de l'époque maniériste ne s'exprime pas chez ce maître, comme chez son grand modèle Michel-Ange, par la description des passions humaines, mais par la représentation cosmique des forces de la nature. Dans cette première idée pour le *Paradis* du palais des Doges, beaucoup plus aérée que la toile du musée Thyssen-Bornemisza (cat. 14), il substitue à l'imagination statique et architecturale de Guariento, avec sa scénographie gothique (fig. 7), une structure circulaire dont le large mouvement ascendant et rotatif entraîne dans sa course toute la composition, et le spectateur avec elle. C'est la façon qu'a Tintoret de donner en deux dimensions l'illusion d'une coupole surmontant la tribune de la Seigneurie. Ce système s'inspire de la description circulaire du paradis céleste donnée par Dante dans la *Divine Comédie*[79], que Botticelli et Botticini (vers 1475-1476, fig. 27) avaient tenté de reproduire, et dont Corrège avait fourni, sur la coupole de la cathédrale de Parme (vers 1526-1530, fig. 28), le modèle historique de transposition sur un espace architectural courbe suggérant la forme du ciel.

Les gradins portant les élus s'élargissent vers le bas et s'étalent « de telle manière qu'ils se compriment en ellipses; d'où une suggestion accentuée d'espace[80] ». De fait, les cercles sacrés s'aplatissent en disques étroitement concentriques dont l'empilement forme un gigantesque entonnoir : l'axe vertical de ce tunnel, incliné vers l'intérieur de la toile, crée un effet de perspective accélérée de type télescopique qui était encore plus puissant – comme un trou dans le mur – avant la coupure de la

Fig. 29
Jacopo Robusti, dit Tintoret (1519-1594)
Le Paradis (cat. 13)
Détail du Couronnement de la Vierge
Paris, musée du Louvre.

Fig. 30
Jacopo Robusti, dit Tintoret (1519-1594)
Le Paradis (cat. 13)
Détail : Anges musiciens
Paris, musée du Louvre.

bande supérieure de la toile. Au fond de ce tourbillon vertigineux, donc au sommet du tableau, se trouve l'empyrée où le Christ couronne la Vierge sous le symbole du Saint-Esprit. Dans ce déchaînement primordial de forces cosmiques, toutes les figures sont aspirées vers la colombe, qui plane dans l'éclatante lumière d'un au-delà infini où le regard se perd. De toutes les propositions du concours, celle-ci est celle qui évoque le mieux, avec le projet de Véronèse (cat. 10), le « ciel de pure lumière » décrit par Dante au chant XXX du *Paradis* (vers 39-40).

Les élus avec, placés en écho derrière eux (comme chez Guariento), les anges vêtus de tuniques blanches à reflets bleus et roses, se répartissent sur les cercles nuageux dans des attitudes mouvementées inspirées de Michel-Ange. Tout en haut le sacre de Marie, représenté en petite vignette dans le goût maniériste, se déroule au milieu des apôtres comme une Pentecôte (fig. 29). Cette scène est surmontée par le halo orangé de la divinité où plane la minuscule colombe du Saint-Esprit au cœur d'un double cercle de séraphins et de chérubins qui renvoient la lumière divine vers le fond du tableau, dissolvant dans cette clarté surnaturelle les figures les plus éloignées. Comme dans l'esquisse de Véronèse, la scène du couronnement est placée au sommet d'un cône formé en-dessous par deux radeaux de nuées vus au centre et à contre-jour, portant, celui du haut, les évangélistes, les prophètes, les patriarches et les docteurs, celui du bas, placé dans l'ombre portée du cercle précédent, un large concert d'anges destiné à reposer, comme dans le projet de Zuccaro, directement sur le dos de la tribune de la Seigneurie (fig. 30).

Toute cette hiérarchie céleste forme, dans une idée harmonique, un chœur innombrable clairement ordonné. Anges et élus sont irrésistiblement attirés dans l'immense spirale maniériste s'enroulant autour du Christ et de la Vierge, sur lesquels tous les yeux sont fixés : Dante insiste sur ces regards tournés vers la divinité. Cette sainte assemblée « a quelque chose de la pompe bien réglée d'une belle cérémonie », où « les cercles s'enchaînent, avec des intervalles de nuées[81] ». En partie basse, le dernier rang de nuages, où les élus s'accumulent en gros plan sur les bords, s'interrompt de chaque côté de la tribune comme s'il passait derrière et englobait dans sa giration l'observateur, qui a l'illusion d'être aspiré dans le tourbillon. Cette structure a des traits communs avec le *Paradis* de Véronèse : l'espace circulaire vu de l'intérieur, le cône central, l'interruption illusionniste des gradins nuageux sur les côtés, la lumière venant du fond et créant des effets de contre-jour. On a l'impression que Paolo, occupé lui aussi par le problème de représenter en deux dimensions une scène qui en compte trois, a pu voir et méditer le projet de son principal concurrent avant d'entreprendre le sien, ce qui semble confirmer l'antériorité de la toile de son rival plus âgé conservée au Louvre.

La dramaturgie cosmique du système céleste de Tintoret a dû déconcerter. Elle lui a pourtant permis de surmonter l'écueil inhérent au thème : une image rendue confuse par l'obligation de montrer une masse innombrable de figures en mouvement dans un espace élastique s'étendant à l'infini sous un éclairage fantastique. C'est le naturalisme vénitien qui sauve cet art visionnaire, l'empêchant de sombrer dans le chaos : malgré l'effet de foule, les personnages, jusqu'au plus petit et au plus évanescent, sont individualisés avec une économie de moyens et une maîtrise de l'espace virtuoses ; les figures dérivent dans des attitudes passionnées sur de vrais nuages vus, comme sur terre, par en-dessous et poussés devant le soleil par un vent violent, comme avant un orage ; ces nuages assombrissent, comme ceux de notre atmosphère, les cercles situés sous eux, et les personnages qu'ils portent passent alternativement, dans leur giration, de l'ombre à la lumière, jetant, comme des gemmes, des éclats de couleur à chaque passage dans la lumière. La délicatesse de la gamme colorée, claire et joyeuse, où contrastent les bleus plus ou moins foncés (le bleu gris est la couleur dominante de la composition), les blancs à reflets bleus ou roses, les rouges carmin et les jaunes, reste conforme au goût encore classique des Vénitiens dans ces années 1560. L'esquisse du Louvre ressemble ainsi à un « resplendissement aérien, comme à la fin d'une belle journée où le ciel s'attendrit dans un poudroiement de clarté[82] ». Mais Tintoret dramatise cet univers idyllique par un luminisme dont le puissant clair-obscur révèle moins les volumes que les effets variés, tantôt électriques tantôt phosphorescents, de la lumière divine sur les objets[83]. On ne peut que répéter le mot de Goethe, qui, admirant cette esquisse découverte au cours de sa visite au palais Bevilacqua à Vérone le 17 septembre 1786, écrit à son sujet dans son *Voyage en Italie* : « Un Paradis du Tintoret, qui est en fait un Couronnement de la Vierge Reine du ciel en présence de tous les patriarches, les prophètes, les apôtres, les saints, les anges, etc., idée permettant de déployer toute la richesse d'un beau génie. »

La seconde esquisse

Véronèse meurt soudainement en avril 1588 sans que la grande toile du *Paradis* du palais des Doges ait connu un début d'accomplissement. Son coéquipier Francesco Bassano, dont la proposition ne semblait pas assez convaincante déjà du vivant de Paolo, n'est pas jugé ou ne se juge pas lui-même capable (peut-être sous l'effet d'un début de dépression qui le conduira au suicide, à la mort de son père en 1592) de mener seul à son terme l'ouvrage commun. Malgré les propos assez vagues de Ridolfi (1648)[84], il n'est pas certain qu'une nouvelle consultation soit alors organisée, puisqu'on ne connaît pas d'autre projet du *Paradis* à cette époque que la seconde esquisse de Tintoret. Si le maître, alors septuagénaire, emporte finalement la commande, c'est qu'il n'a plus de concurrents vraiment crédibles. Avec Jacopo Bassano, déjà très âgé (il est né vers 1510) et retiré dans sa ville natale, il est le dernier géant de la peinture du « siècle d'or » vénitien encore en activité. Sa position est donc irrésistible. Sans doute n'en force-t-il pas moins cette fois aussi la décision, comme à son habitude lorsqu'il veut convaincre, en prenant ses adversaires de court. Et il ne lésine pas sur les moyens.

Décidé à frapper un grand coup, il produit une seconde esquisse, plus grande, plus imposante que la première, dans laquelle il gomme tout ce qui, dans la proposition précédente, avait surpris : les cercles aplatis en ellipses, la forme en entonnoir, l'axe vertical incliné vers le fond, la perspective accélérée, l'effet vertigineux, tout ce qui, en somme, donnait à son projet sa solidité structurelle et sa puissante originalité. Prenant pas à pas le contrepied de l'esquisse de 1564, il met au goût du jour la scène du couronnement de la Vierge, qu'il montre non plus en vignette maniériste, mais en grandes figures au sommet de la composition, conformément à la volonté du concile de Trente d'imposer plus d'évidence dans l'iconographie religieuse. Il ajoute à ce motif un détail nouveau qui en modifie le sens : le Christ, tout en couronnant Marie sous la colombe du Saint-Esprit, pose la main gauche sur un globe, signifiant par ce geste impérieux son rôle de sauveur et de juge (fig. 31). Tintoret remplit, surtout, toute sa composition de figures dont beaucoup dérivent en grand format au premier plan du tableau, occupant du haut en bas de la toile un espace mal défini et occultant les petits personnages du fond peints avec moins de précision qu'autrefois. Malgré la beauté et la terrible puissance de ces personnages, dont les attitudes tourmentées doivent beaucoup à Michel-Ange – comme, à droite entre la tribune et la porte, le groupe superbe d'un pape assis près d'un athlétique saint Christophe debout, penché à contre-jour vers le spectateur comme pour l'aider à monter au paradis (fig. 32) – l'esquisse n'échappe pas à l'écueil que le peintre voulait éviter jadis : la confusion. La principale cause de ce défaut est le nombre trop élevé de personnages de même grandeur flottant dans un ciel sans profondeur.

Fig. 31
Jacopo Robusti, dit Tintoret (1519-1594)
Le Paradis (cat. 14)
Détail du Couronnement de la Vierge
Madrid, musée Thyssen-Bornemisza.

À la date de la mort de Véronèse en 1588, l'esprit rationnel de la Renaissance s'estompe. L'idée chorale du paradis céleste et la notion poétique d'un rapport harmonique avec le divin sont des idées trop sensuelles pour un monde où s'impose l'orthodoxie post-tridentine. La conception humaniste du sacré a des relents désormais trop profanes, même dans un bâtiment civil comme le palais des Doges. Le souffle visionnaire de la première esquisse en sort considérablement affaibli. Séraphins et chérubins, dont c'était autrefois le seul rôle, n'enserrent plus vraiment la colombe de l'Esprit, beaucoup d'entre eux se glissent à présent sous les pieds de Jésus et de Marie. Si les anges musiciens sont toujours là, on les cherche au milieu du chaos : ils sont, certes, encore au premier plan au-dessus du banc de la Seigneurie, mais indistincts dans la foule à cause de leur agitation bien éloignée de la sereine application à la musique que Tintoret illustre si agréablement

Fig. 32
Jacopo Robusti, dit Tintoret (1519-1594)
Le Paradis (cat. 14)
Détail : saint Christophe avec un pape, en bas vers la droite de la composition
Madrid, musée Thyssen-Bornemisza.

Fig. 33
Domenico Tintoretto (1560-1635)
Le Paradis, vers 1588-1592
Huile sur toile, H. 7 ; L. 22 m
Venise, palais des Doges,
salle du Grand Conseil.

Fig. 34
Jacopo Robusti, dit Tintoret (1519-1594)
Autoportrait, vers 1588
Huile sur toile, H. 0,63 ; L. 0,52 m
Paris, musée du Louvre, Inv. 572.

dans sa première proposition. Et l'harmonie circulaire des sphères n'est plus. La puissante spirale d'autrefois s'est effondrée, disloquant les cercles d'où les élus fixaient jadis la gloire divine dans un ravissement impassible. Les lambeaux de gradins, largués dans le cosmos comme dans le *Jugement dernier* de Michel-Ange au Vatican (fig. 19), emportent des passagers qui ont perdu la colombe de vue. L'effet fantastique des rapides passages de l'ombre à la lumière a disparu, et la sublime lumière de Dante n'est plus qu'un bruit de fond : elle filtre difficilement, depuis un point imprécis, à travers les sombres masses de nuages surchargées d'habitants inquiets qui tournoient à contre-jour sur leurs radeaux.

Même si ces amas de figures semblent s'écarter au centre pour laisser un passage par où la lueur de l'Esprit peut descendre jusqu'au doge (*infusio gratiae*), leur mouvement désordonné plonge le spectateur dans une obscurité qui lui masque la lumière divine, devant laquelle d'austères médiateurs l'invitent à se prosterner quand même. Le libre arbitre est devenu un exercice difficile, pour ne pas dire périlleux, et la fête autour de Marie a pris fin. Tintoret, abandonnant la vision d'un ciel radieux qu'il partageait avec Véronèse, et rejoignant celle plus sombre et moins confiante de Francesco Bassano, ne sent plus aussi bien la lumière et l'espace. C'est que, selon l'indication de Wolters (1987)[85], il a peut-être du mal « à voir dans le paradis une répétition de l'ordre du monde », comme on le lui demande. Mais les imperfections de cette esquisse peuvent aussi venir de l'impatience du vieux maître à emporter la commande avant de mourir : Ridolfi (1648) rapporte qu'au moment où il s'agissait de choisir le peintre, Tintoret, « qui ne reculait devant aucun stratagème pour emporter la commande, avait l'habitude de dire en plaisantant aux Sénateurs [chargés de la restauration du palais des Doges] qu'étant déjà vieux il priait le Seigneur de lui accorder le Paradis dans cette vie, espérant de sa grâce de l'obtenir aussi dans l'autre[86] ».

Le vrai gagnant : Domenico Tintoretto

Le grand Jacopo Tintoretto ayant finalement emporté la décision après la mort de Véronèse en 1588, l'immense toile de la tribune de la Seigneurie dans la salle du Grand Conseil peut enfin voir le jour (H. 7 ; L. 22 ; fig. 33). Elle est probablement réalisée entre 1588 et 1592[87]. Dans l'*Autoportrait* du Louvre (fig. 34), gravé en 1589 pour le sculpteur Alessandro Vittoria par Gijsbert van Veen sur un dessin de Lodewijk Toeput, dit Pozzoserrato, le maître se représente à l'époque de cet aboutissement de sa carrière. Commandée par un amateur étranger pour orner un cabinet d'hommes illustres, cette effigie extraordinaire, destinée peut-

être à commémorer ce succès, est éloignée de tout triomphalisme : dans une vue rapprochée strictement frontale rappelant une vanité, Tintoret force le spectateur à scruter sur son visage les ravages du temps (il est né en 1519) jusqu'au malaise, comme s'il sentait qu'il ne remplirait pas la commande lui-même soit par la faiblesse de l'âge, soit par le manque de motivation pour une iconographie qu'il n'approuvait pas, ou les deux à la fois.

Ridolfi (1648) raconte que, si Jacopo donne les dessins des figures tracées d'après le modèle vivant, il se fait aider pour l'exécution (*per l'ultima mano*) par son fils Domenico Robusti, dit Domenico Tintoretto (Venise, 1560-Venise, 1635), « ne pouvant résister, à cause de l'âge, à des efforts si prolongés[88] » impliquant de longues stations debout dans un vaste espace puis de grimper sur un échafaudage. La critique moderne s'accorde en effet à discerner dans le *Paradis* de Venise l'intervention prépondérante, pour ne pas dire intégrale, des assistants de Tintoret placés sous la direction de son fils[89], qui aide par ailleurs son père dans d'autres travaux au palais des Doges et réalise personnellement un bon nombre de tableaux dans le bâtiment. En raison de sa taille exceptionnelle, la colossale toile du *Paradis* est peinte par morceaux séparés dans un lieu situé non loin du domicile du maître et plus vaste que son propre atelier, la grande salle de la Scuola Vecchia della Misericordia[90]. Elle compte environ 500 personnages[91] minutieusement détaillés dans le style réaliste, plutôt raide, terne, fastidieux, aux couleurs sourdes, de Domenico. Si la seconde esquisse de Jacopo sert sans doute de modèle général (cat. 14), son fils ne la suit que d'assez loin et l'on n'y retrouve précisément aucune figure du tableau de la collection Thyssen, sauf peut-être, un peu modifié, le pittoresque et musculeux personnage de saint Christophe portant sur son dos, comme Atlas, un énorme globe terrestre, en bas à droite près de l'entrée de la salle (fig. 35).

Domenico respecte en gros l'ordre de la hiérarchie céleste – puisqu'au centre on reconnaît, parmi les martyrs et autres saints, selon l'ordre des grandes litanies, les grands fondateurs d'ordres, ainsi que sainte Justine, patronne de Padoue dont la fête se situe le jour de la bataille de Lépante, saint Sébastien, saint Laurent, sainte Agnès, saint Georges –, mais s'éloigne sur de nombreux points du programme iconographique du *Paradis* et transforme le projet de son père. Il remplace le couronnement de Marie par une *Vierge intercédant pour Venise auprès du Christ*, scène qu'il place à l'intérieur de la sphère de l'empyrée formée d'une couche épaisse de séraphins et de chérubins serrés les uns contre les autres[92], avec la colombe du Saint-Esprit planant entre les deux figures sacrées. L'allusion à l'Annonciation peinte par Guariento, qui avait disparue des autres propositions, refait surface avec l'archange Gabriel tendant à Marie un rameau de fleurs de lys. Détail nouveau, la tête de la Vierge est auréolée d'étoiles d'or, allusion à la Femme de l'Apocalypse, mais ici ces étoiles sont au nombre de sept au lieu de douze, symbolisant soit les sept églises chrétiennes primitives[93], soit les sept planètes du système solaire connues à cette époque[94].

Jésus n'est plus le même : sa tête est nimbée de rayons de soleil, et c'est elle qui irradie désormais la lumière divine et non plus la colombe. Il est donc le Christ de justice *Sol Iustitiae*, avec à sa droite l'archange Michel qui lui tend la balance du Jugement dernier. Jésus retient aussi de sa main gauche un globe terrestre en cristal surmonté de la croix, c'est le « globe impérial » symbole du Christ Roi *Rex Mundi* (fig. 36). Il est en outre revêtu du *corruccio*, manteau rouge sans hermine et fermé au col, qui n'est autre que le vêtement porté par le doge le vendredi saint dans la basilique Saint-Marc pour commémorer le sang de Jésus versé ce jour-là sur la croix. Domenico place en outre au milieu de la composition une sorte de puits de lumière, communication verticale entre l'empyrée et le trône du doge, où, remarque Soulier (1920), « s'élève une radieuse figure d'archange à demi dévoilé, joignant les mains et tenant les yeux fixés vers la Gloire Divine, mystérieuse figure centrale en qui semble s'exprimer et se résumer l'aspiration de toutes ces âmes, la ferveur et le chant de louanges qui jaillissent dans ce triomphant *hosanna*[95] ». Une autre de ces « âmes » semble suivre le même chemin, surgissant à moitié du trône du doge. C'est par ce chemin où montent les

Fig. 35
Domenico Tintoretto (1560-1635)
Le Paradis, vers 1588-1592
Détail : saint Christophe, en bas vers la droite de la composition
Huile sur toile, H. 7 ; L. 22 m
Venise, palais des Doges, salle du Grand Conseil.

âmes, aidées par les anges debout sur le dos de la tribune de la Seigneurie, que descend aussi vers le doge la grâce – *infusio gratiae* – au cours des séances de la salle du Grand Conseil[96].

Dans trois esquisses sur cinq – dans celle de Palma le Jeune et dans deux projets gagnants, la proposition de Francesco Bassano, vainqueur dans un premier temps avec Véronèse, et la seconde esquisse de Tintoret – la présence de cette voie de communication avec le Saint-Esprit, qui joue un rôle si important dans l'œuvre définitive du palais des Doges, laisse penser que ce motif était souhaité pour le *Paradis*. Cela explique alors en partie pourquoi le fils de Bassano qui l'a prévu est

Fig. 36
Domenico Tintoretto (1560-1635)
Le Paradis, vers 1588-1592
Détail : le Christ et la Vierge avec les archanges Gabriel et Michel au sommet de la composition
Huile sur toile, H. 7 ; L. 22 m
Venise, palais des Doges, salle du Grand Conseil.

adjoint à Véronèse qui l'a négligé et pourquoi Tintoret essaie d'en tenir compte à son tour après la mort de Paolo alors que cela ne semble pas correspondre à ses conceptions. Toutes les modifications apportées par Domenico Tintoretto à la seconde esquisse de son père tendent en fait vers un but d'autocélébration accrue de la république de Venise, assimilation panthéiste de la Sérénissime à une Église laïque et aristocratique rivale de celle de Rome. Le message est le suivant : le Christ est un doge céleste, il est le seul vrai doge de Venise et le doge terrestre est son vicaire sur terre. C'est la claire affirmation de cette doctrine, si flatteuse pour l'orgueil de l'aristocratie gouvernante de Venise, qui fait que l'on laisse Domenico et ses assistants de l'atelier familial interpréter librement le projet de son père, plus vague sur ce point. Ce que Ruskin (1900), qui admire le tableau, résume de la manière suivante : *Tintoret conceives his Paradise as existing now*.

Conclusion

La critique artistique est sévère pour le *Paradis* du palais des Doges. Le peintre Federico Zuccaro, dont on devine qu'il ne veut pas faire de cadeau à son concurrent Tintoret qui lui a toujours barré la route dans la lagune, fait s'écrier la Peinture,

Fig. 37
Francesco Guardi (1712-1793)
Le doge Alvise IV Mocenigo remercie en 1763 les patriciens, dans la salle du Grand Conseil, de son élection, vers 1775-1780
Huile sur toile, H. 0,67 ; L. 0,98 m
Paris, musée du Louvre, Inv. 20800.

dans le *Lamento della Pittura sù l'onde venete* qu'il publie en 1605 : « Ne fais pas comme celui qui a peint / Sur ces flots un Paradis de façon si confuse, / Que plus on le regarde, moins on le comprend. / Il en a fait ressembler les habitants / À une populace sur un marché » (*Non faccia come quel che un Paradiso, / Pinse presso quest'acque si confuso, / Che men l'intende, chi più mira fiso. / E i fece i cittadini di là suso, / Come la plebe posta in un mercato*)[97]. Sans être aussi critique, Soulier (1920) remarque à notre époque que, malgré ses innovations, le *Paradis* de Domenico, en comparaison du second projet de son père, « perd en intimité » ce qu'il « gagne [...] en grandeur tumultueuse[98] ». Tous les auteurs notent cette baisse de souffle spirituel entre les deux esquisses de Jacopo et l'œuvre assez sèche et monotone réalisée par son fils dans la salle du Grand Conseil, surtout par rapport à la toile du Louvre « absolument différente, d'une belle ordonnance et incomparablement plus grandiose[99] » (cat. 13). Fosca (1929) regrette en effet que le schéma adopté dans la première esquisse de Tintoret n'ait pas été conservé, parce qu'il représente « seul le triomphe qui compte pour un chrétien, le triomphe de Dieu » ; et il remarque, rejoignant l'avis de Zuccaro, que « la toile de Venise, trop pleine, trop bourrée de figures égales » – défaut déjà en germe dans la seconde esquisse de Tintoret (cat. 14) – « et où le parti pris n'est pas nettement visible, nous présente, malgré ses cercles concentriques, non plus la belle ordonnance qu'a décrite Dante, mais le spectacle d'une foule compacte et confuse ; disons le mot : d'une cohue ». La pesante masse des figures qui s'agitent au premier plan dépoétise en effet, en l'aplatissant et en l'uniformisant, la composition prévue par Tintoret, qui a perdu la profondeur de l'esquisse du Louvre et ce qu'il en reste dans la toile de la collection Thyssen[100].

Il n'en demeure pas moins que le *Paradis* enfin achevé par son fils Domenico Tintoretto obtint un succès triomphal et retint l'attention universelle jusqu'au XVIIIe siècle[101], l'œuvre ayant été notamment diffusée par l'estampe du graveur vénitien Francesco Zucchi (1692-1764) sur un dessin de Francesco Zugno (1709-1787). Ridolfi (1648), qui admire beaucoup « l'harmonie » de l'œuvre définitive de la salle du Grand Conseil[102], rapporte que, dans un geste de bravade, Tintoret – qui voulut avec tant de passion et depuis si longtemps cette commande pourtant éreintante pour un homme de son âge – lorsqu'on lui demanda le prix qu'il voulait en recevoir, pria le Sénat (chargé de suivre et de financer la restauration du palais des Doges) de fixer lui-même le montant et fit ensuite réduire la somme en déclarant qu'elle était trop élevée[103]. Tintoret mourut en 1594, peu de temps après l'achèvement de l'œuvre qui devait être le couronnement de sa carrière, mais qu'il n'eut pas la force ni peut-être le goût d'entreprendre lui-même, et qu'il abandonna finalement, sans contrôle, à son fils.

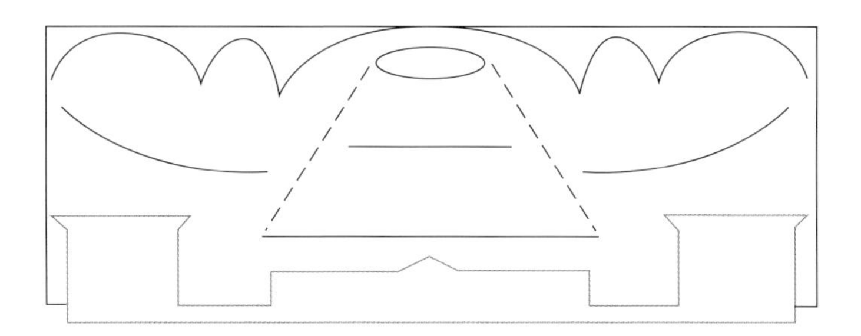

Figure A
Photomontage du mur de la tribune de la salle du Grand Conseil au palais des Doges avec l'étude de Federico Zuccaro (cat. 2) à la place du *Paradis* de Domenico Tintoretto.

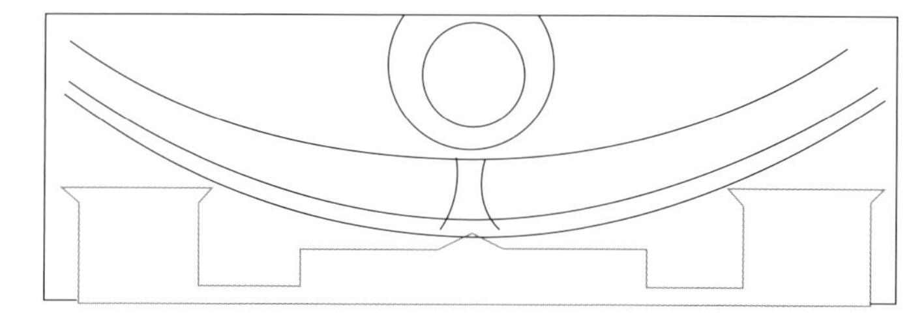

Figure B
Photomontage du mur de la tribune de la salle du Grand Conseil au palais des Doges avec l'esquisse de Palma le Jeune (cat. 3) à la place du *Paradis* de Domenico Tintoretto.

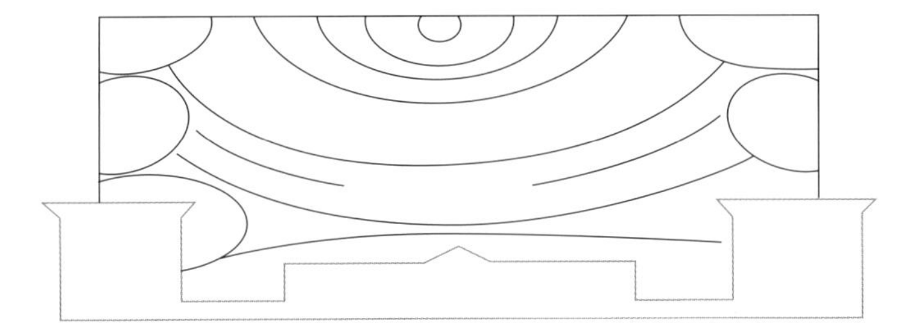

Figure C
Photomontage du mur de la tribune de la salle du Grand Conseil au palais des Doges avec l'esquisse de Véronèse (cat. 7) à la place du *Paradis* de Domenico Tintoretto. Les lignes en pointillés indiquent les dimensions originales de l'œuvre, avant la découpe dont elle a fait l'objet.

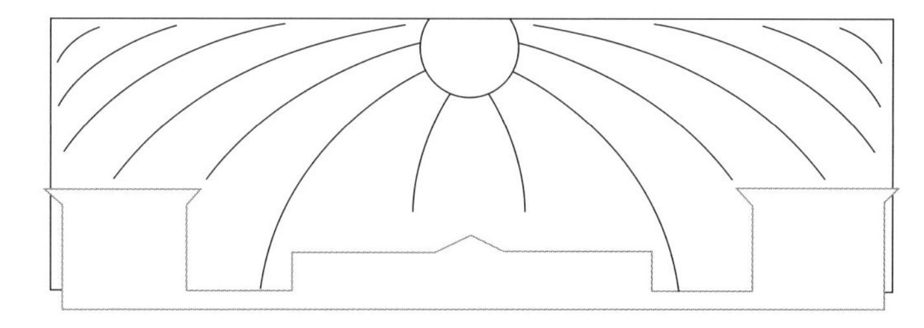

Figure D
Photomontage du mur de la tribune de la salle du Grand Conseil au palais des Doges avec l'esquisse de Francesco Bassano (cat. 12) à la place du *Paradis* de Domenico Tintoretto.

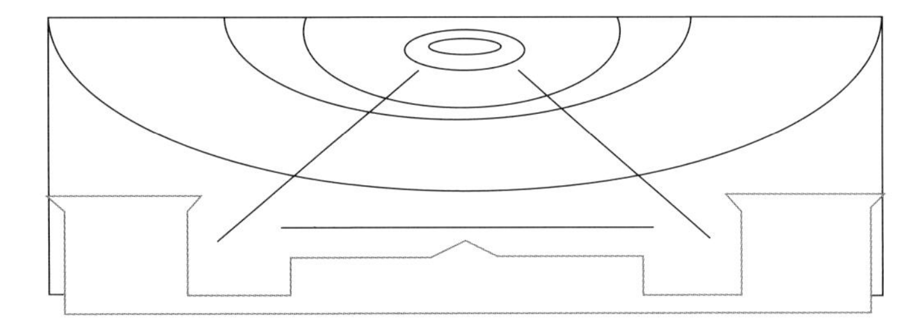

Figure E
Photomontage du mur de la tribune de la salle du Grand Conseil au palais des Doges avec la première esquisse de Tintoret (cat. 13) à la place du *Paradis* de Domenico Tintoretto.

Figure F
Photomontage du mur de la tribune de la salle du Grand Conseil au palais des Doges avec la seconde esquisse de Tintoret (cat. 14) à la place du *Paradis* de Domenico Tintoretto.

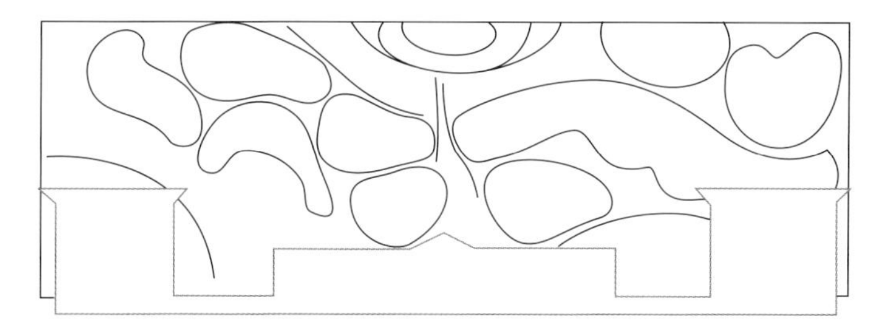

Les projets pour le Paradis du palais des Doges

Projets non retenus : Federico Zuccaro et Palma le Jeune

Catherine Loisel

Le *Paradis* de Federico Zuccaro : deux études par un peintre non vénitien

S'il ne fait aucun doute que le dessin du Louvre (cat. 1) fut exécuté lors du premier voyage à Venise de Federico Zuccaro, conformément aux témoignages historiques, il est en revanche maintenant évident que la version de New York (cat. 2) est plus tardive et proche, dans le temps, de l'exécution des fresques de la coupole de Santa Maria del Fiore à Florence (fig. 12). En témoigne la parenté étroite entre les figures d'Adam et Ève à droite de la *Déisis* sur le dessin (fig. 13) avec le même groupe dans le décor de la coupole florentine. La similitude dans la pose de ce groupe est telle que l'on peut imaginer l'utilisation d'un même croquis préparatoire. Le 19 août 1579 le décor de la coupole est révélé au public mais l'artiste ne rejoindra Venise qu'à l'automne 1582. On s'est beaucoup interrogé sur la présence, dans ce que l'on a toujours à juste titre considéré comme le second dessin pour le *Paradis*, des pendentifs correspondant à l'ancienne disposition du plafond de la salle du Grand Conseil que Federico connaissait mais qui fut supprimée définitivement en 1582. Il semble donc vraisemblable que le dessin du Metropolitan Museum of Art ait été exécuté entre 1579 et la décision de 1582 concernant la réfection de la salle; il est également envisageable que l'artiste ait conçu son esquisse loin de Venise.

Cet intervalle de plus de dix ans séparant les deux études se manifeste sur le plan du style. Dans la feuille du Louvre, l'organisation de l'espace est rationnelle et hiérarchiquement organisée, les figures aux gestes mesurés se répondent en un chœur sagement installé. Une note de raffinement décorative est apportée par les rehauts d'aquarelle particulièrement bien venus. Une intervention de restaurateur a permis de découvrir sous le groupe du Couronnement de la Vierge la première esquisse recouverte d'un papier découpé aux contours de la mandorle.

En revanche le deuxième projet constitue une sorte d'*unicum* dans la carrière de l'artiste. Par ses dimensions hors du commun, en premier lieu, mais surtout en raison d'un traitement de l'espace unique en son genre dans le corpus de Federico Zuccaro. Ce dernier transforme le sujet en une *Déisis* doublée d'une Sainte-Trinité : un Christ de justice est assis entre la Vierge et saint Jean Baptiste entourés de saints et d'anges, dont certains jouent de la musique, avec, au-dessus de Jésus, la colombe du Saint-Esprit surmontée de la tête du Père éternel.

Les plans se superposent en tourbillonnant, creusant la profondeur pour donner l'idée crédible d'un univers céleste soumis à l'ordre divin. L'ampleur des mouvements, la complexité des rapports entre les plans, avec des trouées lumineuses faisant surgir les figures du néant, pourraient être interprétés comme une maturation du style vénitien, une réflexion menée à partir de la connaissance des œuvres de Titien et de Véronèse, ce qui est possible à plusieurs années de distance, depuis le voyage de 1564. Cependant on peut noter que ce type de recherche de solutions novatrices pour suggérer la profondeur insondable de l'espace divin atteint son point culminant dans l'œuvre de Federico, justement à la fin des années 1570. On retrouve ce souci de traiter l'espace de manière totalement libre dans les deux dessins préparatoires des Offices, à Florence et de Christ Church, à Oxford (Acidini Luchinat, 1994, p. 129-130) pour la composition allégorique et polémique de la *Porta Virtutis*, qui, ironie du sort, obligea l'artiste, exilé de Rome, à retourner à Venise en 1582. Grâce au second projet pour le *Paradis* c'est un maître moins convenu que l'on peut appréhender, un artiste par ailleurs si original et ouvert aux expériences les plus diverses, ainsi qu'il nous apparaît dans les décors de ses deux demeures à Florence et à Rome ou dans ses carnets de croquis maintenant démembrés, ces feuilles sur lesquelles il multiplie, à la pierre noire et à la sanguine, les notations réalistes et pittoresques avec une verve et une fantaisie peu communes.

1

Federico Zuccaro
(Sant'Angelo in Vado 1540-41 – Ancône 1609)
Étude partielle pour le Paradis
1564

Pierre noire, plume et encre brune, lavis brun et aquarelle indigo, bleue et jaune. H. 27,7; L. 62,5 cm
Annotation à la plume encre brune : *frederic Zuccari*.
Paris, musée du Louvre, département des Arts graphiques, Inv. 4546
Exposé seulement à Paris

Provenance : Peter Lely, Lugt 2092; Pierre Crozat : n° *31*, vente Paris 1741, partie du n° 216 : *Huit Grands Desseins de Tadée & de Frederic Zuccaro, dont le* Paradis, acquis par *Gouvernay* selon l'annotation sur l'exemplaire du catalogue de la vente conservé au département des Arts graphiques; Charles-Paul de Saint-Morys, saisie des biens des Émigrés en 1793, marque du Louvre Lugt 1886.

Bibligraphie : Voss, 1954, p. 172; Vizthum, 1954, p. 291; Heikamp, 1958, p. 47, note 8; Giltaij, cat. exp. Rotterdam, 1983, p. 40-41, note 3; Cocke, 1984, p. 221-223, p. 223 note 5; Labbé et Bicart-Sée, 1987, p. 106; Mundy, cat. exp. Milwaukee-New York, 1989, cité sous le n° 57; Rearick, 1995, p. 138, 140, 143, notes 22, 26 : troisième étude; Acidini-Luchinat, I, 1998, p. 237-239, fig. 26, 261 note 96; Rearick, 2004, p. 34, fig. 12; Hochmann, 2004, p. 410-411.

Exposition : Paris, 1969, p. 46-47, n° 49, pl. XII (notice par John Gere)

Dessin avec la nouvelle mandorle collée.

Dessin avec l'ancienne mandorle.

2

Federico Zuccaro

Étude d'ensemble pour le Paradis

Vers 1582

Plume et encre brune, lavis brun gris et vert, aquarelle, rehauts de gouache blanche, mise au carreau à la craie rouge, sur papier brun. H. 39,7; L. 114,1 cm
New York, Metropolitan Museum of Art, Rogers Fund, 61. 201.
Exposé seulement à Paris

Provenance : la provenance Crozat, selon l'hypothèse de E. J. Mundy, cat. exp. Milwaukee-New York, 1989, n° 57, n'est confortée par aucun indice matériel. Baron von Stumm (selon Hermann Voss); acquis à Munich en 1961.

Bibligraphie : Vizthum, 1954, p. 291; Voss, 1954, p. 172-175, fig. 17; Heikamp, 1958, p. 47, note 8; Wolters, 1966, p. 271-318; Heikamp, 1967, p. 65, note 21; Gere, cat. exp. Paris, 1969, cité p. 46-47; Tolnay, 1970, p. 105, fig. 137; Sinding-Larsen, 1974, p. 58, 61, pl. XLIV; Schulz, 1980, p. 112-126, fig. 7; Giltaj, cat. exp. Rotterdam, 1983, p. 40-41, note 3; Wolters, 1983, p. 292; Rearick, cat. exp. Venise, 1988, cité p. 103 sous le n° 65; Rearick, 1995, p. 138-143 notes 22, 26; Acidini-Luchinat, I, 1998, p. 237-239, fig. 27; Acidini-Luchinat, 2001, p. 236-237, 261 note 97, fig. 27; Hochmann, 2004, p. 410-413 et note 40.

Expositions : New York, 1982, p. 272, n° 276, repr. (notice par Jacob Bean); Milwaukee et New York, 1989, p. 184-186, n° 57, fig. 57 (notice par E. James Mundy).

Stefania Mason

Le *Paradis* de Palma le Jeune : la « fortune » d'un exclu

Parmi toutes les merveilles autrefois exposées au palais Mocenigo à San Samuele – œuvres de Véronèse, Tintoret, Giorgione, Bassano, Giovanni Bellini et de « tant de mains modernes » –, l'esquisse du *Paradis* de Palma le Jeune remportait certainement « la palme » de l'œuvre la plus digne de louanges. C'est en ces termes enthousiastes que s'exprime Marco Boschini livrant ainsi, dès 1660 [1], une preuve importante – mais non la première comme nous allons le voir – de la participation de l'artiste à ce que l'on appelle « le concours pour le *Paradis* du palais ducal ». Si les sources contemporaines, comme Girolamo Bardi [2], ou un peu plus tardives, comme Carlo Ridolfi [3], évoquaient les autres « concurrents » (Paolo Veronese, Francesco Bassano et Jacopo Tintoretto), ce n'est qu'au XXe siècle, grâce à la redécouverte de la toile préparatoire aujourd'hui conservée à la Pinacothèque ambrosienne de Milan, que sera confirmée l'implication de Jacopo Palma dans la commande très convoitée.

En 1919, von Hadeln signalait qu'un *modello* de Palma pour le *Paradis* [4] se trouvait encore, sous le nom de Tintoret, au palais Mocenigo, et ce n'est que vingt ans plus tard que Suida publiait un tableau d'une collection particulière italienne clairement identifiable, grâce à sa thématique, à ses proportions et à l'indication des deux portes, au projet de décor de la paroi principale du Grand Conseil [5]. À cette occasion, le chercheur restituait à Palma, d'accord avec Erica Tietze-Conrat [6], un dessin préparatoire pour cette composition conservé à la Bibliothèque universitaire de Salzbourg.

Enfin, en 1972, un spectaculaire dessin préparatoire appartenant à une collection particulière américaine et conservé aujourd'hui au Fogg Art Museum de Harvard est venu enrichir nos connaissances concernant la contribution de Palma à la compétition, contribution qui fut probablement la plus originale mais sans doute la moins fortunée [7].

Aucun acte officiel ne nous est jusqu'ici parvenu concernant la décision historique de la République de remplacer par une toile la fresque très endommagée de Guariento ornant la paroi du trône du Grand Conseil. Cependant, tout de suite après l'incendie dévastateur de 1577, la diligence mise à publier le programme décoratif de la salle, dont « une gloire d'élus au Paradis, comme précédemment » devait être le couronnement et pour laquelle on estimait opportun de « faire faire divers projets pour choisir ensuite le meilleur [8] », suggère une succession rapide des événements. C'est ce que confirment, comme j'ai eu l'occasion de l'établir [9], les commandes passées, dès le printemps 1578, aux artistes pour les toiles du plafond avec obligation de les livrer quelques mois plus tard.

On ne peut, en outre, négliger un témoignage laissé par le peintre Federico Zuccari : à une dépêche envoyée de Rome au Sénat de la Sérénissime, le 5 avril 1603, l'ambassadeur Francesco Vendramin joignait un mémoire dans lequel l'artiste rappelait que « l'année 1583 [*sic* ! = 1582] je fus appelé… à Venise, pour la Fabrique du Palais, par les très illustres Seigneurs Gerolamo Priuli et Giacomo Foscarini, afin qu'ils me confient la réalisation du tableau du *Paradis* et, la chose ne se concluant pas au sujet de ce tableau du *Paradis*, ils me donnèrent celui d'Alexandre III et Frédéric Barberousse [10] ».

Il ressort des registres officiels [11] qu'entre 1577 et 1588 la charge des trois surintendants « *sopra la fabrica del palazzo* » n'a pas été pourvue, en revanche apparaît la mention « *sopra la restauration del gran conseglio* ». En vérifiant les dates auxquelles exercèrent ensemble les deux élus (Priuli et Foscarini), on peut situer l'invitation faite à Zuccari dans la courte période allant du 22 novembre 1578 au 21 février 1579. Les notes du peintre d'Urbino au sujet de ses tractations avec Venise pour une œuvre « non inférieure à aucune autre opportunité [12] », ainsi que son arrivée dans la lagune en 1582 seulement, donnent à penser qu'à cette date le choix n'était pas encore arrêté pour le décor de la paroi du tribunal du Grand Conseil, ce que pourraient confirmer les silences de Francesco Sansovino dans sa *Venetia…* de 1581 et de Raffaello Borghini, pourtant très informé sur la production des peintres actifs à Venise jusqu'à l'été 1582 [13]. À la date de la décision fatidique, Jacopo Palma avait trente ans et était de retour à Venise depuis quatre ans après un long séjour romain : bien qu'il fût jeune et seulement depuis peu actif dans la cité, il fut certainement très vite impliqué, aux côtés de Tintoret, de Véronèse et de Francesco Bassano, dans le projet de rénovation pour lequel lui furent confiés deux compartiments latéraux, à thèmes historiques, du plafond du Grand Conseil et l'une des grandes allégories, *Venise couronnée par la Victoire et recevant l'hommage des peuples soumis*. Que ceci soit advenu, comme l'insinue le biographe Carlo Ridolfi [14], grâce au puissant soutien du sculpteur Alessandro Vittoria qui protégera toujours Palma en lui procurant de nombreuses commandes [15], ou en raison des qualités effectives d'un artiste qui promettait d'être le meilleur de la nouvelle génération, ou encore pour les deux motifs à la fois, on ne peut pas dire avec certitude s'il participa au « concours » pour *Le Paradis* dès le début ou s'il dut attendre un hypothétique second tour, en 1588, à la mort de Véronèse.

Toutefois, puisque les œuvres d'art sont en elles-mêmes des documents, nous pouvons, afin de formuler des hypothèses, nous reporter à ce qui nous est heureusement parvenu des travaux conçus par le jeune Palma dans l'espoir de remporter la prestigieuse commande.

Fig. 38
Jacopo Palma le Jeune (1548-1628)
Étude pour le Christ et la Vierge du Jugement dernier dans la salle du Scrutin au palais des Doges, vers 1594-1595
Plume et encre brune, H. 95 ; L. 15,5 cm
Salzbourg, Universitätsbibliotek, Sondersammlungen, inv. H 179 r°.

Un premier renseignement provient du dessin H 180 de la Bibliothèque universitaire de Salzbourg (cat. 4) qui possède toutes les caractéristiques d'une feuille d'étude générale pour la partie située au centre et à droite de la composition, avec la délimitation précise de l'espace disponible laissé par les baies des portes et l'emplacement du tribunal. Palma trace les groupes de personnages d'une plume extrêmement rapide, qui s'enchevêtre et s'épaissit pour les élus du premier plan assis sur les nuages et se délie ensuite en simples notations pour les figures environnantes des hiérarques célestes. À ce stade, il cherche avant tout à rendre la disposition des masses et leurs rapports réciproques. En plus d'un choix original de composition, l'artiste prouve que, dès cette phase initiale de la conception, il a une idée claire de la structure iconographique d'ensemble à laquelle il restera toujours fidèle.

La grande feuille du Fogg Art Museum de Harvard (cat. 5) présente, quant à elle, la composition entière avec un souci du détail et un raffinement de la technique graphique qui en font une véritable esquisse préparatoire sur papier. La richesse inventive dans les attitudes des saints, les anges saisis en vol dans d'audacieux raccourcis, la source lumineuse provenant du centre de la scène et les effets de clair-obscur qui en découlent, obtenus par des taches d'aquarelle diluées de manière caractéristique, font de ce dessin l'un des chefs-d'œuvre graphiques de Palma.

Malgré le rapport étroit établi avec le modèle final de l'Ambrosienne de Milan (cat. 3) pour la composition générale, le rythme des lignes qui suivent, dans le bas de la feuille, les contours des deux accès à la salle du Grand Conseil, et le rapport entre la hauteur et la largeur, des différences apparaissent, surtout sur les côtés, différences qui ne se limitent pas à de simples

Fig. 39
Jacopo Palma le Jeune (1548-1628)
Étude pour Élie et l'ange (?) du Jugement dernier dans la salle du Scrutin du palais des Doges, vers 1594-1595
Plume et encre brune, H. 95 ; L. 15,5 cm
Salzbourg, Universitätsbibliotek, Sondersammlungen, inv. H 179 v°.

changements dans les attitudes de certains personnages. Les variantes apportées au cours du report définitif sur toile sont telles, en réalité, qu'elles modifient substantiellement le message dans la grande composition. Dans l'angle gauche, le globe avec l'ange, sur lequel s'appuient un prêtre et une figure féminine à peine esquissée sur le dessin du Fogg Art Museum, disparaît dans le tableau. La figure féminine y est au contraire plus précise et peut être identifiée par ses attributs : son manteau, sa coiffe ducale et le lion de saint Marc qui l'accompagne en font une *Venetia* humblement agenouillée. Du côté opposé, à la place du personnage en turban qui est précipité vers le bas sur le dessin, image pourtant inédite et très suggestive, on trouve sur la toile, moins attendu mais plus explicite, l'animal à sept têtes de l'Apocalypse émergeant des ténèbres, la bride tenue par un roi et un ange. Sur la gauche, assise sur les nuages, sainte Justine le désigne de la main. Dans ces groupes latéraux, le triomphe de la foi est ainsi opposé à plusieurs reprises à la défaite de la « bête » turque. Il s'agit d'une évidente allusion politique à la victoire de Lépante, remportée un 7 octobre, jour anniversaire de la sainte qui est, pour cette raison, souvent représentée à Venise comme symbole de la victoire sur les infidèles.

Les changements visibles dans le projet sur toile par rapport au dessin mettent donc en évidence une réflexion sur le sens religieux et politique que le peintre entendait donner à son *Paradis*.

Sur l'étude du Fogg Art Museum comme sur l'esquisse de l'Ambrosienne, la composition s'avère remarquable par la variété des attitudes et des mouvements, ordonnés selon un schéma général circulaire, chaque élément étant à son tour englobé. De tous ceux qui nous sont parvenus, c'est le modèle de Palma qui résout de la manière la plus équilibrée et la plus originale le problème de la difficile construction du thème et de sa composition, et ce tant par rapport à la fresque antérieure de Guariento qu'à la solution définitive de Tintoret.

Son originalité réside déjà dans sa construction : le Christ, assis sur un nuage, forme le centre d'une composition sphérique ; à sa droite se dresse la Vierge qui le regarde, les bras sur la poitrine, tandis qu'à leurs côtés virevoltent dans le ciel de gracieuses mais puissantes figures d'anges. L'aura du Christ illumine la multitude des saints disposés en dessous, dialoguant entre eux ou regardant vers le haut. La sobriété et le sens des proportions distinguent l'idée de Palma de celles des autres artistes qui semblent, en comparaison, dominées par l'*horror vacui*.

Les élus, parmi lesquels figurent quelques saints bien identifiables (outre sainte Justine, on trouve aussi saint Jean Baptiste, saint Pierre et saint Paul, sainte Madeleine, saint Roch, saint Laurent, saint Marc et saint Théodore, patrons de Venise), ne sont pas différenciés par leur rang hiérarchique comme c'est le cas dans la représentation de la Toussaint, et les références à la seconde venue de Jésus sont si nombreuses que cela paraît intentionnel. Le geste du Christ juge, les anges portant des trompettes, les symboles de la Passion et le livre de la Loi, l'archange Michel qui brandit la balance en regardant vers le haut les anges trompettistes, ainsi que les allégories, absentes dans la phase graphique du projet, contribuent à évoquer le Jugement dernier. Comme une quasi-revanche sur la « victoire » manquée du *Paradis*, Palma sera finalement confronté à ce dernier thème, une décennie plus tard, dans la salle contiguë dite salle du Scrutin (fig. 20). C'est d'ailleurs en raison de cette évidente affinité thématique que le dessin préparatoire du Jugement dernier a parfois été mis en relation avec le *Paradis* (fig. 38 et 39)[16].

Quant à la date de la contribution de Palma, nous retiendrons ici qu'elle correspond à celle des autres concurrents, c'est-à-dire après avril 1582[17], ce que confirme la comparaison, à la fois pour le style et pour la composition, avec une esquisse (Venise, Pinacoteca Querini Stampalia, fig. 40) réalisé pour une autre gloire d'élus qui entourait l'*Assomption de la Vierge*, aujourd'hui perdue, sur le plafond de la Scuola di Santa Maria della Giustizia. On notera, en outre, combien l'existence même d'une esquisse de grandes dimensions (1/4 de la taille réelle, comme celles de Véronèse et de Francesco Bassano) fait penser à une véritable « compétition » ; sans elle, on ne comprend pas pourquoi Palma, à qui échappa la commande, se serait investi dans un tel labeur plutôt que de se contenter de soumettre un dessin au « jury ».

Nemo propheta in patria : le projet malchanceux de Palma devait cependant trouver une récompense hors de Venise, une trentaine d'années avant les louanges de Boschini et deux siècles avant la redécouverte du modèle. Après huit ans passés à Rome, le graveur français Pierre Brébiette, probablement sur le chemin du retour à Paris, s'arrête en 1625 à Vérone, où il s'inspire des œuvres de Véronèse alors présentes dans la cité des Scaligeri, pour nombre de ses gravures [18]. Il fit également une escale à Venise comme le confirment non seulement sa vue topographique à l'eau-forte de la *Piazzetta* [19], mais aussi sa grande gravure d'après l'esquisse du *Paradis* de Palma le Jeune (cat. 6) [20].

La dédicace « particulière » et les armes, couronnées d'un chapeau d'évêque, présentes sur les deux parties de la composition fournissent de précieux éléments pour comprendre la conjoncture dans laquelle cette version gravée a été réalisée. L'emblème désigne en effet le destinataire comme étant Léonor d'Étampes de Valençay, évêque de Chartres en 1620, élevé au rang d'archevêque de Reims en 1641 [21]. Théologien, latiniste et, à sa manière, ardent défenseur de la réforme catholique, il est célébré dans l'inscription en tant que « *Carnutensium Antistes illustrissime* », ce qui incite à placer l'œuvre juste après son élection à l'évêché de Chartres.

Le second protagoniste de l'entreprise est Stephanus Perruchot, c'est-à-dire Nicolas Étienne, dit Perruchot, marchand et collectionneur lié à Claude Vignon, à François Langlois et plus généralement aux cercles de l'édition parisienne des années 1630 [22]. John Evelyn, qui considérait à juste titre Perruchot comme un des principaux « *virtuosi* » français, admirait son *Saint Sébastien* de Titien, et la peinture vénitienne devait constituer un secteur du marché qu'il privilégiait avant 1623 comme en témoignent des transactions concernant des tableaux de Bassano, de Tintoret et de Titien [23]. C'est dans ce contexte à l'origine du courant sensible à la grande peinture vénitienne du XVIe siècle qui triomphera en France à partir de la fin des années 1630 que Brébiette dut graver l'Empyrée et le dédier à Léonor d'Étampes.

Fig. 40
Jacopo Palma le Jeune (1548-1628)
Esquisse de l'Assomption de la Vierge de la Scuola di Santa Maria della Giustizia, 1582
Huile sur toile, H. 1,41 ; L. 1,05 m
Venise, Pinacoteca Querini Stampalia.

Le rapport entre l'eau-forte parisienne et la toile de Palma est intéressant. Dans la première moitié des années 1620, au moment du séjour du Français à Venise, Palma était encore vivant et pleinement actif (il mourra en 1628) et le modèle sur toile, auquel Brébiette se tient avec une extrême fidélité, pouvait se trouver dans son atelier ou avoir déjà été vendu aux Mocenigo, chez qui Marco Boschini admirera donc, en 1660, un *Paradis* de Palma.

Fig. 41
John Scarlett Davis (1804-1845)
George Byron au palais Mocenigo, vers 1816-1819, 1839
Aquarelle
Ancienne collection Gilbert Davis, Cambridge
Collection particulière.

Mais que vit réellement l'auteur de la *Carta del navegar pitoresco* au palais Mocenigo de San Samuele ? On a toujours pensé à la toile de l'Ambrosienne mais quelques données sont contradictoires. Nous réservant la possibilité de revenir plus longuement sur la question, nous souhaitons cependant attirer dès à présent l'attention sur le fait que dans l'inventaire le plus soigné de la famille repéré jusqu'ici, inventaire rédigé en 1760 à la mort d'Alvise IV Mocenigo à la demande de sa veuve Pisana Corner, au moins trois œuvres ayant pour thème le Paradis figurent alors dans la galerie : « Grand tableau de forme allongée, représente le modèle du Paradis de Tintoret, et est du même auteur duc. 200 [200 ducats]; tableau de taille moyenne représentant le Paradis, peinture du Tintoret, duc. 80 [80 ducats]; Tableau sur papier, en clair-obscur, représente le Paradis, dessin de Tintoret duc. 100 [100 ducats][24] ». En 1839, sur une aquarelle autrefois à Cambridge (collection Gilbert Davis, fig. 41), le peintre anglais John Scarlett Davis représente le poète George Byron étendu sur un divan placé sous un grand tableau du Paradis, en train de contempler, extatique, les autres tableaux accrochés dans la salle du palais Mocenigo, où il fut reçu de 1816 à 1819[25]. La collection devait cependant être considérablement réduite, de sorte que Cicogna, en 1840, dans un opuscule commémorant les noces Mocenigo-Spaur, sera contraint d'admettre qu'à la suite des dispersions, dots et legs, bien peu des 260 tableaux décrits dans l'inventaire du XVIIe siècle étaient restés dans le palais de San Samuele. Parmi eux, un seul *Paradis*, dont il fournit les mesures en signalant la présence, en bas du tableau, du portrait présumé de Tintoret. Ce dernier détail et les dimensions incitent à identifier le tableau à celui proposé à la vente à Florence en 1933 par un des descendants de la famille, puis à Londres en 1966, où il fut définitivement acquis par la Cassa di Risparmio di Venezia[26].

En l'état actuel des recherches concernant le *Paradis* de Palma, lorsque l'on est attentif à la description de Boschini désignant comme un « dessin » l'œuvre admirée au palais Mocenigo[27], on est tenté de rapprocher cette dernière de l'esquisse du Fogg Art Museum qui correspondrait alors à la troisième entrée de l'inventaire de 1760 : « Tableau sur papier, en clair-obscur, représente le Paradis, dessin de Tintoret » estimé très cher à 100 ducats. Par ailleurs, on ne connaît pas de modèles sur papier du *Paradis* de Tintoret et l'artiste n'avait du reste pas l'habitude d'en faire. C'est donc bien une œuvre de Palma traitant du même thème qui devait se trouver dans la collection Mocenigo car l'attribution de Boschini, qui avait personnellement connu Palma, est bien plus convaincante que celle de Fontebasso et Zugno un siècle plus tard.

Quant au modèle sur toile de l'Ambrosienne, son histoire reste probablement à rechercher dans le fascinant labyrinthe du collectionnisme vénitien.

3

Jacopo Palma le Jeune
(Venise 1548 – Venise 1628)
Esquisse pour le Paradis
vers 1582

Huile sur toile. H. 1,25 ; L. 4,10 m
Milan, Pinacoteca Ambrosiana, inv. 133

Historique : Londres, collection privée italienne, 1938 ; Florence, collection Alessandro Contini Bonacossi, 1944 ; don Attilio Brivio, 1959.

Bibliographie : Suida, 1938, p. 77-83 ; Tietze et Tietze-Conrat, 1944, p. 220, nº 1143 ; Pinardi, 1961, p. 45 et 46 ; Falchetti, 1969, p. 201 ; Tolnay, 1970, p. 103 à 110 ; Sinding-Larsen, 1974, p. 60 et 61 ; Ivanoff et Zampetti, 1979, p. 543 ; Schulz, 1980, p. 112 à 126 ; Mason Rinaldi, 1984, p. 92 ; Wolters, 1987, p. 290 et 291.

4

Jacopo Palma le Jeune
Feuille d'études pour la moitié droite du Paradis, recto
Études de figures, variantes du recto, verso
vers 1582

Crayon et encre brune, pierre noire délimitant les détails architecturaux, sur papier ivoire.
H. 24 ; L. 42 cm
Salzbourg, Universitätsbibliothek, Sondersammlungen, inv. H 180
Exposé seulement à Paris

Provenance : collection de l'archevêque de Salzburg, Wolf Dietrich von Raitenau (1587-1612).

Bibliographie : Meder, 1931, p. 75 (comme étant de Tintoret), Tietze-Conrat, 1936, p. 97 à 100 ; Suida, 1938, p. 83 ; Tietze et Tietze-Conrat, 1944, p. 220, n° 1143 ; Mason Rinaldi, 1984, p. 163, n° D 173 ; Wolters, 1987, p. 290 et 291 ; Rearick, 2001, p. 187.

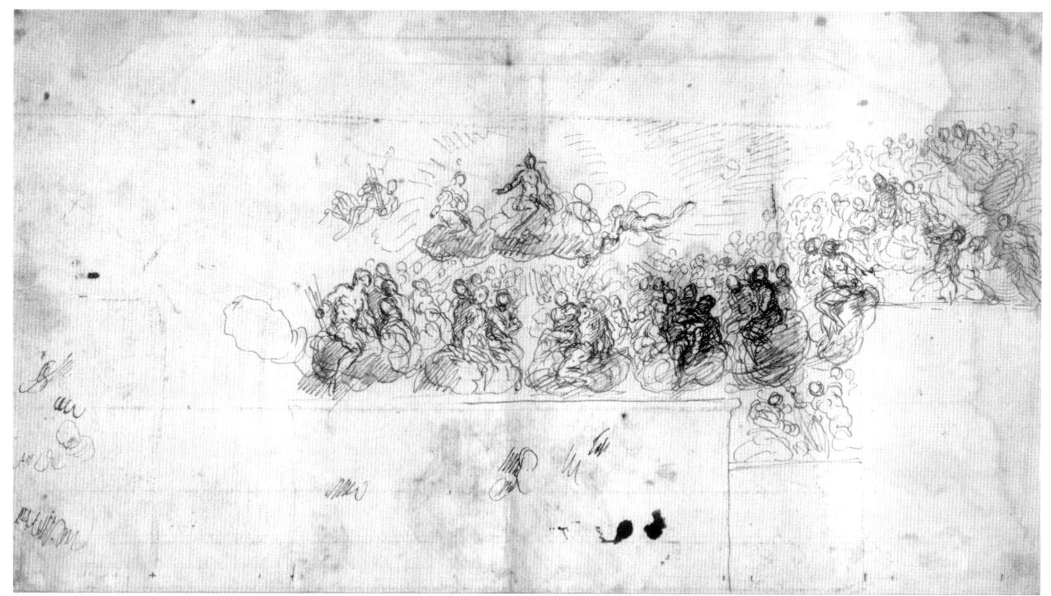

4 r° exposé

4 v° exposé

5

Jacopo Palma le Jeune
Étude pour le Paradis
vers 1582

Crayon, encre et aquarelle brune sur traces de craie noire sur papier beige. H. 29,5 ; L. 56,4 cm
Annotations au crayon,
au centre en haut : *Peinture du Fond de la Salle du grand Conseil à Venise* ;
au centre en bas : *Place des Inquisiteurs d'Etat Place du Doge du Conseil de Dix* ;
en bas à gauche : *Porte d'Entrée*, *Urne pour le scrutin* ; en bas à droite : *Porte d'entrée*.
Cambridge (Mass.), Harvard University Art Museums, Fogg Art Museum, inv. 1995. 1123
Exposé seulement à Paris

Provenance : Louis Dimier, peut-être acheté à la vente de Paris de M. Paulme et G. B. Lasquin (Lugt 1721c); Richard S. Davis; don Donald Outerbridge et Robert M. Light, avec la participation de Sheldon et Leena Peck, Melvin R. Seiden, Sarah-Ann et Werner H. Kramarsky, Sally et Howard Lepow, et un donateur anonyme.

Bibliographie : Mason Rinaldi, 1972, p. 92 à 110, fig. 124; Pignatti, 1974, p. 20 et 21, n° 32; Mason Rinaldi, 1984, p. 163 et 164, n° D 183; Wolters, 1987, p. 290 et 291.

Expositions : Washington-Fort Worth-Saint Louis, 1974-1975, p. 20 et 21, n° 32 (notice par Terisio Pignatti); Los Angeles, 1976, p. 48, n° 52 (notice par Ebria Feinblatt); Cambridge (Mass.), 2000, p. 44 à 45.

6

Pierre Brébiette
(Coulommiers ? 1598 ? – Paris 1642) d'après Palma le Jeune
Le Paradis
vers 1625

Eau-forte composée de deux estampes (sans marge).
H. 30,1 ; L. 44,1 cm et H. 29,8 ; L. 44,8 cm
Lettre : *P. Brebiette Palme Delineavit In(ventionem) Coelum hoc coelo novo scriptum, & e stupendo insignis illius / J. Palmaei veneti ingenio quondam, natum, vel tibi, / Carnutensium Antistes illustrissime & vel nulli mortalium / debuit consecrari, nec enim sub Sole vivit / alius qui radianti sublimium / virtutum splendore nos / certiori tramite, ad veram felicitatis aeternae / regiam deducat nisi tu Praesul amplissime, cuius / nomini, dignitati, & augusto stemmati hanc / interioris Empyrei seragraphiam ex officio & voto d d d / N. Stephanus Perruchot.*
« Le ciel écrit dans ce nouveau ciel, et né autrefois du génie de cet insigne Vénitien, Jacopo Palma, devait t'être consacré, illustrissime évêque de Chartres, et à nul autre parmi les mortels ; car sous le soleil, ne vit nul autre qui par la splendeur éblouissante de vertus sublimes nous conduit par une voie plus sûre au vrai royaume de l'éternelle félicité, sinon toi, évêque magnifique, dont j'ai fait inscrire le nom, la dignité, les augustes armoiries et l'Empyrée intérieur en devoir et vœu. d. d. d. N. Stefanus Perruchot ».

Paris, Bibliothèque nationale de France, département des Estampes et de la Photographie, Ed 23, fol. (p. 4 et 5)
Exposé seulement à Paris

Provenance : L'exemplaire est conservé dans un album ayant appartenu au collectionneur Jean-Antoine de Marolle (1669-1726) qui avait l'habitude de découper les estampes le long des marges pour les coller ensuite dans des albums de collection (cf. Bouchot, 1895, p. 54).

Bibliographie : Suida, 1938, p. 82 et 83 ; Tietze-Conrat, 1936, p. 98 et 99 ; Weigert, 1951, p. 106 à 143 ; Mason Rinaldi, 1984, p. 92 ; Fries, 1996, p. 44 et 45.

Cælum hoc cælo nouo scriptum, & e stupendo insignis illius
Carnutensium Antistes illustrissime, vel nulli mortalium
alius, qui radianti sublimium virtutum splendore, nos,
regiam deducat, nisi tu, Præsul amplissime, cuius
interioris Empyrei sciagraphiam ex officio & voto d.d.d
I. Palmæi Veneti ingenio quondam, natum, vel tibi,
debuit consecrari; nec enim sub Sole viuit
certiori tramite, ad veram felicitatis æternæ
nomini, dignitati, & augusto stemmati hanc
N. Stephanus Perruchot.

Projets retenus : Véronèse et Francesco Bassano

Sylvie Béguin

Le *Paradis* de Véronèse : le dossier d'un grand artiste en pleine création (1578-1585)

Nous avons la chance de pouvoir saisir Véronèse au travail lors de la préparation du concours de la décoration du mur oriental du Grand Conseil au palais des Doges de Venise. En regroupant, pour la première fois, le dessin d'ensemble préparatoire annoté de la main de l'artiste (cat. 8) avec des études dessinées de détails conservées à Berlin (cat. 9 et 11) et New York, (cat. 10), présentés à côté d'une admirable esquisse pour la mise en place des couleurs et des lumières (cat. 7), nous assistons à l'élaboration de ce qui aurait été, s'il avait pu la réaliser entièrement, un des grands chefs-d'œuvre du peintre, la décoration de la salle du Grand Conseil.

Nous ne reviendrons pas sur les circonstances historiques de la décoration du mur oriental : Jean Habert les a déjà rappelées et commentées.

L'obtention par Véronèse de la prestigieuse commande du *Paradis* dut être pour lui une grande satisfaction : non seulement elle prouvait qu'il était jugé supérieur aux meilleurs artistes de son temps, mais aussi – alors qu'un « étranger », Federico Zuccaro, un Florentin fort renommé, l'avait vainement briguée –, lui, Paolo Caliari, qui avait conservé son surnom de « Véronais » – « *il più bel fiore di tutta la famiglia provinciale* » (Fiocco) – se voyait confier la réalisation d'une œuvre capitale étroitement liée à l'histoire de la Sérénissime [1].

Mais cette euphorie fut sans doute de courte durée, car Véronèse ne put réussir à créer la peinture à laquelle il s'est visiblement attaché pendant des années. Impuissance ou échec concerté ? Essayons de le comprendre face à quelques rares épaves d'une décoration soigneusement préparée, selon l'habitude de Véronèse, par de nombreuses études dessinées et peut-être, par plusieurs *modelli*.

Véronèse et Bassano

La convocation de Véronèse devant le tribunal de l'Inquisition à Venise, le 18 juillet 1573, au sujet de la *Dernière Cène* (*Le Repas chez Levi*), ne fut probablement pas sans conséquences sur ses commanditaires et sur l'artiste lui même [2]. Ceux-ci doutèrent de sa capacité à s'exprimer dans le respect des Écritures et sans cette indépendance d'esprit qui, à leurs yeux, le rendaient coupable de sympathie envers la Réforme, donc suspect d'hérésie. Quant à Véronèse, peut-être se sentait-il désormais enclin, en matière d'iconographie, à plus de rigueur sans s'octroyer, comme autrefois, « la liberté que prennent les poètes et les fous » qu'il avait tout naturellement invoquée au cours du procès.

Ces faits pourraient justifier que l'on ait confié à Francesco Bassano, jugé plus traditionnel et moins imaginatif, une grande partie de la réalisation du programme du *Paradis*, par crainte sans doute que, dans cette décoration immense, Véronèse ne procède selon son habitude, comme il l'avoue au cours du procès : « s'il reste de l'espace dans le tableau je l'orne d'autant de figures que l'on me le demande et selon mon imagination ». L'esquisse de Lille, où fourmillent à l'infini des petites figures, est là pour confirmer cette tendance du peintre… que Tintoret, d'ailleurs, pourrait aussi revendiquer comme en témoignent ses esquisses et, surtout, la réalisation définitive au palais des Doges.

Ces faits expliqueraient également les études de détails, très poussées, de Véronèse pour certaines figures parmi les dessins préparatoires pour le *Paradis* [3] (cat. 9 et 11).

Mais Francesco Bassano et Véronèse, même s'ils étaient liés d'amitié, avaient des personnalités trop opposées pour pouvoir travailler ensemble : il suffit de comparer le *modello* précis, quasi réaliste, ténébreux, du plus jeune au *Paradis* irréel et lumineux du plus âgé pour comprendre que leur collaboration était impossible. La description du moine Girolamo Bardi donne pourtant l'impression que la toile de la salle du Grand Conseil était déjà terminée par les deux artistes en 1587, en contradiction totale avec le fait que le *Paradis* y sera peint par Tintoret [4]. Véronèse, surchargé de commandes, trouva probablement des excuses valables pour ne pas s'y consacrer, utilisant pour d'autres œuvres les recherches qu'il avait réalisées pour celle-ci, comme nous le verrons.

De son côté Francesco ne reprit même pas cette tâche pour son propre compte après la mort de Véronèse en 1588; peut être était-il déjà gravement atteint par la dépression qui devait causer son suicide en 1592.

Pour Wolfgang Wolters qui, curieusement, étudie Véronèse après Bassano, ce dernier reprend, dans son esquisse (cat. 12) l'exemple de Guariento pour la disposition des figures [5]. Il néglige cependant le groupe sacré qui, chez tous les autres concurrents, domine toute la composition. Il n'a compris ni le rôle joué par la lumière chez Véronèse, qu'il imite par ailleurs, ni la correspondance thématique et tonale que celui-ci établit entre le *Paradis* et toute la salle. Mais Bassano s'est attaché à la liaison avec la tribune plaçant au-dessus d'elle les Pères de l'Église (?) et autres figures qui se trouvent sur un nuage, à droite, dans l'esquisse de Lille, insérant même un doge, ce qui donne une note d'actualité politique à la composition. Son projet ne manque ni de charme, ni de qualité picturale, il a toutes les qualités d'une esquisse : clarté, précision permettant d'augurer de la réalisation future. Mais il a perdu la grandeur majestueuse de Guariento et le charme de l'évocation lyrique et théologique du *Paradis* de Véronèse. On voit mal comment Paolo aurait pu y insérer le groupe des figures sacrées dont il avait été finalement chargé. Comme celles-ci ne sont pas mises totalement en évidence dans le *modello* de Bassano, ce dernier paraît postérieur à la décision du jury de confier la réalisation de cette partie à Véronèse, même en tenant compte de l'habitude du peintre de minimiser ce type de représentation.

Roger Rearick observe qu'à la différence de Tintoret Véronèse et Bassano semblent suivre le même programme puisque les figures de leurs esquisses coïncident pratiquement : il en déduit que cette similitude justifia, peut-être, la décision insolite de les associer dans la réalisation du *Paradis*[6]. Pour notre part, nous interprétons différemment la ressemblance entre les projets des deux artistes. Rappelons d'abord que le programme du concours était le même pour tous les concurrents et que chacun l'interpréta à sa manière. Si l'esquisse de Bassano ressemble à celle de Véronèse, c'est probablement – nous semble-t-il, si l'on tient compte de la présence de la Trinité – parce que le premier s'est inspiré du second à un moment où l'association des deux artistes était déjà acquise. Autrement dit, le projet de Bassano nous paraît postérieur à la décision prise en 1582 d'y faire collaborer les deux artistes.

Nous constatons que les personnages du *Paradis* de Bassano semblent se désintéresser du triomphe de la Vierge, qui est couronnée par la Trinité, constituant une nouveauté majeure du programme grandiose imaginé par Véronèse et conçu comme une fête célébrée par tous les Bienheureux.

Des dessins du *Paradis* au « Paradis des *monache* »

Pour préparer son projet Véronèse put s'inspirer, comme tous les concurrents, du programme du concours et du grand exemple de Guariento. Il connaissait sans doute les recherches de Zuccaro, au moins certaines d'entre elles, car Catherine Loisel établit que les deux dessins de cet artiste conservés, relatifs à son projet, sont de dates différentes (cat. 1 et 2). Véronèse consulta aussi, vraisemblablement, comme il le fit à San Sebastiano, en 1555, quelque savant religieux[7] : puis, selon son habitude, il s'abandonna complètement à son imagination créatrice et à sa brillante virtuosité consignant ses premières idées sur une feuille de papier (cat. 8) plutôt que sur une toile.

Après la transformation du plafond de la salle du Grand Conseil, avant avril 1582, comme Jean Habert l'a établi plus haut, la salle n'ayant pas été diminuée en hauteur, la suppression des pendentifs libéra un espace récupérable pour la peinture. Ces pendentifs sont visibles sur les projets de Zuccaro, sur le dessin préparatoire de Véronèse et Jean Habert en a découvert également la trace, ce que l'on ignorait, sur l'esquisse de Tintoret du Louvre, un indice précieux pour sa datation.

Sur le tableau de Lille, Véronèse ne reproduit pas les pendentifs, mais modifie la composition du dessin du Fogg Art Museum, où la Trinité, surmontée d'un pendentif, est incluse entre deux autres pendentifs : il la relève légèrement sur le mur, la complétant par des figures nouvelles. L'esquisse peinte, qui tient compte de la suppression des pendentifs en 1582, est donc postérieure au dessin du Fogg Art Museum (1578), mais sa composition reste fondée sur lui ou sur un projet analogue qui ne nous est pas parvenu.

D'ailleurs Véronèse n'a pas cessé de se référer au dessin du Fogg : sous les pendentifs, surtout à droite, deux lignes paraissent indiquer la limite de la correction à apporter après leur suppression[8]. Le dessin montre une technique inhabituelle chez Véronèse car il abandonne pratiquement la plume pour évoquer les nuages et les élus grâce au lavis de bistre plus ou moins dilué : quelques rares figures sont cernées d'un trait mais toutes sont imprécises. Cette manière annonce son étude de la lumière dans l'esquisse peinte, par contraste d'ombre et de clarté.

Enfin viennent, à notre avis, les dessins des détails : ceux ajoutés sur la feuille du Fogg, puis ceux du musée de Berlin (cat. 9 et 11) et celui de New York (cat. 10)[9]. Cependant Roger Rearick voyait, dans le dessin de Cambridge, l'ultime phase du travail préparatoire de Véronèse, la synthèse de ses études de détails dans une large version du thème qu'il développera dans le *modello* de Lille. Un point de vue réaffirmé dans sa dernière étude sur Véronèse en 2001[10].

Au recto d'un dessin de Berlin (cat. 11) à la plume, apparaît une Vierge de profil avec la Trinité, comme dans le *Paradis* de

Fig. 42
Paolo Caliari, dit Véronèse (1528-1588)
Études pour le Couronnement de la Vierge des Ognissanti de Venise, vers 1586
Plume, encre et lavis, H. 30,5 ; L. 21 cm
Oxford, Christ Church Picture Gallery, inv. (0341) JBS 793 r°.

Fig. 43
Paolo Caliari, dit Véronèse (1528-1588)
Études pour le Couronnement de la Vierge et pour des figures d'œuvres différentes, vers 1586
Plume, encre et lavis, H. 30,5 ; L. 21 cm
Oxford, Christ Church Picture Gallery, inv. (0341) JBS 793 v°.

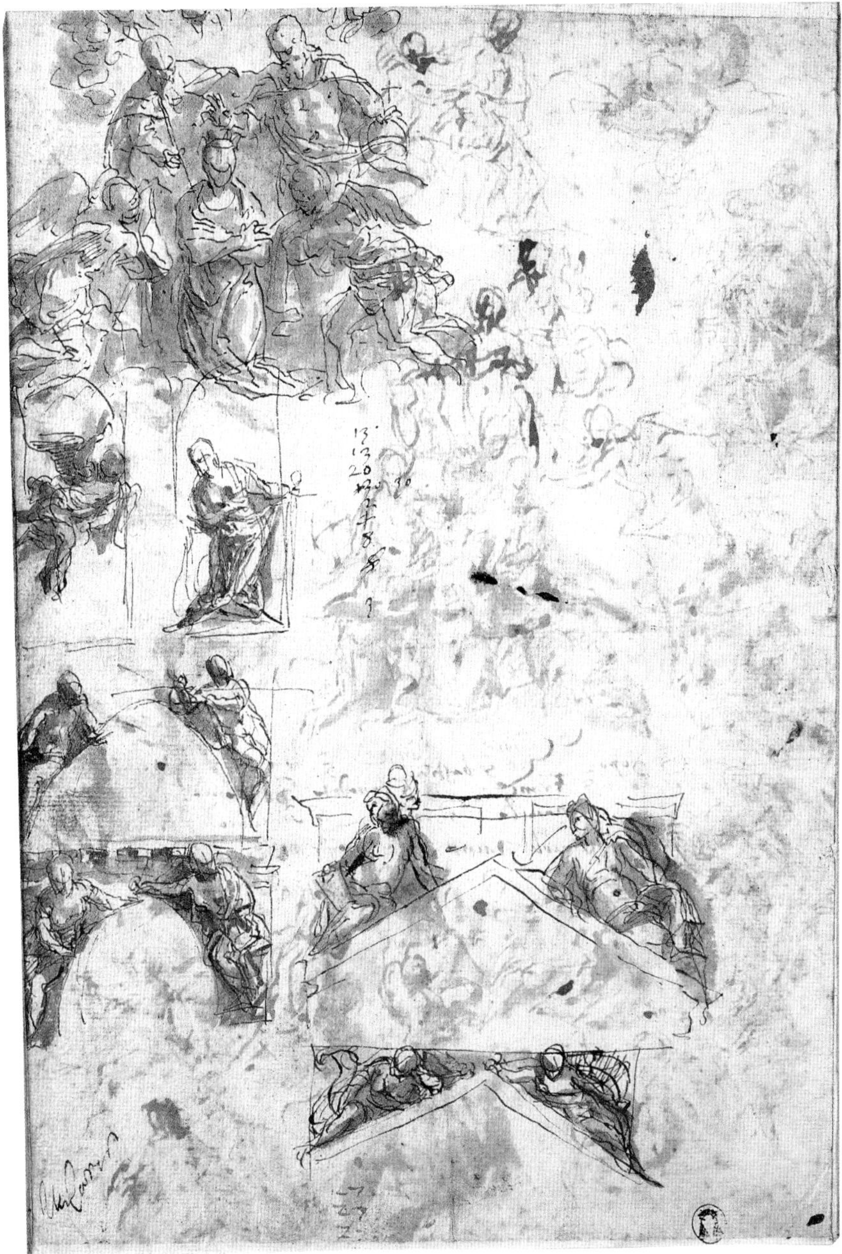

Lille[11]. Le même thème est repris, dans un dessin, toujours à la plume, d'Oxford, au recto (fig. 42, où le groupe apparaît à trois reprises avec des variantes) et, enfin, une quatrième fois au verso (fig. 43, avec des études pour des œuvres différentes), mais, cette fois, la Vierge est en position frontale[12].

Les historiens s'accordent pour considérer que cette dernière étude, particulièrement belle, est préparatoire pour une peinture de Véronèse traditionnellement appelée le *Couronnement de la Vierge* (Venise, Académie) (fig. 44) que Jean Habert, suivant les analyses de ce thème par Jean Delumeau, nomme plus volontiers, à notre avis justement, le *Triomphe de la Vierge* : en effet la Vierge y est déjà couronnée et s'apprête à recevoir le sceptre des mains de son fils.

Si nous développons, d'une façon un peu détaillée l'analogie du tableau de l'Académie avec le Couronnement de la Vierge du *Paradis*, c'est parce qu'elle permet d'éclaircir une énigme posée par un certain *Paradis* que Véronèse peignit, selon Ridolfi (1648), pour les *monache* – c'est-à-dire les religieuses – une œuvre jusqu'ici restée inconnue car sa localisation n'avait pas été précisée[13]. Or les dessins que nous venons de mentionner se rapportent tous au tableau de l'Académie de Venise qui, autrefois, ornait le maître-autel de l'église des Ognissanti[14]. Sansovino ne parle pas du tableau, mais les annotations de Stringa à son texte, en 1604, font état des *donne monache* et de la consécration de l'église en 1586[15]. Le *Paradis* dont parle Ridolfi (sans le localiser) et que Richard Cocke croit perdu, est presque certainement celui des *donne monache* des Ognissanti.

Ces religieuses bénédictines cisterciennes, peut-être en raison du nom de leur église, église de Tous les Saints (Ognissanti), avaient sans doute une dévotion particulière pour le thème du Couronnement de la Vierge car les *monache* des Ognissanti de Trévise reçurent de Paris Bordon – à l'occasion, dit-on, de l'entrée en religion de sa fille en 1561 – un *Paradis* (fig. 45) dont la partie supérieure comporte aussi ce thème[16]. Évidemment, à la date où Bordon l'exécuta, il n'était pas sous l'influence de Véronèse, mais sous celle de la *Gloria* de Titien. Le tableau des Ognissanti fut peint par Véronèse à un moment (avant 1586) où il avait déjà, probablement, abandonné l'espoir de réaliser le *Paradis* du palais des Doges avec Francesco Bassano[17].

Dans ses dernières années, il utilisa, sans doute, ces recherches pour peindre le *Paradis* des Ognissanti, qui apparaît ainsi comme une des ultimes étapes du long travail entrepris à l'occasion du concours. Il est en effet frappant que les dessins et le tableau des Ognissanti offrent des variations sur le thème de la Trinité couronnant la Vierge, la grande nouveauté iconographique de Véronèse dans le *Paradis*, que le jury du concours lui avait finalement confié car « plus adaptée à sa manière ».

Une esquisse pour le *Paradis*

Son origine

Deux esquisses (*Invenzioni*) pour le *Paradis* sont citées par Ridolfi chez les héritiers Caliari[18]. Lors de la rédaction en 1682 de l'inventaire des descendants de Véronèse, il n'en reste plus qu'une, de dimensions fort différentes de celles de l'esquisse de Lille[19]. La première esquisse Caliari – dont, toutefois, nous ignorons les dimensions – serait-elle réapparue au XIXe siècle ? Richard Cocke rapporte que Giovanni Rosini, « professeur d'éloquence italienne de l'université », dans une lettre de Pise datée du 15 avril 1825 et adressée au général comte Teodoro Lechi de Brescia, parle d'une esquisse autographe de Véronèse pour « le mur du fond » de la salle du Grand Conseil du palais des Doges[20]. Malheureusement la correspondance entre le général et Rosini, qui cherchait des tableaux et des livres pour le compte de Lechi, s'arrête en 1826[21]. On ne sait donc pas si Rosini, qui possédait l'esquisse de Véronèse ainsi que trois autres tableaux, tous assez grands, dont il proposait l'acquisition au général, les lui a effectivement vendus… ni à quels prix[22].

En 1825, on s'attendrait à ce qu'une esquisse pour le *Paradis* porte le nom de Tintoret plutôt que celui de Véronèse… mais qu'elle puisse correspondre à l'esquisse signalée par Ridolfi et, ensuite, à l'esquisse Cottini de Lille (qui était alors attribuée à Tintoret), une quarantaine d'années plus tard, ne peut malheureusement pas être prouvé[23].

Fig. 44
Paolo Caliari, dit Véronèse (1528-1588)
Le Triomphe de la Vierge, vers 1586
Huile sur toile, H. 3,96 ; L. 2,19 m
Venise, Gallerie dell'Accademia, inv. 392.

Fig. 45
Paris Bordon (1500-1571)
Le Paradis, 1561
Huile sur toile, H. 3,33 ; L. 1,66 m
Déposé à Trévise, Museo Civico,
par l'Accademia de Venise, inv. 352.

Sa technique

Le tableau Cottini de Lille ne nous est pas parvenu dans son format d'origine : en effet, si l'on compare sa composition à celle du dessin du Fogg Art Museum (cat. 8) ainsi qu'aux dessins de Zuccaro (cat. 1 et 2) et aux esquisses des autres concurrents (à l'exception de Tintoret, comme le montre Jean Habert), tous représentent, plus ou moins exactement, la totalité de la paroi à décorer avec ses deux portes encadrant la tribune (fig. 2). Sur l'esquisse de Véronèse, les portes et la tribune semblent camouflées : Rearick ne les a pas remarquées (1995). La porte de gauche est incomplète, mais celle de droite apparaît en entier. De plus, l'esquisse a été diminuée sur tout le pourtour [24]. Il est tout à fait impossible que Véronèse l'ait conçue telle que nous la voyons aujourd'hui : le tableau a pu être un peu diminué lors du rentoilage, dont on ignore la date ; peut-être était-il abîmé à certains endroits qui furent supprimés [25]. En tout cas, ces transformations sont antérieures à son entrée au musée de Lille car le tableau est enregistré dans l'inventaire avec ses dimensions actuelles et avec la mention « en bon état [26] ». Nous proposons ici une reconstitution plaçant l'esquisse dans la salle du Grand Conseil (figure C).

Seul Wolfgang Wolters a correctement noté les modifications du format de l'esquisse de Lille [27] mais, faute d'avoir pu la faire décadrer, il n'a pas observé que, de plus, la feuillure masquait le tableau d'environ 3,9 centimètres sur tout le pourtour, soit 7,8 centimètres de sa hauteur [28]. Dans l'exposition, la présentation permet, pour la première fois, de voir la totalité de la surface peinte conservée [29]. Elle restitue également au tableau sa vraie qualité d'esquisse, c'est-à-dire celle d'une étape du travail de Véronèse pour le concours. En redonnant à l'esquisse ses anciennes dimensions, on peut aujourd'hui corriger l'impression fausse selon laquelle le peintre n'avait pas correctement situé dans l'espace les figures principales (la Trinité couronnant la Vierge), placées trop près de l'encadrement, une faute que les autres concurrents avaient évitée et qui était fort surprenante de la part d'un grand décorateur comme Véronèse.

Le caractère le plus frappant de l'esquisse de Lille est son extrême rapidité d'exécution. La touche, légère et précise, sans hésitation ni reprise, est transparente avec, çà et là, des empâtements dans la lumière. Sur la toile d'origine, qui a été conservée car le tableau n'a pas été transposé, la matière picturale laisse apparaître les irrégularités du tissage : on voit, à plus de mi-hauteur, la couture horizontale à surjet des lés comparable à celle de la toile des *Noces de Cana* du Louvre [30].

Comme dans ce tableau, on distingue le contour brunâtre, tracé au pinceau, de certaines figures ou visages, ce qui rappelle les précisions données par Boschini, en 1660, sur la technique de Véronèse et sa manière de mettre en place sa composition [31]. Entre les nuages, le ciel bleu semble, comme le dit Boschini, exécuté *a guazzo* [32] (« à la gouache »), justifiant la proposition de Rearick, en 1988 (cat. exp. Washington, 1988), d'adjoindre la tempera à la peinture à l'huile comme technique d'éxécution du tableau [33]. Jean-Paul Rioux, lors de la restauration des *Noces de Cana* du Louvre, fait part d'observations analogues sur l'utilisation des couleurs par Véronèse dans ce dernier tableau [34]. En résumé, la technique très variée de l'esquisse apparaît fort proche des procédés habituels de Véronèse. Les multiples petites figures tracées à la pointe du pinceau, immatérielles et translucides, sont peintes avec une dextérité qui témoigne d'une longue pratique : elles font penser aux personnages des *chiaroscuri* des *Histoires romaines* de la salle de la Boussole au palais des Doges, où figurent les armoiries de Marcantonio Trevisan, doge entre 1553-1554, avec, toutefois, un esprit très différent [35].

En dépit des usures, l'état du tableau permet d'apprécier pleinement la virtuosité de Véronèse dans l'improvisation d'une composition très ambitieuse, déjà longuement préparée et méditée comme le montre le dessin du Fogg Art Museum. Dans toute l'œuvre du peintre, aucun projet décoratif n'est comparable. L'esquisse de Lille est ainsi un *unicum* qui permet d'apprécier Véronèse en pleine création : les touches expressives, la beauté des tons purs (les verts, les bleus) opposés aux délicates variations des roses, les éclats de la lumière, les ombres colorées, autant de

Fig. 46
Paolo Caliari, dit Véronèse (1528-1588)
Étude pour le Triomphe de Venise du plafond de la salle du Grand Conseil au palais des Doges, vers 1583
Plume, encre et lavis sur papier préparé en ocre rouge, rehaussé de blanc et mis au carreau, H. 52,5 ; L. 35 cm
Leeds, Harewood House, Earl of Harewood.

traits propres au génie de Véronèse qui abondent dans l'esquisse. La rapidité de l'exécution nous donne l'impression d'assister à la création même du *Paradis*.

Selon Roger Rearick, c'est la préparation qui lui donne sa tonalité rose : cependant l'examen montre que la préparation proprement dite n'est pas visible; ce ton rose est celui du fond uniforme sur lequel les figures sont peintes en transparence [36].

Le mérite de Rearick est d'avoir souligné l'analogie de l'esquisse avec le dessin préparatoire pour le *Triomphe de Venise* du plafond de la salle du Grand Conseil (fig. 46).

Le dossier du *Paradis* est ainsi une occasion unique de suivre l'élaboration d'une œuvre de Véronèse : l'artiste sait utiliser toutes les possibilités d'expression qui lui sont offertes par des techniques aussi différentes que celles du dessin et de la peinture. La longue pratique des *chiaroscuri* (des dessins dits clairs-obscurs), un genre où il était devenu célèbre, a nettement influencé sa manière de peindre et vice versa [37].

La couleur du Paradis

Pourquoi Véronèse choisit-il ce camaïeu à l'harmonie si particulière ? Certains historiens, commentant le *Paradis* de Guariento, pourraient faire penser qu'il fut influencé par la fresque de Guariento au palais des Doges. Véronèse, qui s'installa à Venise progressivement après 1551, dut la connaître après la restauration par Francesco Cevola en 1541 et avant l'incendie de 1577 [38]. Selon Moschetti, Guariento l'aurait d'abord peinte dans un camaïeu de vert, y ajoutant, ensuite, les couleurs [39].

Mais cette thèse a été contredite assez vite et, dans sa monographie sur Guariento (1965), Francesca Flores d'Arcais montre que l'artiste, selon sa technique habituelle, peignit la fresque en couleurs [40]. La référence à la peinture verte monochrome dans les textes cités par Moschetti désigne, en réalité, d'autres fresques que Guariento, d'après certaines sources, aurait peintes à *chiaroscuro* dans la même salle [41].

Étonnante, au première regard, dans l'esquisse de Lille, est cette harmonie si particulière : un camaïeu de rose et de gris s'enlevant sur quelques plages de couleurs vertes et bleues, ponctué d'éclats de lumière… Pourquoi Véronèse peignit-il un Paradis rose ? Les artistes donnèrent d'abord au séjour des élus la couleur de l'or, héritage byzantin, puis le bleu ou le vert (comme Tintoret, par exemple) [42]. Mais la couleur sélectionnée par Véronèse est vraiment unique : seul la rappelle le *Couronnement de la Vierge* du Louvre de Fra Angelico… qui est aussi un *Paradis*.

Véronèse a-t-il volontairement choisi une couleur rare, très différente des options habituelles des artistes, pour signifier la singularité irréelle du monde céleste ? Est-ce par hasard qu'il a choisi la couleur de l'aurore, celle de la déesse aux doigts de rose selon Homère ? Fut-il influencé par Dante dont l'importance était rappelée dans la fresque de Guariento par des vers et par sa vision du paradis céleste *in forma di candida rosa* ? A-t-il pensé au nom de la fleur qui, avec le lis, symbolise traditionnellement la Vierge, celle que le *Paradis* célèbre avec toute la cour des bienheureux [43] ? On ne sait. En tout cas l'harmonie rose de l'esquisse, chatoyante, raffinée et joyeuse, rappelle le commentaire de Jean Delumeau : « le Paradis est lumière, couleur, parfum » [44].

Mais la version définitive de Véronèse offrait-elle un Paradis rose, comme celui de l'esquisse ? Le fond rose du *modello* dessiné de Leeds pour le *Triomphe de Venise* a disparu dans la réalisation finale du palais des Doges. Mais, au plafond, l'harmonie si diversifiée des roses et des rouges laisse penser que Véronèse entendait aussi réaliser des effets analogues dans le *Paradis* où le rose resterait dominant [45] (fig. 49).

Le séjour des bienheureux

En marge de la description donnée par Jean Habert de la composition du *Paradis* de Lille, nous présentons quelques remarques qui aideront, espérons-le, à le déchiffrer, en commençant par le bas du tableau. Sur un nuage, à la forme arquée, Véronèse a disposé plus d'une vingtaine de figures peu distinctes... comme celles qui s'agitent au-dessus d'elles, sous les nuages et au-delà [46].

Au-dessus, plusieurs bancs de nuages, parallèles, semblent onduler comme des vagues. Sur l'un d'eux les apôtres sont assis et sur d'autres, les prophètes et les évangélistes, identifications confortées par leur place dans la hiérarchie céleste et par les inscriptions sur le dessin du Fogg Art Museum [47]. De nombreuses figures sont à peine esquissées, sans attributs et donc pratiquement impossibles à reconnaître : Véronèse voulait-il faire allusion à la foule des inconnus que Dieu accueille dans

Fig. 47
Paolo Caliari, dit Véronèse (1528-1588)
Le Paradis (cat. 7)
Détail : Saint Jean l'Évangéliste
Lille, palais des Beaux-Arts.

son *Paradis* ?... Peut-être. De chaque côté les nuages se relèvent en cercles concentriques, transparents, peuplés par les silhouettes des élus et, dans les sphères plus hautes, par les anges musiciens. Ces formes humaines ne sont plus ni hommes ni femmes mais des âmes, des êtres de lumière, vivant intensément leur éternité si l'on en juge d'après leurs attitudes : il en est ainsi de l'homme debout, isolé au centre, passionnément tourné vers le Christ au-dessus de lui – qui pourrait être saint Jean l'Évangéliste car il se trouve près du groupe des apôtres (fig. 47). Tout en haut, au centre, au sommet d'une sorte de cône (ou de montagne ?), apparaît la Trinité couronnant la Vierge, agenouillée et placée légèrement au-dessous avec, à sa gauche, saint Jean Baptiste

Fig. 48
Paolo Caliari, dit Véronèse (1528-1588)
Le Couronnement de la Vierge, 1555
Huile sur toile, H. 2 ; L. 1,70 m
Compartiment central du plafond de la sacristie de l'église San Sebastiano à Venise.

exceptionnellement reconnaissable à sa croix et, à droite, selon l'annotation du dessin du Fogg, saint Joseph. La Trinité et la Vierge sont entourées d'une mandorle faite de cercles successifs ornés non « d'étoiles brillantes » (Wolters) mais de multiples têtes de chérubins et des séraphins qui ressemblent à des boules étincelantes[48].

De chaque côté, sur deux grands nuages (ceux de gauche peu lisibles en raison des coupures subies par le tableau), on distingue très bien, sur l'un d'eux situé à droite, des ecclésiastiques (les Pères de l'Église ? ou des contemporains de l'artiste ?). Ces nuages encadrent symétriquement la vision du *Paradis* : ils dévoilent à nos yeux, comme des rideaux, sa structure mouvante, impalpable, ouverte sur les lointains infinis, peuplés d'âmes immatérielles, l'immensité d'un univers merveilleux qui n'est que lumière et spiritualité. Cette lumière, qui émane de la Trinité couronnant la Vierge, descend vers la tribune située au-dessous, qu'elle éclaire et inspire. Dès le projet du Fogg Art Museum (cat. 8), Véronèse avait déjà imaginé son *Paradis* en termes de lumière : il le dessina presque entièrement au pinceau et au lavis, avec de très rares interventions de la plume, préludant ainsi à l'esquisse qui ressemble à un camaïeu (cat. 7) : l'analogie technique entre le dessin et la peinture chez Véronèse est vraiment tout à fait surprenante dans le processus d'élaboration du *Paradis*. Jean Habert a déjà présenté les sources théologiques de ce *Paradis* dantesque que Véronèse, avec une imagination exceptionnelle, a su traduire, en croyant, en poète, et surtout en peintre. Nous ne reviendrons pas, non plus, sur l'iconographie traditionnelle du Couronnement de la Vierge déjà traitée, mais rappellerons seulement que Véronèse, à la différence des autres concurrents, choisit pour son *Paradis* le thème de la Trinité couronnant la Vierge, la phase ultime de ce que Louis Réau appelle « un crescendo iconographique [...], confirmation frappante des progrès de la mariolâtrie[49] ». Ce thème moderne, nouveau, témoigne de la place importante accordée par les théologiens à Marie et de l'évolution de la dévotion envers elle qui se développe dès le XVe siècle. Il n'est pas inconnu à Venise où, en 1544, Antonio Vivarini et Giovanni d'Alemagna le peignirent à l'église San Pantaleon : il avait déjà inspiré à Véronèse un chef-d'œuvre au plafond de la sacristie de San Sebastiano (1555) (fig. 48). Véronèse a évolué dans sa représentation de la Trinité : sur le dessin du Fogg, sommaire et peu lisible, elle semble se rapprocher de celle de San Sebastiano où la Vierge est située entre Dieu le Père et le Christ : la colombe planant au-dessus d'eux est entourée d'une mandorle.

Dans l'esquisse de Lille, c'est la Trinité tout entière, surplombée par la colombe, qui est entourée par la mandorle. Représentation très inhabituelle, le Père et le Fils semblent tenir ensemble la couronne, chacun d'une main. La Vierge, vue de profil, est agenouillée légèrement au-dessous à gauche : les dessins montrent que Véronèse revint sans cesse sur ce motif dont le *Paradis* des Ognissanti offre, peut-être, la version ultime, celle d'un véritable Triomphe de la Vierge.

Le jury du concours ne comprit pas, semble-t-il, le projet de Véronèse, puisque aucun des *modelli* des autres concurrents ne comporte la Trinité et que Tintoret l'emportera, finalement, avec une représentation plus traditionnelle[50]. Ce rejet par le jury est-il une des raisons qui empêchèrent la réalisation du projet commun de Véronèse et de Bassano ? On peut se le demander. Véronèse proposait une œuvre difficile, sans concession, en peignant, pour reprendre l'expression de saint Paul dans les Épîtres aux Corinthiens : « ce qu'aucun œil n'a vu ». La conception d'un Paradis, rose (?), tout de lumière et de spiritualité, avait probablement surpris, mais celle du Triomphe de la Vierge couronnée par la Trinité, célébrée par tous les élus, cette Vierge que Véronèse assimile à Venise, déconcerta sans doute. En effet, dans son *Paradis*, Véronèse, si nous en jugeons d'après l'esquisse, n'introduit aucune allusion à la Venise contemporaine… à la différence de Bassano, qui inclut les symboles de l'arche de Noé et du lion de saint Marc, ou de Palma, avec ses allusions politiques : dans le *Paradis* de Véronèse seule l'analogie entre le thème du couronnement, sur le mur et le plafond, démontre subtilement l'assimilation entre la Vierge et la Sérénissime. Trop subtilement, peut-être, pour certains. Les propos de Ridolfi laissent clairement entendre que le choix du jury n'alla pas sans difficultés[51].

Si le jury donna l'impression d'avoir accepté l'interprétation trinitaire de Véronèse en lui confiant précisément la partie de la Trinité dans la peinture, cette concession était cependant assortie de conditions telles – l'association avec Bassano – qu'elle rendait le projet non viable. Ce qui arriva, en effet.

Inexact dans ses proportions, imprécis dans ses figures sans attributs caractéristiques, le plus souvent réduites à des silhouettes asexuées, le tableau de Lille, peu soigné dans sa présentation, diffère sensiblement des autres *modelli* pour le concours. Bien que la plupart des historiens aient, à tort, admis le contraire, ce tableau n'est pas le vrai *modello* que Véronèse présenta au jury en 1582 et qui devait se plier aux règles habituelles de clarté, de lisibilité, de précision, pour donner au mieux l'idée de la réalisation définitive : ce *modello* là est perdu[52]. Le tableau de Lille est plutôt une esquisse préparatoire et non définitive que l'artiste exécuta au cours de ses recherches en vue d'obtenir la prestigieuse commande du palais des Doges, quoiqu'elle soit probablement très proche du *modello* qu'il présenta au concours de 1582[53]. Elle étudie avant tout la mise en place de la composition plus en fonction des couleurs et de la lumière que de l'iconographie ; mais cette dernière n'est pas oubliée : non seulement Véronèse y respecte la représentation de la hiérarchie céleste, mais il s'attache à mettre en valeur les points les plus modernes de son interprétation personnelle du *Paradis*, le rôle de la Trinité et celui de la lumière.

« Il più pittore dei pittori »[54]

L'esquisse de Lille permet néanmoins d'apprécier ce qu'aurait été la salle du Grand Conseil du palais des Doges si elle avait été entièrement réalisée par Véronèse. Son *Paradis* à l'horizon infini, qui s'ouvre, jusqu'au vertige, au-delà des nuages portant les figures sacrées – univers céleste tout illuminé de lumière –, éclaire et inspire la tribune au-dessous de lui. C'est sur cette base, toute spirituelle, que repose le Triomphe de la Venise éternelle célébrée au plafond de la salle, évocation qui reste encore grandiose en dépit de l'intervention poussée des collaborateurs. Quant aux murs, ils racontaient l'histoire légendaire de Venise, peinte d'après des projets du maître connus par quelques beaux dessins : la médiation du doge Ziani entre le pape Alexandre III et Frédéric Barberousse, la conquête de Smyrne, la défense de Scutari, le retour du doge Andrea Contarini après la bataille de Chioggia[55]. L'harmonie, en camaïeu vert, de ces scènes pittoresques répondait à l'une des couleurs dominantes du mur oriental qui fait chanter les roses et les gris de l'esquisse de Lille.

Fig. 49
Photomontage du mur de la tribune de la salle du Grand Conseil au palais des Doges avec l'esquisse de Véronèse (cat. 7) à la place du *Paradis* de Domenico Tintoretto et avec, au plafond, l'étude pour le *Triomphe de Venise* de Véronèse (Leeds, Harewood House, Earl of Harewood) à la place de la toile de Véronèse de même sujet (Venise, palais des Doges, salle du Grand Conseil).

Pour le plafond, le merveilleux projet dessiné du *Triomphe de Venise* (Leeds, Harewood House, collection Earl of Harewood) (fig. 46), probablement contemporaine des projets pour le *Paradis* (le plafond est daté de 1582) donne l'idée des intentions de Véronèse[56]. Sa composition est établie avec rigueur, sur un schéma mathématique que soulignent des architectures monumentales. On y passe du monde réel des Vénitiens réunis en groupes symétriques, joyeux et animés, à l'apothéose de Venise entourée des Vertus. Trônant sur les nuées, comme les bienheureux du *Paradis*, elle attend sereinement la couronne qu'un ange lui apporte du haut du ciel : cette reine terrestre reçoit ainsi son pouvoir de la reine céleste, la Vierge, couronnée sur le mur oriental (celui du *Paradis*).

Au cadre architectural somptueux du *Triomphe de Venise*, s'oppose la mouvante structure des nuages du *Paradis*, un univers impondérable où tout est lumière et spiritualité. La préparation rose, extrêmement raffinée, exceptionnelle chez Véronèse de ce magnifique dessin de Leeds, à la plume, lavé de bistre et rehaussé de blanc, évoque les roses de l'esquisse de Lille. Si nous le plaçons au-dessus de cette dernière, nous comprenons mieux

Fig. 50
Paolo Caliari, dit Véronèse (1528-1588)
Le Paradis (cat. 7)
Détail : Adam et Ève
Lille, palais des Beaux-Arts.

Fig. 51
Paolo Caliari, dit Véronèse (1528-1588)
Le Paradis (cat. 7)
Détail : Élie sur son char
Lille, palais des Beaux-Arts.

l'étonnant projet conçu par Véronèse pour la salle du Grand Conseil (fig. 49).

« Qui n'a jamais pensé, en analysant la vivacité inouïe de son pinceau, à la palette claire des impressionnistes, tout naturellement destinés, d'ailleurs, à être des amoureux fidèles de Paolo ? Et qui n'a eu envie de parler, à son sujet, des trouvailles plus techniques qu'artistiques, comme la complémentarité et le divisionnisme ? Ces rapprochements ont un fond de vérité, car plusieurs peintres français de la fin du XIXe siècle peignirent « comme l'oiseau chante », à l'image de Paolo. Ainsi Renoir et Monet aimaient ces nuances azurées, rosées, ces teintes vives, d'un seul jet ; la touche de Véronèse, du reste, annonce les théories des divisionnistes et leur souci de la complémentarité. Mais chez lui, pas de virtuosité, rien de mécanique ni de compliqué. Ses stupéfiantes inventions chromatiques viennent de son instinct seul, sans qu'il n'y ait ni projet, ni calcul. »

Cette citation, par Remigio Marini, d'un passage de Giuseppe Fiocco, que nous avons tenu à reprendre, est l'un des textes les plus inspirés sur la modernité de l'art de Véronèse[57]. Il semble écrit face au *Paradis* de Lille (« ces nuances azurées, rosées, ces teintes vives, d'un seul jet ») bien qu'à l'époque (1928) où Fiocco pouvait le voir le surprenant chromatisme de l'esquisse, encore obscurci par les vernis jaunis et encrassés avant le nettoyage de 1992 qui l'a remis en valeur, devait être moins frappant qu'aujourd'hui.

Dans l'introduction de son ultime ouvrage, Pignatti revient sur la *fortuna critica* de Véronèse rappelant qu'après le néo-classicisme, qui le négligea, le XIXe siècle romantique, au contraire, s'en rapprocha beaucoup : Pignatti mentionne, à juste titre, l'influence de Ruskin, de Rossetti et surtout, en France, l'enthousiasme de Delacroix qui disait « je dois tout à Véronèse ». Il observe enfin, justement, que la thèse d'un Véronèse « précurseur » de l'impressionnisme et du divisionnisme naît au moment où les musées français acquirent nombre des tableaux de Véronèse et de son école [58]. Ce fut précisément le cas de l'esquisse du *Paradis*, entrée au musée de Lille en 1879 comme Tintoret, avec le legs Cottini.

« Sous les yeux de Véronèse [...] le monde s'agitait comme une tapisserie somptueuse et légère qu'un souffle, en la détachant du mur, ferait changer de couleur. Et il était difficile, avec ses yeux, de voir passer autre chose que des triomphes et des apothéoses » (Roberto Longhi, *Viatico per cinque secoli di pittura Veneziana*, 1946). Roberto Longhi [59], dans son style inimitable, excelle à traduire l'émerveillement qui nous saisit devant l'esquisse du *Paradis* de Véronèse, cette vision instantanée et changeante d'un rêve de couleur et d'harmonie : on peut regretter que le peintre âgé, mais dont le talent n'avait pas vieilli, n'ait pu mener à bien son projet, grandiose et poétique, pour la salle du Grand Conseil du palais des Doges car il servait magnifiquement à la fois la Vierge et la Sérénissime.

7

Paolo Caliari, dit Véronèse
(Venise 1528 – Venise 1588)
Le Paradis
Vers 1578-1582

Huile et tempera (?) sur toile. Rentoilé avant 1879, le tableau a été diminué sur tout le pourtour et assez sensiblement coupé à gauche et dans la partie basse (voir *infra*)[60].
H. 0,87; L. 2,34 m
Lille, palais des Beaux-Arts, inv. P 20

Historique : Esquisse peinte vers 1578 (avant avril 1582) en vue du concours pour la décoration du mur oriental de la salle du Grand Conseil au palais des Doges, après l'incendie du 20 Décembre 1577. Peut-être une des *invenzioni del Paradiso* mentionnées par Ridolfi (1648, p. 345) et conservée chez Giuseppe Caliari, descendant direct du peintre; en 1826 peut-être en possession de Giovanni Rosini qui proposa au général comte Teodoro Lechi de l'acheter (Lechi, 1968, p. 95); on ne sait s'il passa dans la possession de ce dernier; collection Jean Cottini offert par ses filles Élisa Caroline et Henriette au musée de Lille en 1879.

Bibliographie : Ridolfi, 1648 (1919), p. 345, 409; Caliari, 1888, p. 164; Gnoli, 1908, p. 159; Gattinoni, 1914, XI, p. 42, n° 897; von Hadeln, 1919, p. 119-121; Pittaluga, 1922, p. 96; Bercken-Mayer, 1923, I, p. 30; Hautecœur, 1926, p. 106-107, n° 1465; Ingersoll-Smouse, 1927, p. 213; *Id.*, 1928, p. 26, 39, 44-45; Fiocco, 1928, p. 194; Berenson, 1932, p. 422; Fiocco, 1934, p. 116; Arslan, 1935, p. 11, note 2; Berenson, 1936, p. 363; Suida, 1938, p. 77; Tietze et Tietze-Conrat, 1944, p. 341, n° 2041; Pinardi, 1946, p. 45-46, pl. 38; Berenson, 1957, I, p. 132; *Id.*, 1958, p. 136; Arslan, 1960, I, p. 200-201; Lorenzetti, 1961, p. 197; Marini, 1968, n° 197; Tolnay, 1970, p. 105, fig. 138; Chatelet, 1970, p. 64-65; Pignatti, 1971, p. 163; Sinding-Larsen, 1974, p. 57, 61-62; Pignatti, 1976, I, p. 145, n° 232, fig. 552; Pignatti-Donahue, cat. exp. Los Angeles 1979, p. 108-110; Schultz, 1980, p. 113, n° 2; Cocke, 1984, p. 221-223, fig. 62; Pallucchini, 1984, p. 183; Oursel, 1984, p. 136-137, n° 10; Wolters, 1987, p. 287-289; Sinding-Larsen, 1988, p. 25-26; Rearick, 1988, p. 103-104; Pignatti, 1988, p. 163-164; *Id.*, 1989, p. 144-145; Laclotte, 1989, p. 178; Pignatti, 1990, p. 333-334; Béguin, 1990, p. 217-219, n° 171, repr.; Rearick, 1991; Pignatti-Pedrocco, 1991, p. 250, n° 177, repr. coul.; *Id.*, 1995, II, p. 390-391, n° 277, repr. coul.; Rearick, 1995, p. 137-140, fig. 7; Priever, 1997, p. 582; *Id.*, 2000, n° 16; Rearick, 2001, p. 166, 168.

Expositions : Valenciennes, 1918, p. 74, 365; Paris, 1935, p. 203, n° 453; Berlin, 1964, p. 34, n° 48 (notice par Albert Chatelet); Paris, 1965-1966, p. 257-259, n° 315 (notice par Pierre Rosenberg); Nice, 1979, p. 34-35, n° 16, repr. (notice par Sylvie Béguin); Turin, 1983; Rotterdam-Braunschweig, 1983-1984, p. 38-42, n° 2, repr. coul. détail p. 12; Venise, 1988, cité p. 74-75 sous les n° 35-36, p. 103-104, n° 65 (notices par Roger Rearick); Washington, 1988-1989, p. 163-164, fig. 51; Paris, 1993, p. 250, n° 269, repr. coul. (notice par Terisio Pignatti).

Nous avons déjà rappelé que le tableau de Lille ne peut correspondre au tableau cité dans l'inventaire des héritiers de Véronèse en 1682 (Gattinoni, 1914, p. 42, n° 897) en raison de leurs différences de format. Rappelons aussi que nous n'avons pas la certitude que le *bozzo* de Véronèse pour le *Paradis* de la collection Giovanni Rosini soit passé dans celle du comte général Teodoro Lechi. Plusieurs *bozzetti* de Véronèse sont cités dans cette dernière collection : par exemple en septembre 1627, l'un d'entre eux fut vendu à Giacomo Irvine de Bologne (Lechi, 1968, p. 52). L'origine du tableau Cottini de Lille reste tout aussi mystérieuse. Pour la difficile identification des personnages voir *infra*. La figure de femme nue accompagnée d'un enfant en bas à droite près de la porte gauche d'accès à la salle pourrait être une figure d'Ève. L'esquisse, attribuée à Tintoret dans la collection Cottini, a été rendue à Véronèse par Von Hadeln (1919), une attribution qui n'a jamais été mise en doute depuis. Il y voit le *modello* du concours de 1582, comme la plupart des historiens de Véronèse. Seuls quelques-uns (Wolters 1984, Rearick 1988, et Pignatti-Pedrocco 1991 et 1995) ont souligné son caractère particulier d'esquisse préparatoire et non de *modello* pour le concours, un jugement que nous avons proposé dès 1990. Toutefois ces différents auteurs continuèrent de présenter le tableau comme le *modello* pour le concours.
Sa datation a fait l'objet de discussions : Pallucchini (1984) le date de 1588-1582; Cocke (1984) de 1585-1586; Pignatti et Pedrocco (1995) ainsi que Rearick (1988) le datent, comme nous-même, de 1578-1582.

8

Paolo Caliari, dit Véronèse
Projet d'ensemble et Étude pour le Paradis (anges musiciens)
Vers 1578-1582

Annotations de la main de l'artiste:
au centre, sous la Trinité: *patriarchi profeti*;
colonne à gauche : *Caravin*[61] / *Spiritus* / *Dio e la madona*[62] / *S. Zuani S. Gisepe con angeli ch*[e] *sonà*[63] / *li apostoli evangelisti in mezo*[64] / *patriarchi e profetti e banda*[65] / *pontifici e confesori e dottori e episcopi*[66] / *martiri e eremiti sacerdoti christi*[67] / *vergine e vidore*[68] / *arcanzoli e beati intorno*[69];
au-dessous de la colonne de gauche, en bas plus à gauche : *Goisue*[70] / *Elia* / *S. Bart*[ol]*amio*[71] / *S. bastian*[72]; au-dessous de la colonne de gauche, en bas à droite : *S. Todoro*[73] / *S. Zorzo*; colonne à droite: *Christo e la madona* (*S. Joans* effacé)[74] / *S. Zan batista S. Giosepe*[75]/ *li evangelisti e abando li apostoli*[76] / *patriarchi e profetti p*[er] *banda*[77] / *pontifici e confessori e dotori*[78] / *martiri e eremiti* / *sacerdoti e*… (illisible)[79] / *martiri* / *virgini e vidue*[80].

Pierre noire et plume, encre brune et lavis de bistre, sur papier ivoire d'une lettre dont l'adresse, invisible actuellement, est collée sur le montage. H. 21,5; L. 31,2 cm
Au recto, en bas à droite, d'une écriture de la fin du XVIIe ou du début du XVIIIe siècle : *da Paolo Caliari.*
Au verso, de la même écriture : *D. P. n 67* et, à la plume de la main du plus ancien collectionneur (Zaccaria Sagredo), *D. P. n 92*.
Cambridge (Mass.), Harvard University Art Museums, Fogg Art Museum, inv. 1994.152
Exposé seulement à Paris

Provenance : ? Venise, coll. Giuseppe Caliari. – Venise, coll. Zaccaria Sagredo (Album dit Sagredo-Borghese); Lyon, coll. privée; vente Monaco, Christie's, 2 VII 1993, p. 29, lot n° 19 (notice par François Borne); acquis grâce à la générosité d'un donateur anonyme.

Bibliographie : Rearick, 1995, p. 138-140.

Exposition : Cambridge (Mass.), 2000, p. 44-46, repr.

Sans doute acquis du petit-fils de Paolo, Giuseppe Caliari, par Zaccaria Sagredo qui l'annota.
Au recto en haut à droite le chiffre 501, qui, selon Rearick, serait de la main de Paolo et se référait à une mesure (?). Les inscriptions, de la main de Véronèse, correspondent au programme à représenter dans le *Paradis*; nous avons reproduit notre lecture de ces inscriptions en indiquant, en note, les lectures différentes qui en ont été proposées par François Borne, William Roger Rearick, Michela dal Borgo et Pietro Scarpa. Même s'il avait l'habitude d'annoter ainsi ses dessins, l'ampleur de ces annotations est exceptionnelle. Pour le personnage entouré d'un halo en haut à droite, qui apparaît également dans le dessin de New York (cat. 10), il pourrait s'agir de saint Jean l'Évangéliste puisqu'il se trouve près des apôtres (fig. 47).
Dans cette étude d'ensemble pour le *Paradis*, certainement antérieure à 1582, peut-être dessinée vers 1578, Véronèse a déjà établi les grandes lignes de sa composition, qu'il reprendra dans l'esquisse sur toile de Lille[81].
L'inscription *da Paolo Veronese*, de la main du premier collectionneur Zaccaria Sagredo, ne signifie pas que le dessin soit une copie de Véronèse (comme on l'interpréterait aujourd'hui) mais, au contraire, qu'il est autographe : les inscriptions analogues sur d'autres dessins de la collection le confirment, comme d'ailleurs l'a très bien compris Rearick (1995). Le dessin apparut à Monaco à une vente Christie's (2 juillet 1993). Il fut acquis par le Fogg Art Museum (Cambridge, Massachusetts) en 1993 et publié pour la première fois par Roger Rearick en 1995. Il y voit l'une des avant-dernières étapes en vue du concours de 1582, plaçant d'abord les dessins de Berlin (cat. 9 et 11) et de la collection privée (cat. 10). Comme Véronèse représente inexactement les pendentifs du plafond, dont Rearick croit retrouver la place « fantomatique » dans l'esquisse de Lille, l'historien en conclut que, incertain sur l'aspect de la salle après la suppression des pendentifs entreprise par Sorte, l'artiste préféra donner une représentation provisoire du mur, sur lequel ils apparaissent encore ici. Ce raisonnement paraît bien compliqué : la comparaison avec l'esquisse de Lille montre que, dans l'œuvre de premier jet, Véronèse ne se soucie pas des proportions réelles de l'espace à décorer mais, toutefois, respecte ses caractéristiques : par exemple, dans l'esquisse, les portes et le tribunal sont inexactement placés dans l'espace mais sont bien présents. Nous pensons ainsi que les pendentifs, dans le dessin du Fogg, prouvent son antériorité par rapport à l'esquisse, comme nous l'avons montré plus haut.
Dans la partie inférieure en bas à droite, le détail, identifié par François Borne comme *Vénus et un groupe d'anges musiciens* a été lu, plus justement, par Roger Rearick comme une étude d'*Anges musiciens* pour la partie supérieure droite de l'esquisse de Lille. Cette étude, d'une encre différente de celle utilisée dans le reste du dessin, est partiellement dessinée par-dessus l'inscription du programme : elle lui est donc postérieure, comme sont aussi postérieures toutes les autres études dessinées connues associées à l'élaboration du *Paradis*.

9

Paolo Caliari, dit Véronèse

Études pour le Paradis (Couronnement de la Vierge, groupe de saints)

Vers 1578-1582

Plume et encre brune. Collé en plein ; angles supérieurs abattus, inférieurs déchirés. H. 30,2 ; L. 20,9 cm

Au recto, annotations à la plume de la main de l'artiste : *Monica*, *andrea*, *Borto*.

Au verso, annotations d'une main plus tardive : *Paolo Veronese No. 8*.

Berlin, Staatliche Museen, Kupferstichkabinett, KdZ 26 360

Exposé seulement à Paris

Provenance : coll. marquis Durazzo, Gênes.

Bibliographie : von Hadeln, 1926, p. 28, pl. 42 ; Osmond, 1927, p. 100 ; Fiocco, 1928, p. 207 ; Tietze et Tietze-Conrat, 1944, p. 340-341, n° 2041 ; Oehler, 1953, p. 33-34 ; Cocke, 1984, p. 221-222, n° 95 ; Byam Shaw, 1985, p. 309 ; Rearick, 1988, p. 74-75, n° 35.

Exposition : Venise, 1988, n° 35, p. 74 (notice par W. Roger Rearick).

Ce dessin comporte une étude pour le *Couronnement de la Vierge* plus précise que celle du dessin préparatoire du Fogg Art Museum (cat. 8), mais différente de celle de l'esquisse peinte de Lille (cat. 7) et du dessin d'Oxford (fig. 42) pour le *Couronnement* des Ognissanti où la Vierge a une position frontale.

Des annotations donnent le nom de sainte Monique, à droite de la Trinité. D'autres mentionnent Andrea et, à côté, *Barto* (pour Bartolomeo ?). Au-dessous de ces dernières figures, les évangélistes sont très reconnaissables en raison de leurs attributs.

Le style de ce dessin est assez proche de celui de l'esquisse de Lille (cat. 7).

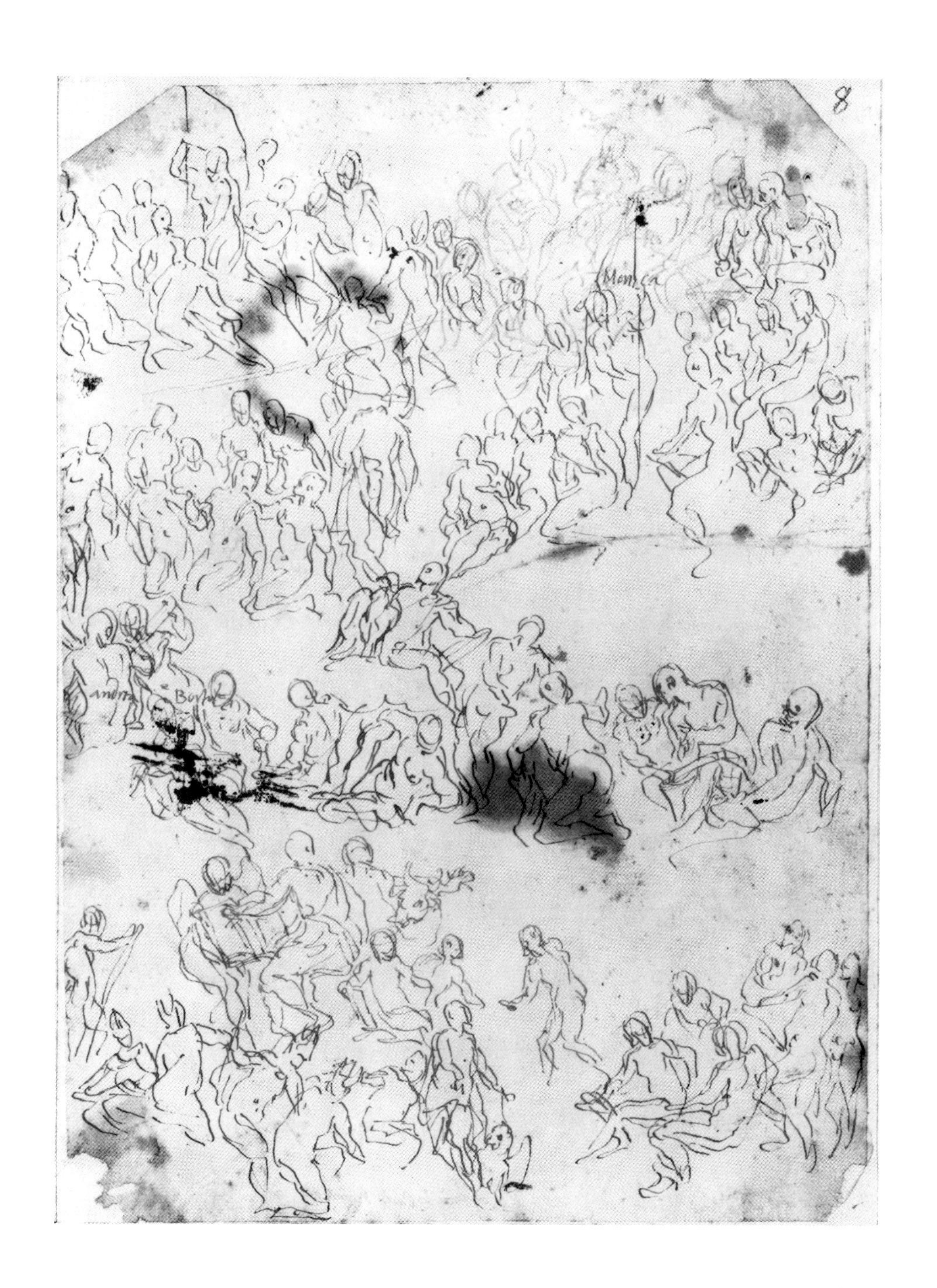

10

Paolo Caliari, dit Véronèse
Études pour le Paradis
Vers 1582

Plume et encre brune avec lavis de bistre sur trace de pierre noire, sur papier ivoire. H. 30; L. 21,1 cm
Annotations à la plume de la main de l'artiste : *Marco*, [*Mouese*, Cocke, 1984, p. 221], *Zuane*, *Mato* [*Mate*, Cocke, 1984, p. 221]. À la plume d'une main plus tardive :
Paolo Veronese
New York, collection particulière
Exposé seulement à Paris

Provenance : coll. Sir Peter Lely (Lugt 2092); W. Eisdale (Lugt 2617); sa vente, Christie's 18-25 VI 1840, n° 437; J. Thane; Henry Oppenheimer; sa vente, Christie's 13 VII 1936, 206; comte Tito Rasini, Milan.

Bibliographie : Borenius, 1921, p. 54; von Hadeln, 1926, p. 31, pl. 41; Osmond, 1927, p. 101; Fiocco, 1928, p. 209; Tietze et Tietze-Conrat, 1944, p. 348, n° 2116; Parker, 1958, p. 35, n° 41; Pignatti, 1976, n° 45; Cocke, 1984, p. 221-223, n° 96; Rearick, cat. exp. Venise, 1988, cité p. 103-104, sous le n° 65.

Expositions : Washington, 1988-89, p. 163-164, n° 81; Paris, 1993, p. 250, repr. coul., p. 627, n° 269; New York, 1994, n° 119, p. 133-134.

Cocke (1984) a souligné les liens entre les dessins de Berlin (cat. 9 et 11) et ce dessin de New York, s'opposant aux Tietze (1944) qui pensaient que les dessins de Berlin étaient peut-être en rapport avec le *Paradis* peint pour les *monache* que Cocke croyait perdu (c'est en réalité le tableau des Ognissanti aujourd'hui à l'Académie de Venise, fig. 44).
Le dessin de New York est le plus complet et le plus brillant de tous ces dessins. Comme l'écrit justement Rearick (1988), il contient plusieurs études pour certaines figures (par exemple le saint Jean Baptiste) et les évangélistes entourés de leurs animaux symboliques. La variété des poses, l'harmonieux arrangement des groupes dans l'espace sont exécutés avec une virtuosité et une grâce frappantes. Les inscriptions donnent les noms des apôtres Marc, Jean et Matthieu. Le motif de l'ange portant l'Eucharistie (en vol, à droite vers le haut) n'apparaît plus dans l'esquisse ni dans le tableau des Ognissanti. La figure auréolée, qui apparaît dans le dessin d'ensemble préparatoire du Fogg Art Museum (cat. 8), à droite de l'inscription de Véronèse désignant les patriarches et les prophètes, se retrouve dans le dessin de New York. Une figure analogue apparaît de nouveau, dans le dessin pour le *Paradis* des Ognissanti (fig. 42), toujours dans une position remarquable : cette fois à droite du Couronnement de la Vierge qu'elle désigne du doigt. Cette figure n'est plus présente dans la peinture de l'Académie (fig. 44). Rearick (cat. exp. Washington, 1988) a noté la présence d'une figure semblable dans ce dessin de New York, suggérant que le halo pourrait indiquer le Christ… à moins qu'il ne s'agisse d'une fantaisie (?) de Véronèse; mais comme aucune des figures de la Trinité n'est auréolée, l'identification de ce mystérieux bienheureux avec le Christ, qui n'est certainement pas représenté deux fois, doit être écartée. Nous suggérons que le grand halo pourrait désigner une figure particulièrement lumineuse comme celle du prophète Elie qui monta au ciel dans un char de feu : il est présent assis dans son char parmi les Prophètes dans la partie supérieure droite de l'esquisse de Lille (cat. 7 et fig. 51).
Le dessin de New York est certainement postérieur au dessin préparatoire du Fogg Art Museum et plus proche de la date du concours de 1582, date admise par la majorité des historiens à l'exception de Rearick qui croit cette étude antérieure au dessin du Fogg; la suggestion de Cocke de le dater, avec les dessins de Berlin, vers 1585, n'est pas acceptée par Linda Wolk-Simon (cat. exp. New York, 1994). Le style du dessin de New York rappelle plutôt le Couronnement des Ognissanti que l'esquisse de Lille et pourrait très bien se situer dans la période qui suivit, chez Véronèse, la décision du jury d'associer Bassano à Véronèse pour peindre le *Paradis*.

11

Paolo Caliari, dit Véronèse

Études pour le Paradis (Couronnement de la Vierge, Apôtres)

Vers 1582

Plume et encre brune sur trace de pierre noire.
H. 15,3 ; L. 21,2 cm
Annotations à la plume de la main de Véronèse : *apostoli, Issepo, Fiu, S.P, Marco.*
Berlin, Staatliche Museen, Kupferstichkabinett, KdZ 26356
Exposé seulement à Paris

Provenance : coll. marquis Durazzo, Gênes.

Bibliographie : von Hadeln, 1926, p. 28, pl. 40 ; Osmond, 1927, p. 100 ; Fiocco, 1928, p. 207 ; Tietze et Tietze-Conrat, 1944, p. 340, n° 2038 ; Oehler, 1953, p. 33 ; Cocke, 1984, p. 220-223, n° 94 ; Byam Shaw, 1985, p. 309.

Exposition : Venise, 1988, p. 75, n° 36 (notice par Roger Rearick).

Les annotations désignent saint Joseph (*Iseppo* ; également mentionné dans le dessin du Fogg Art Museum), certains apôtres, saint Marc et sainte Monique, mentionnée aussi sur le dessin de Berlin (cat. 9). D'autres inscriptions restent mystérieuses.
La Trinité couronnant la Vierge est étudiée deux fois dans ce dessin, de manière différente.
L'exécution très rapide et le luminisme contrasté – qui font penser à Tintoret – s'apparentent aux dessins tardifs de Véronèse, de style plus « abrupt » et moins soigné (Rearick, 1988), assez sensiblement différents des dessins du Fogg Art Museum (cat. 8), de Berlin (cat. 9) ou de New York (cat. 10), avec des motifs qui rappellent à la fois le *Paradis* et le *Couronnement de la Vierge* des Ognissanti (vers 1585 ?).

Jean Habert

Le *Paradis* de Francesco Bassano

Le *Paradis* de Francesco Bassano (Bassano del Grappa, 1549 – Venise, 1592) conservé à l'Ermitage (cat. 12) montre avec précision dans sa partie basse la tribune de la Seigneurie et les portes de la salle du Grand Conseil au palais des Doges. L'œuvre a été achetée pour le musée de l'Ermitage à Paris en 1815 par Dominique Vivant-Denon, directeur du Louvre, qui pensait qu'elle était une esquisse de Tintoret pour la grande toile de Venise [1]. E. Liphart (1913) y a cependant reconnu le projet que Francesco Bassano, fils aîné du grand Jacopo Bassano, a réalisé pour le concours du *Paradis*, attribution confirmée par Arslan Edoardo (1960) qui date le tableau entre 1580 et 1585. La participation de Francesco à la compétition de 1582, dont il est le plus jeune concurrent connu, est attestée par de nombreuses sources, qui précisent toutes qu'il en est l'un des deux vainqueurs [2]. La toile de l'Ermitage est donc certainement l'œuvre que le jeune peintre présente au concours, et qui lui permet de l'emporter conjointement avec Véronèse. Arslan (1960) remarque que, même si cette esquisse « ne soutient pas la comparaison avec les *modelli* de Tintoret ou de Véronèse…, elle reste par ses couleurs », où dominent les rouges, les verts et les blancs (une gamme colorée typique du fils aîné de Bassano), « parmi les choses les plus vives et les plus intenses dans l'œuvre de Francesco ». Tamara Fomitchova (1992) décèle cependant dans la toile la participation de Jacopo, père de Francesco, par comparaison avec le *Paradis* peint, selon Arslan, uniquement par Jacopo en 1576 pour les capucins (église des Ognissanti) de sa ville natale de Bassano (fig. 52), mais que Licinio Magagnato (1978) [3] pense réalisé effectivement avec la collaboration du fils. Irina Artemieva (2001) rapproche l'œuvre de l'Ermitage d'un autre tableau réputé peint par le seul Francesco pour l'église du Gesú à Rome (troisième chapelle à gauche de la nef) [4], la *Trinité avec les saints du Paradis* (fig. 53). Si la comparaison avec la toile russe, en tenant compte de la différence de facture entre une esquisse et une œuvre achevée, peut confirmer l'attribution du tableau romain à Francesco Bassano, la facture claire et appliquée de ce dernier peut aussi indiquer une intervention de Leandro Bassano (1557-1622) dans un tableau datant du moment de la mort de Francesco et terminé peut-être après 1592.

L'iconographie de l'esquisse de Saint-Pétersbourg a été étudiée en détail par Karl Svoboda (1973), Tamara Fomitchova (1992) et Irina Artemieva (cat. exp. Bassano del Grappa et Barcelona, 2001). Le couronnement de Marie, représenté tout en haut de la composition en vignette minuscule violemment éclairée, a lieu à l'intérieur même de la sphère dorée et translucide de l'empyrée (fig. 55), qui est environnée d'innombrables séraphins et chérubins à peine discernables. On distingue – ce qui est une originalité de

Fig. 52
Jacopo dal Ponte, dit Jacopo Bassano (vers 1510-1592) et Francesco dal Ponte, dit Francesco Bassano (1549-1592)
Le Paradis, 1576
Huile sur toile, H. 2,37 ; L. 1,55 m
Bassano del Grappa, Museo Civico, inv. 18.

Fig. 53
Francesco dal Ponte, dit Francesco Bassano (1549-1592) et Leandro Bassano ? (1557-1622)
La Trinité entourée de saints, après 1592
Huile sur toile
Rome, église du Gesù.

Fig. 54
Francesco dal Ponte, dit Francesco Bassano
(1549-1592)
Le Paradis (cat. 12)
Détail : deux doges, un empereur et deux rois
Saint-Pétersbourg, musée de l'Ermitage.

Fig. 55
Francesco dal Ponte, dit Francesco Bassano
(1549-1592)
Le Paradis (cat. 12)
Détail : l'empyrée
Saint-Pétersbourg, musée de l'Ermitage.

Francesco par rapport à la hiérarchie céleste traditionnelle – les vingt-quatre vieillards de l'Apocalypse, reconnaissables à leurs couronnes, assis en demi-cercle autour de la bulle divine, avec Noé et son arche au milieu d'eux. Plus bas vers la gauche se trouvent les apôtres André et Pierre avec, sous eux, David tenant sa harpe et, vers la droite, les prophètes et les patriarches. On remarque en dessous, de part et d'autre de l'axe central du tableau marqué par le puits de liaison entre le ciel et le doge voulu par le programme, les quatre évangélistes, avec Adam et Ève un peu plus loin à gauche et, peut-être, saint Antoine Abbé et saint Paul Ermite un peu plus loin à droite. Sous ces derniers se trouvent les pères de l'Église. Directement à l'aplomb du trône du doge, on voit un évêque et un moine entourés de deux papes et d'autres princes de l'Église et, de chaque côté de la tribune, des fondateurs d'ordres à gauche – dont les saints Dominique et François d'Assise – et deux doges avec un empereur et deux rois à droite (fig. 54), ce qui démontre le lien très fort que Francesco veut établir entre le paradis et le monde terrestre, cause probable de son succès au concours à la suite duquel on lui confie les figures secondaires. On reconnaît également, au-dessus de la porte de gauche, les saints Côme, Damien et Roch, et, plus bas, Sébastien, et Érasme avec son attribut, le treuil. On aperçoit également, au-dessus de la porte de droite, les saints Laurent et Georges avec, plus bas, les saintes Marie Madeleine et Agathe dans les attitudes caractéristiques des personnages des pastorales bibliques, genre dont Francesco fut le principal propagateur.

12

Francesco dal Ponte, dit Francesco Bassano,
fils aîné de Jacopo Bassano (Bassano del Grappa, 1549 – Venise, 1592)
Le Couronnement de la Vierge, dit le Paradis
vers 1582

Huile sur toile. H. 1,27; L. 3,51 m
Saint-Pétersbourg, musée d'État de l'Ermitage, inv. 1496

Historique : acquis en 1815 à Paris pour l'Ermitage par Dominique Vivant-Denon (1747-1825), directeur du Louvre (Archives du musée d'État de l'Ermitage, fonds I, opus II, année 1815/1816, liasses n° 147 à 160 : *Tintoret, première pensée pour le Paradis du palais des Doges*) [5].

Inventaires, catalogues et autres publications du musée : Catalogue de l'Ermitage 1797-1850, n° 4253 (en russe); Planat, s.d. à partir de 1809, folio 40 verso, n° 4253 (en français); Inventaire des tableaux de l'Ermitage 1859-1929, n° 2236 (en russe); *Ermitage impérial,* 1863, n° 133 (en russe); Levinson-Lessing, 1958, I, p. 63 (en russe); Vsevolojskaia, Grigorieva et Fomitchova, 1964, p. 240-241, n° 86 (en russe); Vsevolojskaia, 1981, p. 277-278, pl. 80; Levinson-Lessing, 1976, p. 73, n° 1496 (en russe); Fomitchova, 1992, p. 39, n° 11 (en russe).

Bibliographie : Ridolfi, 1648, p. 398 et suiv.; Penther, s. d. [années 1880], p. 36; Liphart, 1913, p. 372; von Hadeln, 1919, p. 119-121; Willumsen, 1927, I, p. 252; Arslan, 1931, p. 230; Suida, 1938, p. 77; Arslan, 1960, I, p. 200, 208, note 50; Bazin, 1958, p. 66; Wolters, 1966, p. 271; Svoboda, 1973, p. 147; Sinding-Larsen, 1974; Fomitchova, 1974, p. 468-479; Smirnova, 1976, p. 183; Schulz, 1980, p. 112-115, fig. 3; Fomitchova, 1981, p. 89; Levinson-Lessing, 1986; Sinding-Larsen, 1988, p. 25; Rearick, dans cat. exp. Washington, 1988-1989, p. 154; Pignatti, 1990; Benzoni, 1994; Kagané, 1997, p. 3-6; Kagané, 2001, I, p. 286, 300, note 27, p. 308-309, fig. 6; Humfrey, 1998, II, p. 538.

Expositions : Bruxelles, 1998-1999 (notice par Irina Artemieva); Bassano del Grappa et Barcelone, 2001, p. 36, 122-123, n° 37, repr. coul. (notice par Irina Artemieva).

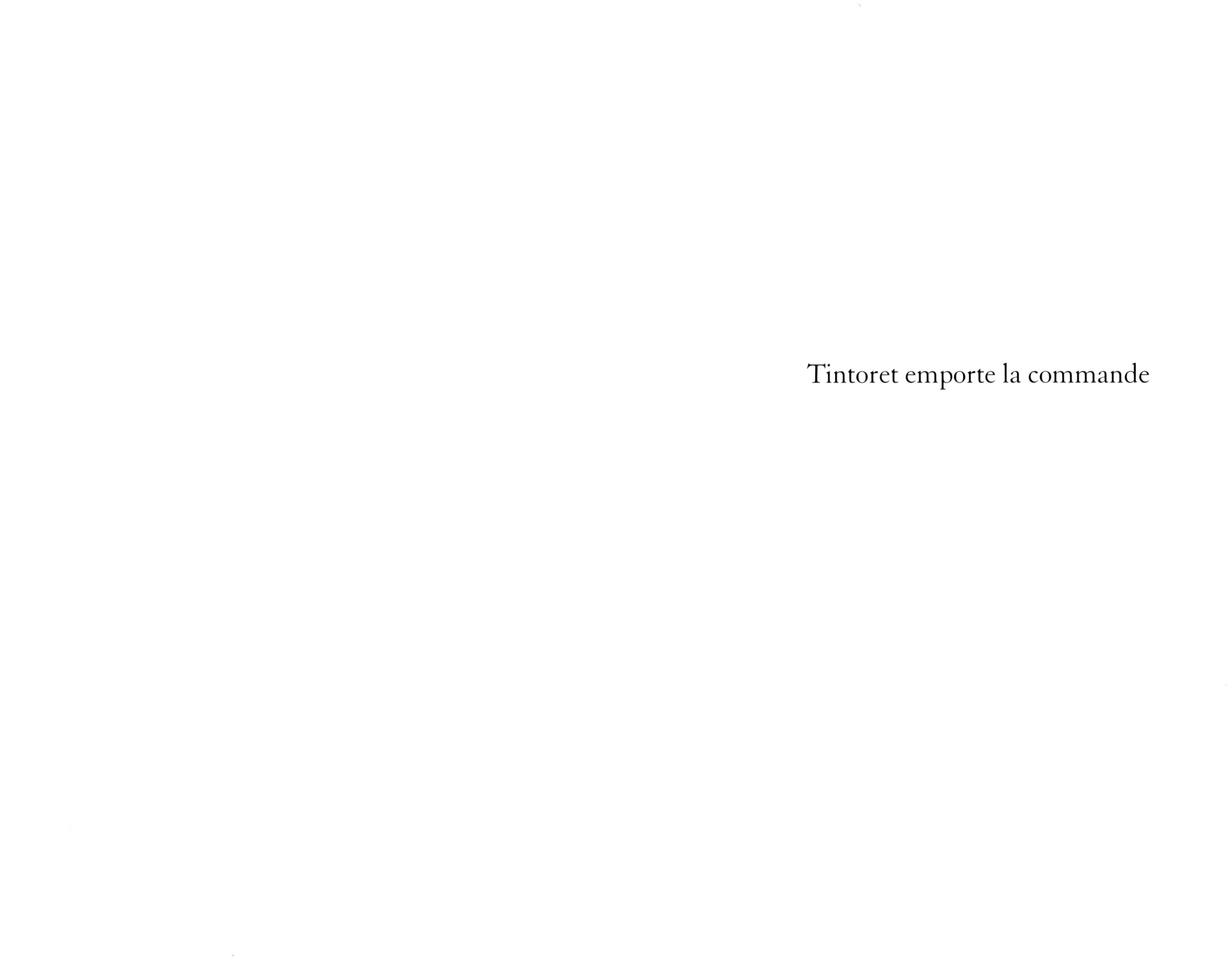

Tintoret emporte la commande

Jean Habert

Les deux esquisses de Tintoret pour le *Paradis*

Le tableau du Louvre (cat. 13) est mentionné pour la première fois par Carlo Ridolfi (1648) à Vérone, dans la collection des comtes Bevilacqua, où il resta jusqu'à la fin du XVIIIe siècle et dont il était réputé être le chef-d'œuvre [1]. Après les recherches de Detlef von Hadeln (1919), qui, le premier, a fait le rapprochement avec le *Paradis* du palais des Doges, la réalisation de l'œuvre était généralement située par la critique après l'incendie du palais des Doges en 1577, car on supposait que le tableau était une esquisse présentée au concours pour le remplacement de la fresque peinte en 1365 par Guariento di Arpo (actif à Padoue entre 1338 et 1367) dans la salle du Grand Conseil (fig. 6, 7, 8). Depuis les travaux de Jürgen Schulz (1962), cette compétition est généralement placée par l'historiographie moderne en 1582 (voir dans ce catalogue, p. 38). Mais Luigi Coletti (1940) a démontré que la toile du Louvre a été peinte plus tôt, avant l'incendie de 1577, à cause de ses analogies stylistiques – notamment sa touche, précise et scintillante, et son espace élastique aux effets vertigineux caractéristiques du maniérisme vénitien de cette époque – avec la partie supérieure du *Jugement dernier* de la Madonna dell'Orto à Venise, que l'on date de 1563 [2]. Staale Sinding-Larsen (1974), d'accord avec la position de Coletti, a mis l'esquisse parisienne en relation avec le projet de commander en 1564 au peintre des Marches Federico Zuccaro (1540/41-1609) un nouveau *Paradis* destiné à remplacer la fresque du XIVe siècle. En accord avec cette thèse, les chercheurs [3] tendent donc, de nos jours, à penser que Tintoret a bien peint la toile de l'ancienne collection Bevilacqua vers le milieu des années 1560, et plus précisément en 1564 pour contrer l'idée de confier à un artiste étranger, Zuccaro, la commande très convoitée de l'œuvre devant remplacer la fresque de Guariento, décoration la plus prestigieuse de Venise.

Le *Paradis* du Louvre a été restauré en 1994 (par William Whitney). La radiographie effectuée alors (fig. 63 et 64) a livré une information capitale : Tintoret, lorsqu'il a commencé à peindre le tableau, a tenu compte des petites voûtes ponctuant le haut du mur de la tribune de la Seigneurie, structure qui entourait toute la salle du Grand Conseil des quatre côtés, soutenant le plafond, avant l'incendie de 1577. L'histoire de la restauration de cette salle après 1578 indique que la décision de supprimer ces arches a été prise au dernier moment, l'année même du concours, en 1582 – provoquant une polémique qui a permis de dater cette modification architecturale [4] – ce qui explique pourquoi Véronèse, qui les avait figurées dans son étude d'ensemble du Fogg Art Museum à Harvard (cat. 8), ne les a pas répétées dans l'esquisse du palais des Beaux-Arts de Lille (cat. 7). Lorsqu'on examine en effet sous les rayons X la partie supérieure de l'esquisse de Tintoret conservée au Louvre, on distingue nettement, sous la couche picturale, les traces d'une suite de pendentifs qui sont les retombées des ogives de cet ancien système de soutien du plafond. On peut même compter les voûtes figurées dans un premier temps par Tintoret, elles sont au nombre de dix comme dans la photographie prise en 1903 au palais des Doges lorsqu'on découvrit que la fresque de Guariento était encore présente sous la toile du *Paradis* de Domenico Tintoretto. L'image radiographique du tableau du Louvre montre que la bande de toile où figuraient les voûtes a été supprimée dans un deuxième temps et que ces ogives étaient placées plus haut sur l'esquisse que ce qu'indique la reconstitution publiée par Schulz en 1980[5].

Autre information importante, la radiographie fait apparaître, au centre vers le bas, une zone rectangulaire opaque située à l'horizontale directement sous le groupe des anges musiciens : cette zone correspond à la tribune de la Seigneurie, que Tintoret et ses assistants ont ensuite remplacée par les nuages et les deux groupes de trois personnages de dos que l'on voit actuellement en bas de l'œuvre (figure E). Cela veut dire que le peintre avait prévu que cette tribune, et par conséquent les portes de la salle, devaient se trouver plus haut que ce que suppose Schulz, et que le groupe des anges musiciens prenait directement place au-dessus de la tribune, comme dans la fresque de Guariento et les deux études de Zuccaro (cat. 1 et 2, et figure A). Cette découverte confirme l'hypothèse proposée par Sinding-Larsen de la simultanéité de la première étude de Zuccaro (cat. 1) et de la première esquisse de Tintoret (cat. 13), qui furent réalisées toutes les deux avant l'incendie de 1577, presque sûrement en 1564. Ainsi, tout photomontage plaçant fictivement le tableau du Louvre dans l'actuelle salle du Grand Conseil doit non seulement glisser l'œuvre vers le bas, mais aussi tenir compte du fait que Tintoret a gardé, au départ, les dix voûtes situées au sommet du mur.

L'analyse du tableau parisien révèle par ailleurs que le support de l'œuvre est composé d'une succession de lés horizontaux de toile sergée cousus ensemble. Les deux plus grands sont à peu près égaux et mesurent environ soixante centimètres de hauteur (fig. 64). On constate en outre que le tableau est agrandi en bas à l'aide de trois bandes de toile horizontales très minces tenant ensemble et à la toile centrale par trois coutures à surjet : de toute évidence, le but de cet agrandissement a été de restituer l'étendue complète du mur du *Paradis* après la suppression des voûtes à sa partie supérieure. Encore plus intéressant : les rayons X font apparaître, sur les deux premières bandes de cet agrandissement, une composition

Fig. 56
Tintoret (1519-1594)
Le Paradis (cat. 13)
Détail : Élie sur son char
Paris, musée du Louvre.

Fig. 57
Tintoret (1519-1594)
Le Paradis (cat. 13)
Détail : Adam et Ève
Paris, musée du Louvre.

sous-jacente ; il s'agit d'un réemploi de toiles déjà peintes (et également sergées, mais d'un tissage oblique différent de celui des deux lés supérieurs) où l'on distingue, entre autres, ce qui semble être les parties hautes de plusieurs ogives. La troisième bande, beaucoup plus étroite, une simple lanière, est un agrandissement plus tardif. Si l'on reporte en haut du tableau les deux bandes réemployées de l'agrandissement du bas, les restes d'ogives que l'on y discerne semblent correspondre avec ce qu'il reste de voûtes sur le bord supérieur de l'œuvre.

Ce constat permet de reconstituer, dans l'ordre, les événements suivants : Tintoret réalise le *Paradis* du Louvre en 1564 lorsque est évoquée pour la première fois l'idée de remplacer la fresque de Guariento ; comme Zuccaro dans sa première étude (cat. 1), il y fait figurer les ogives supportant le plafond, ainsi que la tribune de la Seigneurie et probablement les portes de la salle du Grand Conseil ; dans un deuxième temps il supprime les voûtes en tronquant la composition en haut et en peignant par-dessus ce qu'il reste de leurs retombées (ou pendentifs) ; et il réemploie les deux bandes de toile du bord supérieur du tableau où étaient peintes le haut de ces voûtes en décousant et en recousant les bandes en bas dans l'ordre inverse, puis les repeint et gomme en même temps l'indication de la tribune et des portes restée sur la toile centrale, étant entendu qu'une partie de l'image ainsi recomposée disparaîtra sous

Fig. 58
Copie d'après le *Paradis* de Tintoret du musée du Louvre (cat. 13), après 1582
Huile sur toile, H. 1,54 ; L. 3,5 m
Venise, IRE, collezione Ospedaletto, inv. 94.

l'emplacement des portes et de la tribune (figure E). La seule explication pour cette démarche complexe est que le maître a présenté la même esquisse au concours de 1582 en la modifiant pour tenir compte des dernières évolutions du programme.

Le peintre respecte l'iconographie et la hiérarchie céleste traditionnelles du paradis. Dans un espace irréel, concentrique, élastique, typiquement maniériste, les anges et les élus sont irrésistiblement entraînés par un mouvement giratoire et ascensionnel vers la minuscule colombe du Saint-Esprit planant tout en haut et au fond d'une spirale cosmique formant un tunnel vertigineux où la perspective s'accélère. Sous la colombe, le Christ, assis à droite, vêtu d'une tunique rose et d'un manteau bleu, couronne la Vierge, vêtue des mêmes couleurs, assise à gauche. De chaque côté, siégeant en hémicycle autour d'eux dans une disposition suggérant la Pentecôte, se trouvent les douze apôtres arborant majoritairement les mêmes couleurs. Suivent, sous la scène du Couronnement, un cercle d'anges s'étendant à gauche et à droite, puis, encore en dessous, et toujours revêtus de rose et de bleu avec quelques taches de vert et de jaune, les grands théoriciens du christianisme, dont les quatre évangélistes, représentés une seconde fois parmi les patriarches et les docteurs de l'Église, avec saint Jean Baptiste vers la gauche, Élie sur son char (fig. 56), puis Abraham et Moïse avec les tables de la Loi plus bas vers la droite. De part et d'autre, progressivement plus nombreux vers les bords – les élus du Nouveau Testament plutôt à gauche, ceux de l'Ancien Testament en vêtements orientaux

Fig. 59
École de Tintoret
Copie avec variantes d'après le *Paradis* de Domenico Tintoretto au palais des Doges
Huile sur toile, H. 1,68 ; L. 5,44 m
Madrid, musée du Prado, inv. 398.

plutôt à droite –, s'accumulent les saints et les saintes, les guerriers de la foi, les confesseurs, les martyrs, les évêques, les fondateurs d'ordre, les ermites. On remarque en haut à gauche sainte Hélène avec la Croix qu'elle a découverte, sous elle les saints guerriers en armures étincelantes, plus bas Adam et Ève nus (fig. 57), bien visibles au centre vers la gauche, à l'extrême droite sainte Cécile et sainte Marie Madeleine entièrement nue, recouverte de ses seuls cheveux blonds, et, plus bas vers le centre, les saints Laurent, Étienne et Pierre Martyr, avec un beau groupe d'évêques revêtus des ornements de leur fonction. Tous, conformément à la tradition (et à la description de Dante), ont les yeux fixés sur le Christ. Le riche déploiement des précieuses couleurs diversement frappées par la lumière divine, allant du bleu argenté au rouge foncé en passant par le rose et l'ocre doré, évoque un monde chatoyant de chapes d'or, de mitres, de crosses, d'armures, d'étoffes légères et moulantes (pour les vierges et les anges) aux nuances délicates.

Comme dans les deux dessins de Zuccaro (cat. 1 et 2, figure A), on note la présence, au centre de la composition, placé dans l'ombre du cercle de nuages portant les évangélistes, d'un orchestre d'anges musiciens jouant de cinq instruments à corde – une épinette, un psaltérion, une harpe, un luth et une *lira da gamba* – et de deux instruments à vent – une petite et une grande trompe : les sons fins des premiers accordés aux sons plus pénétrants des seconds accompagnaient traditionnellement la commémoration du Couronnement de la Vierge. La *lira da gamba*, dont le son à tendance polyphonique servait notamment pour les madrigaux, figure d'ailleurs dans un dessin de Tintoret étudiant l'un de ces anges musiciens assis sur un nuage (cat. 27). Conformément à l'image donnée par la radiographie, le photomontage montrant l'esquisse du Louvre dans la salle du Grand Conseil (figure E) indique que cet orchestre angélique prenait place directement au-dessus de la tribune de la Seigneurie.

Dans son *Voyage en Italie*, Goethe (1749-1832) a écrit un commentaire admiratif de l'œuvre, qu'il a vue en 1786 au palais Bevilacqua lors de son passage à Vérone : « Un Paradis de Tintoret, qui est en fait un Couronnement de la Vierge reine du ciel en présence de tous les patriarches, les prophètes, les apôtres, les saints, les anges, etc., idée permettant de déployer toute la richesse d'un beau génie. Légèreté de la touche, esprit, variété

Fig. 60
École de Tintoret
Copie d'après le *Paradis* de Domenico Tintoretto au palais des Doges
Détail : saint Christophe, en bas à droite de la composition (voir p. 56, fig. 35)
Madrid, musée du Prado, inv. 398.

de l'expression, pour admirer tout cela et en jouir il faudrait posséder soi-même cette pièce et la garder toute sa vie sous les yeux. L'œuvre est sans fin, même les têtes des anges les plus évanescents au fond de la Gloire gardent leur individualité. Les personnages les plus grands n'ont pas plus d'un pied de haut, Marie et le Christ qui la couronne ont environ quatre pouces. Ève est bien la plus belle figure féminine du tableau, toujours un peu lascive selon la tradition[6]. »

Dans la seconde moitié du XXe siècle, confirmant la déclaration de Ridolfi (1648) selon laquelle Tintoret fit plus d'une proposition pour le projet du *Paradis* du palais des Doges, une autre esquisse du maître est réapparue, découverte dans une collection particulière en Suisse (cat. 14). Après sa restauration en 1978 (par Marco Grassi à New York) qui en révéla la qualité, l'œuvre a été exposée en 1979-1980 au Los Angeles County Museum of Art et en 1983-1984 à la Royal Academy of Arts de Londres sous le nom de Tintoret. Elle est entrée en 1980 dans la collection Thyssen-Bornemisza à Lugano-Castagnola, puis fut transférée à Madrid en 1990 et achetée par l'État espagnol en 1994. Si Rodolfo Pallucchini et Paola Rossi ([1982] 1990) ont confirmé l'attribution du tableau à Tintoret lui-même dans leur monographie sur le peintre, son apparition a posé le problème de la datation des deux esquisses : alors que Pallucchini pense d'abord, comme Sinding-Larsen (1980), que la toile du musée Thyssen a été réalisée à l'époque du concours pour le remplacement de la fresque de Guariento, donc vers 1582 (alors que Schulz, 1980, plaide pour une datation précoce, en 1564, et écrit même que le tableau Thyssen précède celui du Louvre à cette date), Terisio Pignatti (cat. exp. Los Angeles, 1979) et Rossi ([1982] 1990) proposent plus justement d'y voir, pour des raisons à la fois stylistiques et iconographiques, l'esquisse présentée par Tintoret en 1588 après la mort de Véronèse. Ce dernier avait gagné la compétition de 1582 conjointement avec Francesco Bassano (cat. 7 et 12) mais mourut avant d'avoir commencé le travail ; Francesco n'ayant pas pu ou voulu honorer cette commande après la disparition de son illustre coéquipier (dépressif, il se suicidera à la mort de son père en 1592), le Sénat confia alors la commande à Tintoret qui avait présenté une nouvelle esquisse, celle du musée Thyssen, pour achever de convaincre ses interlocuteurs (voir dans ce catalogue, p. 52 à 54).

La critique récente[7] considère en effet que le *Paradis* du musée Thyssen-Bormenisza (cat. 14) est plus tardif que l'esquisse parisienne (cat. 13) – dont l'antériorité démontrée en fait la première de toutes les esquisses peintes pour le *Paradis* du palais des Doges (comme l'indique aussi sa radiographie effectuée en 1994, voir plus haut et fig. 63-64) – et suit la datation de 1588 proposée pour le tableau Thyssen par Paola Rossi, répétée dans la notice de l'exposition de Londres (1983-1984) et acceptée par

Fig. 61
Copie d'après le *Paradis* de Domenico Tintoretto dans la salle du Grand Conseil au palais des Doges, après 1592
Huile sur toile, H. 1,50 ; L. 4,50 m
Venise, Cassa di Risparmio.

Pallucchini ([1982] 1990), ce que confirme l'analyse stylistique de l'œuvre. On peut citer en ce sens la belle figure de saint Christophe avec un pape à ses pieds (fig. 32), en bas vers la droite : celle-ci est très proche, par l'attitude et le style, du Christ de la *Flagellation* du Kunsthistorisches Museum de Vienne, que Erich von der Bercken, Pierluigi De Vecchi et Paola Rossi[8] datent entre 1580 et 1590, et plus précisément, pour les deux premiers auteurs, de 1587-1588 ; une étude mise au carreau au verso du superbe dessin préparatoire pour la figure du flagellé, conservé au musée des Offices à Florence (cat. 25), pourrait être une adaptation postérieure de cette figure pour le saint Christophe de l'esquisse Thyssen, pratique courante dans l'atelier de Tintoret (voir à ce propos l'essai de Catherine Loisel sur les dessins de Tintoret dans cet ouvrage).

Hanté par le désir de peindre le *Paradis* dont il veut faire le couronnement de sa carrière, Tintoret, dans l'esquisse Thyssen, prend soin d'éliminer toutes les audaces, notamment spatiales, qui ont choqué les juges dans sa proposition de 1564 modifiée en 1582. Il cherche aussi à mieux répondre au programme souhaité en plaçant par exemple, à droite du Christ, une allégorie de la Justice que l'on retrouve dans la grande toile du palais des Doges, où le couronnement de la Vierge est abandonné au profit de ce thème. Il tente aussi de ménager un vide le long de l'axe vertical de la composition, sorte de puits permettant la descente du Saint-Esprit vers le trône du Doge, motif que Francesco Bassano avait proposé avec succès. Néanmoins, malgré les dimensions imposantes du tableau, malgré la puissance et la beauté plastique des figures aux attitudes tourmentées extrêmement variées et fortement inspirées de Michel-Ange que le maître a pris soin de ramener vers la surface du tableau et qui sont donc plus grandes et plus lisibles que dans l'esquisse du Louvre, malgré aussi l'exquise délicatesse des couleurs, combinant le bleu, le rose, le vert et le lilas, la déstructuration que la passion d'obtenir la commande entraîne dans la représentation traditonnellement circulaire du paradis céleste – morcellement des gradins (comme dans le *Jugement dernier* de Michel-Ange à la chapelle Sixtine du Vatican fig. 19) où se pressent une foule de figures en groupes indistincts – fait que l'œuvre a perdu la clarté compositive de la version parisienne. Les anges et les élus semblent ignorer, dans leur agitation, le couronnement de Marie, et lui tournent même le dos pour certains : dérivant sur de sombres radeaux de nuages, ils tournoient à contre-jour dans un espace irrationnel dont l'immensité, mal définie, paraît paradoxalement peu

Fig. 62
Copie d'après le *Paradis* de Domenico Tintoretto dans la salle du Grand Conseil au palais des Doges, après 1592
Huile sur toile, H. 1,50 ; L. 4,50 m
Détail : Portrait d'homme en bas vers la droite de la composition
Venise, Cassa di Risparmio.

profonde. C'est un paradis vu à la loupe, de très près, de trop près sans doute. Par comparaison avec la sereine esquisse du Louvre, Tintoret y donne une image confuse, un peu étouffante, presque oppressante du séjour bienheureux, vision bien éloignée de l'impassible béatitude évoquée par la tradition et par la lumineuse description de Dante. C'est néanmoins le projet qui a permis au peintre de convaincre en 1588 (ou juste après) les autorités vénitiennes de lui confier en fin de compte la commande du tableau phare de la salle du Grand Conseil. Malgré les sensibles différences que l'on constate entre cette peinture et la grande toile finale encore en place au palais des Doges, c'est bien le tableau du musée Thyssen-Bornemisza de Madrid qui est l'esquisse gagnante de la longue aventure du *Paradis* de Venise.

Le vrai vainqueur : Domenico Tintoretto

Existe-t-il une esquisse pour l'immense toile de la salle du Grand Conseil proprement dite, dont la critique à peu près unanime attribue l'exécution au fils de Tintoret, Domenico Tintoretto, et à ses assistants, entre 1588 et 1592 ou 1594 (voir Rossi, [1982] 1990, p. 233, nº 465 ; et aussi l'introduction de ce catalogue) ? On connaît deux tableaux beaucoup plus proches de l'œuvre définitive que les deux esquisses du maître conservées aux musées du Louvre et Thyssen-Bornemisza : une grande toile du musée du Prado à Madrid, achetée au XVIIᵉ siècle à Venise pour Philippe IV par Vélasquez au cours de son second voyage en Italie en 1649-1651 (fig. 59 ; huile sur toile, H. 1,68 ; L. 5,44 m., inv. nº 398)[9] ; et un autre tableau, légèrement plus petit, provenant de la collection Mocenigo et acquis par la Cassa di Risparmio de Venise en 1966 (fig. 61 et 62 ; huile sur toile, H. 1,50 ; L. 4,50 m)[10]. Ces œuvres ont la particularité de montrer toutes les deux un globe terrestre (symbole de souveraineté sur le monde) à l'emplacement de la tribune de la Seigneurie, motif en résonance avec l'orgueil démesuré de l'aristocratie vénitienne à la fin du XVIᵉ siècle, et de comporter en outre chacun un portrait, en bas vers la droite, de personnages vêtus à la mode de la fin du XVIᵉ siècle et du début du XVIIᵉ siècle : une tête d'un jeune homme ou d'une femme portant une fraise au Prado et un homme en buste à la Cassa di Risparmio, probablement les commanditaires de chaque tableau. La majorité de la critique pense qu'il s'agit de copies avec variantes d'après la grande toile de Domenico Tintoretto, qui, très admirée jusqu'au XVIIIᵉ siècle, a dû faire l'objet de nombreuses demandes de copies pendant au moins deux siècles.

13

Jacopo Robusti, dit Tintoret
(Venise, 1519-1594)
Le Couronnement de la Vierge, dit le Paradis
1564 (remanié en 1582)

Huile sur toile. H. 1,43 ; L. 3,62 m
Paris, musée du Louvre, Inv. 570

Historique : comte Mario Bevilacqua, Vérone, palais Bevilacqua, 1593 ; (An., *Inventarium bonorum*, MS, 5 août 1593 : *Sala della Galleria sopra il Corso*) ; ses successeurs, Vérone, palais Bevilacqua, jusqu'en 1797 [11] ; prélevé par la Commission pour la recherche des objets de sciences et arts en Italie (1796-1797), Vérone, palais Bevilacqua, le 18 mai 1797 (Blumer, 1936, p. 301, n° 286) ; arrivé au Louvre dans le convoi triomphal « des Sciences et des Arts », le 27 juillet 1798.

Bibliographie : Thode, 1901, p. 121-124 ; Jacobsen, 1902, p. 178-197, 270-295, p. 273 ; Holborn, 1907, p. 64 ; Berenson, 1894, p. 119 ; Phillips, 1911, p. 120-128 et pl. XLVI ; Soulier, [1911], p. 98-100, pl. à la p. 105 ; Osmaston, 1915, II, p. 194 ; von Hadeln, 1919, p. 119-125 ; Soulier, 1920, II, p. 377-381, repr. p. 379 (détail du centre) ; Pittaluga, 1921, p. 96 ; von der Bercken et Mayer, 1923, I, p. 6, 30, 45-46, 66, 142, 224-225 ; Pittaluga, 1925, p. 72-74, 230-231, 283 ; Venturi, 1967, p. 606-607, fig. 435, p. 616 ; Fosca, 1929, p. 11, 58-60, pl. LXXXIX ; Ricci, 1929 ; Rouchès, 1929, p. 24-26 et pl. 30 ; Berenson, 1932, p. 562 ; Coletti, 1940, p. 36 ; *idem*, 2e éd. Bergame, 1944, p. 29, 36, 44-45, pl. 140 a, 142 ; *idem*, 3e éd., Bergame, 1951, p. 29, 45 ; von der Bercken, 1942, p. 119 ; Fiocco, 1942-1954, p. 58-59 ; Tolnay, 1943, p. 95 ; Pallucchini, 1944, II ; Tietze, 1948, p. 358 ; Tietze, 1951 (p. 55-64), p. 61-62, fig. 57 ; Voss, 1954, p. 175, fig. 18 ; Berenson, 1957, I, p. 177 ; Heikamp, 1958, p. 47, note 8 ; Schulz, 1961-1963, p. 198, note 22 ; Pallucchini, 1962-1963, p. 118 ; Pallucchini, 1965, col. 950 ; Gimpel, 1963, p. 408 ; Benesch, 1965, p. 160 ; Gould, 1965 ; Rosenberg, cat. exp. Paris, 1965-1966, tableau cité dans la notice n° 315 ; Wolters, 1966, p. 271-318 ; Dalli Regoli, 1967, p. 140 ; Pallucchini, 1969, p. 22, 38 ; Pallucchini A., 1970, p. 97 ; De Vecchi, 1970, p. 132, n° 286 b., repr. (éd. française, 1971, introduction de Sylvie Béguin, p. 132, n° 286 b., repr.) ; Tolnay, 1970, p. 108 ; Svoboda, 1973, p. 547-555 ; Sinding-Larsen, 1974, p. 8-11, 23-24, 56-80 ; Schulz, 1979, p. 141-156 ; Laclotte, 1979, p. 48, repr. couleur ; Sinding-Larsen, 1980, p. 44, 49, note 14 ; Rossi, 1980, p. 83, article n° 39 ; Schulz, 1980, p. 112-117, fig. 6, p. 120-123, fig. 15 ; Stock, cat. exp. Vicence, 1980, tableau cité p. 32, n° 18 ; Pallucchini et Rossi, [1982] 1990, I, p. 64-65, 98-99, 215-216, n° 400, p. 231-232, II, repr. p. 555 avec un détail de la partie centrale ; Mason Rinaldi, 1984, p. 25-34 ; Pignatti, 1986 ; Wolters, 1983, éd. italienne 1987, p. 291, fig. 309, p. 292-295 ; Ferrari, 1990, p. 17-18, fig. 7, p. 20, p. 242-243, repr. p. 245, cité p. 247 ; Rearick, 1996, p. 176, 181, note 44 ; Habert, 1994 ; Rearick, 1995, p. 132-143 ; Mazza, 1995, p. 128-129 ; Nichols, 1999, p. 112, fig. 93 ; Rearick, 2001, p. 172 ; Hochmann, 2004, p. 409-410, et note 30.

Expositions : Paris, 1798, p. 81, n° 74 ; Paris, 1935, p. 203, n° 453 ; Paris, 1945, n° 77 ; Paris, 2000-2001, repr. couleur p. 188, p. 259, n° 64.

Une copie fidèle d'après le tableau du Louvre dans son état modifié par Tintoret pour le concours de 1582 et à peu près de la même taille, avec comme seule variante la présence d'un globe en bas au milieu à l'emplacement de la tribune de la Seigneurie (fig. 58), provenant de la collection de Leonardo Ottoboni, *Cancellier Grande della Repubblica a Palazzo Ducale*, un admirateur de Tintoret, est conservée dans la collection des Istituti di Ricovero e di Educazione de Venise (IRE inv. n° 90, H. 1,54 ; L. 3,50 m) [12]. Elle constitue peut-être un *ricordo* réalisé par l'atelier du maître pour un amateur (Ottoboni lui-même ?) désirant conserver le souvenir de l'esquisse du Louvre, à laquelle Tintoret semble avoir été particulièrement attaché en tant que représentation du *Paradis* selon son inclination profonde.

Fig. 63
Radiographie du *Paradis* de Tintoret (cat. 13)
Paris, musée du Louvre.

Fig. 64
Graphique montrant les lés de toile du *Paradis* de Tintoret (cat. 13) à l'aide de la radiographie
Paris, musée du Louvre.

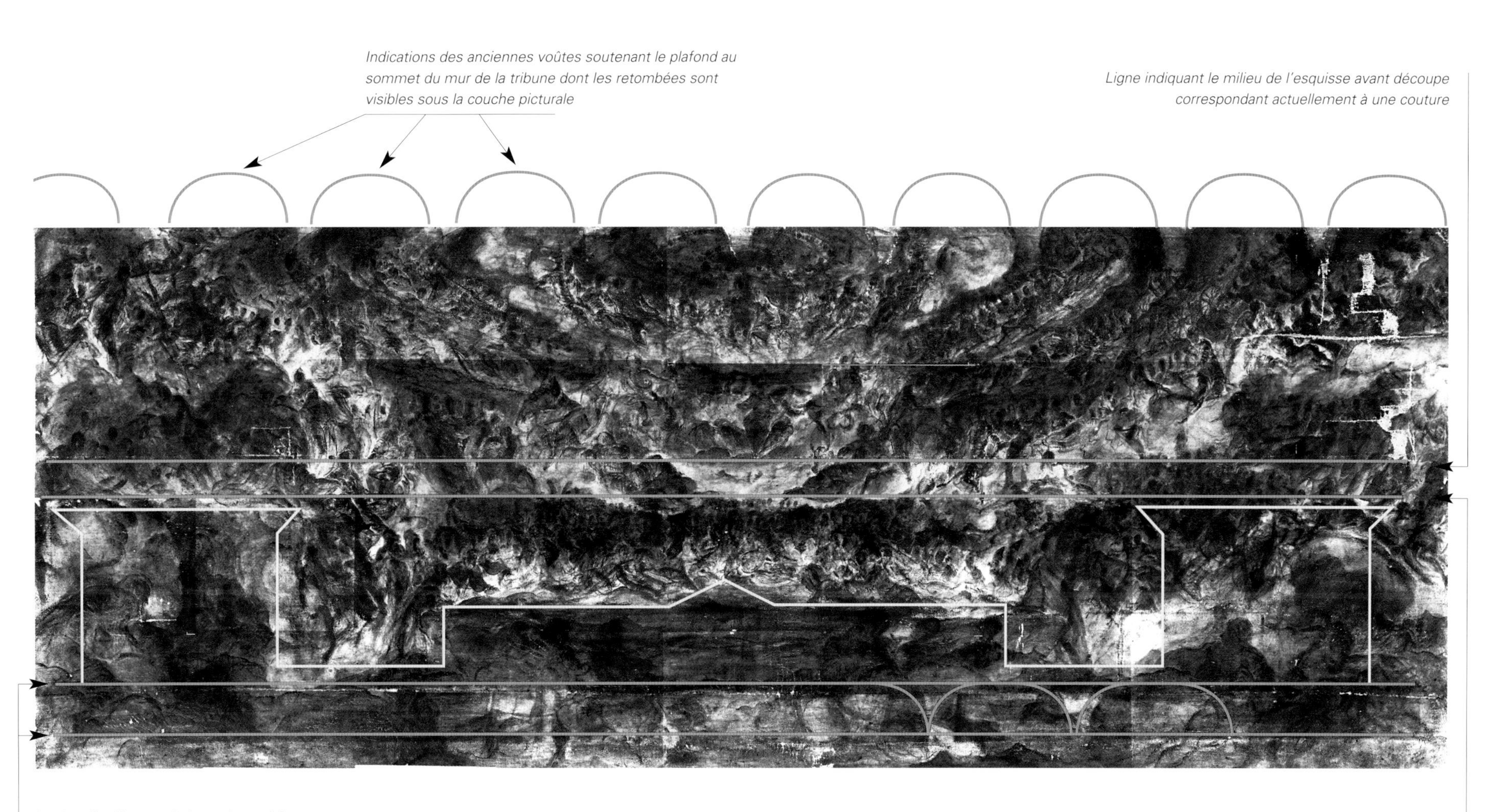

14

Jacopo Robusti, dit Tintoret
Le Couronnement de la Vierge, dit le Paradis
vers 1588

Huile sur toile. H. 1,64 ; L. 4,92 m
Madrid, musée Thyssen-Bornemisza, inv. 1980.47 (403)

Historique : collection particulière, Suisse ; collection Thyssen-Bornemisza, Lugano-Castagnola, 1979 ; transféré à Madrid, 1990 ; acquis par l'État espagnol, musée Thyssen-Bornemisza, Madrid, 1994.

Bibliographie : Sutton, 1979, p. 374-387 ; Sinding-Larsen, 1980 ; Schulz, 1980, p. 112-117, fig. 6, p. 119, repr. couleur ensemble fig. 10 et détail fig. 11 ; Pallucchini et Rossi, [1982] 1990, p. 64-65, 98-99, p. 215-216, cité au n° 400, p. 231-232, n° 461 ; Wolters, 1983, éd. italienne 1987, p. 292-294, fig. 313 ; Rearick, 1996, p. 181, notes 43, 44 ; Nichols, 1999, p. 112-113, fig. 95, repr. couleur.

Expositions : Los Angeles, 1979-1980, p. 108-111, n° 37 (notice par Terisio Pignatti) ; Londres, 1983-1984, p. 128-129, repr. couleur, p. 217-218, n° 111 (notice par Paola Rossi).

Catherine Loisel

Les études de Tintoret pour le *Paradis*

Le nombre particulièrement important des dessins de Jacopo Tintoretto parvenus jusqu'à nous permet des analyses complètes et pertinentes du rôle du dessin dans le processus de création du peintre. Les feuilles de Jacopo et de ses collaborateurs, au premier rang desquels son fils Domenico, ont été conservées dans l'atelier familial comme matériel de base et n'ont été dispersées qu'au milieu du Seicento. Le cardinal Leopoldo de' Medici fit alors acheter un lot de plus de cent dessins, conservés aux Offices, dont l'étude a permis de dégager les lignes de force de la technique et des principes d'utilisation du dessin par l'artiste. D'autres fonds, comme celui, aujourd'hui dispersé, réuni par Sir Joshua Reynolds, le grand collectionneur anglais du XVIIIe siècle, ou l'ensemble sélectionné par l'historien florentin Filippo Baldinucci, dont plusieurs feuilles sont conservées au Louvre, permettent de comprendre l'ampleur du travail graphique réalisé dans l'atelier et ses finalités. En outre, de nouveaux dessins apparaissent régulièrement[1], complétant nos connaissances.

La première investigation s'est attachée à la répartition des mains dans cette masse de feuilles relevant génériquement du style « Tintoret », mais qui sont parfois l'œuvre de Domenico, ou souvent attribuées à un membre anonyme de cet atelier prolifique et débordé. La critique et, notamment, les meilleurs connaisseurs de l'œuvre de l'artiste, Paola Rossi et Roger Rearick, ont mis en évidence la fréquence de l'usage d'une même feuille : le maître dessine sur le recto et l'élève reprend le motif sur le verso. En effet, contrairement à Titien, auprès duquel il passa un court moment d'apprentissage, Tintoret a véritablement développé un enseignement structuré pour ses collaborateurs. En témoignent les multiples études d'après des moulages de bustes antiques provenant de la collection Grimani visibles dans une salle du palais des Doges, notamment les bustes dits de Vitellius et de Jules César, ainsi que les travaux d'après les sculptures de la sacristie de San Lorenzo de Michel-Ange. En ce qui concerne ces œuvres, il semble probable que l'artiste ait disposé de moulages à taille réduite dans son atelier avant de commander à Daniele da Volterra, en 1557, des moulages de projets et de sculptures de Michel-Ange. Le dessin du Louvre exposé ici (cat. 17) présente ce type d'exercice à deux mains, le recto étant donné à Jacopo par l'ensemble de la critique, qui a vu dans le verso le travail plus mécanique d'un élève. Parmi ces jeunes apprentis il en fut de plus doués que d'autres, ainsi le jeune Greco, qui pratiqua cet exercice de copie d'après une sculpture : son étude d'après *Le Jour* de Michel-Ange conservée à la Graphische Sammlung de Munich[2] manifeste une surprenante originalité dans le rendu compact et brutal d'une œuvre où d'autres ont vu essentiellement une forme serpentine.

L'étude d'après l'antique et d'après Michel-Ange, et la recherche du *Paragone* entre peinture et sculpture qui s'exprime avec brio dans le tableau de Berlin *Mars et Vénus surpris par Vulcain* relient le maître vénitien aux recherches menées par ses collègues d'Italie centrale, cette génération de maniéristes préoccupés par la primauté du dessin comme expression la plus haute de l'invention née de l'esprit. Cependant l'usage du dessin est soumis à une toute autre finalité chez Tintoret. La torsion plastique des figures de Michel-Ange lui permet de réfléchir avant tout aux effets d'ombre et de lumière.

À partir de tous les dessins identifiés et réputés autographes il est possible de déterminer le pragmatisme avec lequel l'artiste se sert du dessin. En premier lieu on peut s'étonner du faible nombre de dessins d'ensemble préparant les grandes lignes des compositions peintes. On ne connaît que deux feuilles de ce type, qui sont d'une force magistrale. L'étude préparatoire de Munich pour *Vénus, Mars et Vulcain*, exécutée à la plume et au lavis sur une esquisse à la pierre noire avec des rehauts de craie blanche sur papier bleu, semble donner vie à une mise en scène préparée à l'aide de mannequins articulés disposés dans une boîte[3]. L'effet dramatique naît de la puissance des rehauts de lavis autant que de la position des figures dans l'espace. Le tableau est daté des environs de 1545, donc du début de la carrière de l'artiste, peu d'années après qu'il a quitté l'atelier de Titien. Mais il faut attendre la préparation de la commande des *Fastes des Gonzague*, une série de huit tableaux commémorant les hauts faits de la dynastie des ducs de Mantoue, en 1579-1581, pour voir réapparaître un dessin d'ensemble, un véritable *concetto* dans l'œuvre de l'artiste : le dessin de *La Bataille du Taro* de Naples[4].

Le corpus graphique est donc constitué essentiellement de dessins de figures d'après des modèles posant dans l'atelier. Parfois même les accessoires qui permettent de tenir la pose sont esquissés (cat. 19 et 24). Selon Carlo Ridolfi, son biographe, l'artiste utilisait des mannequins suspendus pour étudier les effets de perspective et préparer ses figures volantes vues en raccourci. Pour les figures féminines ce sont des modèles masculins qui sont utilisés : pour l'*Allégorie de la Bonté* de la Scuola grande di San Rocco, le dessin préparatoire des Offices 12941 F est indubitablement exécuté d'après un homme[5], de même que celui de la figure de la Vierge de *La Présentation au Temple* de l'Accademia de Venise[6]. Cette exigence de fidélité à la réalité ne se démentira pas jusqu'à ses dernières années d'activité. Ainsi, les dessins préparatoires pour les figures de guerriers des *Fastes des Gonzague* sont d'une grande justesse dans leur rapidité synthétique[7].

Jamais l'artiste ne variera sa technique dans l'étude des figures isolées, préparatoires à ses compositions (fig. 65 et 66) : il n'utilise jamais la sanguine et privilégie la pierre noire, parfois en deux variétés plus ou moins grasses, rehaussée de craie ou de gouache blanche sur des papiers bleus dont les teintes se sont souvent affadies ou ont carrément jauni en raison de l'exposition à la lumière ou de l'usage d'une colle mal adaptée pour les doublages. La plupart du temps les dessins sont recto-verso, l'artiste utilisant lui-même les deux faces de la feuille ou, ce qui pose de nombreux problèmes, laissant un collaborateur copier son propre dessin au verso, comme l'a montré Roger Rearick (2004).

Les études de modèles vivants habillés sont impressionnantes de vivacité et se placent dans la première moitié de sa carrière. Il s'agit notamment de l'ensemble de dessins pour la *Crucifixion* de l'Accademia de Venise, vers 1551 [8]. Mais la plupart du temps il s'agit de figures nues, dans la position déterminée pour la composition peinte, même si on note de temps en temps des repentirs correspondant à une réflexion intense sur la meilleure solution à adopter pour un bras, une jambe ou l'inclinaison de la tête.

Dans ce répertoire de formes utilisables à tout moment, seuls les spécialistes aguerris peuvent discerner une évolution du style de l'artiste. La tâche est donc d'autant plus ardue lorsqu'il s'agit d'une enquête sur le travail graphique préparant une œuvre comme le *Paradis* du palais des Doges, dont la conception s'est échelonnée sur plusieurs années.

La confrontation des points de vue des historiens qui se sont penchés sur la préparation du *Paradis* révèle de notables différences d'appréciation. Ce fait peut s'expliquer par l'utilisation même des études préparatoires : il est rare que l'artiste reprenne le dessin à l'identique sur la toile, surtout lorsqu'il s'agit d'une composition reposant sur des agencements de groupes très complexes, même si la plupart de ses dessins sont mis au carreau pour pouvoir être reportés à l'échelle correcte. Dans le corpus de l'artiste un nombre important de dessins d'après des modèles posant dans l'atelier n'a pu être mis en relation avec une figure précise dans un tableau, ce qui permet de supposer que le matériel graphique pouvait servir de point de départ à l'imaginaire autant que de vocabulaire directement utilisable.

Fig. 65
Jacopo Robusti, dit Tintoret (1519-1594)
Modèle nu appuyé contre un nuage, mains croisées sur la poitrine, 1564
Pierre noire sur papier bleu, H. 38,7 ; L. 22,3
Collection particulière (vente Franz Koenigs, Sotheby's, New York, 23.1.2001, n° 29)
Figure proche mais inversée d'un des hommes nus à la droite du groupe d'Adam et Ève dans l'esquisse du *Paradis* du Louvre.

Fig. 66
Jacopo Robusti, dit Tintoret (1519-1594)
Modèle nu debout avec un enfant, 1588
Pierre noire sur papier bleu
Rotterdam, Museum Boijmans van Beuningen, inv. I 80
Étude pour la figure de saint Christophe dans l'esquisse du *Paradis* du musée Thyssen-Bornemisza.

15

Jacopo Robusti, dit Tintoret
(Venise 1519 – Venise 1594)
Modèle nu assis tenant un livre, posant dans l'attitude du Giuliano de' Medici de Michel-Ange en armure, verso

La même étude au recto.
Pierre noire, rehauts de blanc, sur papier gris bleu.
H. 41,1 ; L. 26,6 cm
Oxford, Christ Church Picture Gallery, (0355) JBS 759
Exposé à Paris seulement

Provenance : collection Guise

Bibliographie : Colvin, 1903-1907, II, p. 17 ; Bell, 1914, p. 87, L 2 et pl. CXI ; von Hadeln, 1922, p. 26, pl. 7 ; Popham, 1931, nº 278, pl. CCXXXIV ; Tietze et Tietze-Conrat, 1944, p. 290, nº 1729 ; Tolnay, 1970, III, p. 142, nº 32, p. 155, nº 12 ; Pallucchini, 1950, p. 146 ; Coffin, 1951, p. 120 ; Pignatti, 1970, p. 89 ; Rossi, 1975, p. 49, fig. 11-12 ; Byam Shaw, 1976, p. 204, nº 759, pl. 431.

Expositions : Londres, 1930, nº 683 ; Venise, 1958, p. 39-40, nº 49, repr. fig. 49 (recto) ; Londres, 1960, nº 72.

Cette étude (dont seul le verso est exposé), d'après la sculpture de Michel-Ange dans la chapelle des Médicis à San Lorenzo (Florence), a certainement inspiré la figure de patriarche assis, en costume oriental et tenant un livre, en haut vers la droite, dans l'esquisse du *Paradis* du Louvre.

15 r°

15 v° exposé

16

Jacopo Robusti, dit Tintoret
Modèle nu assis, jambes croisées, étude d'après la statue du Jour de Michel-Ange, recto

La même étude au verso.
Pierre noire, rehauts de blanc, sur papier bleu passé.
H. 43 ; L. 28 cm
Oxford, Christ Church Picture Gallery, (0356) JBS 762
Exposé à Paris seulement

Provenance : collection Guise

Bibliographie : Bell, 1914, p. 87, L 3 ; von Hadeln, 1922, pl. 5 ; Tietze et Tietze-Conrat, 1944, p. 290, nº 1730 ; von Seilern, 1959, cité sous le nº 100 ; Rossi, 1975, p. 49-50, fig. 15-16 ; Byam Shaw, 1976, p. 205, nº 762, pl. 442.

Cette étude (dont seul le recto est exposé) d'après la sculpture du *Jour* de Michel-Ange dans la chapelle des Médicis à San Lorenzo (Florence) peut avoir inspiré la figure assise drapée de rose, en haut vers la droite, dans l'esquisse du *Paradis* du musée Thyssen-Bornemisza.

16 r° exposé

16 v°

17

Jacopo Robusti, dit Tintoret
Étude d'après la statue du Jour de Michel-Ange, recto

La même étude au verso.
Pierre noire, gouache blanche, sur papier gris bleu.
H. 26,6 ; L. 37,6 cm
Annotation non contemporaine en haut à droite : *Tintoretto*
Paris, musée du Louvre, département des Arts graphiques, Inv. 5384
Exposé à Paris seulement

Provenance : collection Filippo Baldinucci ; collection Pandolfini ; collection F. Strozzi ; acquis par le Louvre en 1806, marque du musée : Lugt 1886.

Bibliographie : Mayer, 1923, p. 34, fig. B ; Tietze et Tietze-Conrat, 1944, nº 1739 ; Delogu, 1953, p. 12 ; Bacou, 1968, cité sous le nº 61 ; Rossi, 1975, p. 52, fig. 40 (Tintoret ?).

Exposition : Paris, 1993, nº 239, repr. coul. p. 219 (notice par Roger Rearick : Tintoret).

Cette étude (dont seul le recto est exposé), d'après la sculpture du *Jour* de Michel-Ange dans la chapelle des Médicis à San Lorenzo (Florence), a peut-être inspiré la figure de l'évangéliste saint Marc, placée vers le centre de l'une et l'autre esquisse de Tintoret (Paris, cat. 13, et Madrid, cat. 14).

17 vº

17 r° exposé

18

Jacopo Robusti, dit Tintoret
Étude de deux figures nues, masculine et féminine, d'après des sculptures, recto

La même étude au verso.
Pierre noire, rehauts de blanc, sur papier bleu passé.
H. 41,7 ; L. 28 cm
Oxford, Christ Church Picture Gallery, (0361) JBS 767
Exposé à Paris seulement

Provenance : collection Guise

Bibliographie : Bell, 1914, p. 87, L. 8 (Tintoret) ; von Hadeln, 1922, p. 23, 54, 212, pl. I v° (jeunesse de Tintoret) ; Tietze et Tietze-Conrat, 1944, p. 302-303, n° 1854 (école de Tintoret, peut-être Marietta Tintoretto) ; Delogu, 1953, p. 12 ; Rossi, 1975, p. 51, fig. 7 ; Byam Shaw, 1976, p. 207, n° 767 (école de Tintoret).

Exposition : Venise, 1958, p. 39, n° 48, repr. fig. 48.

La critique est partagée sur l'attribution de cette feuille (dont seul le recto est exposé) à Tintoret lui-même. K. T. Parker (cat. exp. Venise, 1958) pense que la figure féminine est inspirée de la statue de la *Vénus des Médicis*. On peut noter une certaine similitude entre la figure et la statue de Vénus peinte par Marietta, la fille de l'artiste, aux côtés du marchand d'art Ottavio Strada vers 1567-1568 dans le portrait du Rijksmuseum d'Amsterdam. Aucune source sûre n'a été identifiée pour la figure masculine, mais il semble probable que la feuille réunissant ces deux modèles ait été utilisée par l'artiste pour le groupe d'Adam et Ève, en bas vers la gauche, dans le projet du Louvre.

18 r° exposé

18 v°

19

Jacopo Robusti, dit Tintoret
Modèle nu assis les bras levés

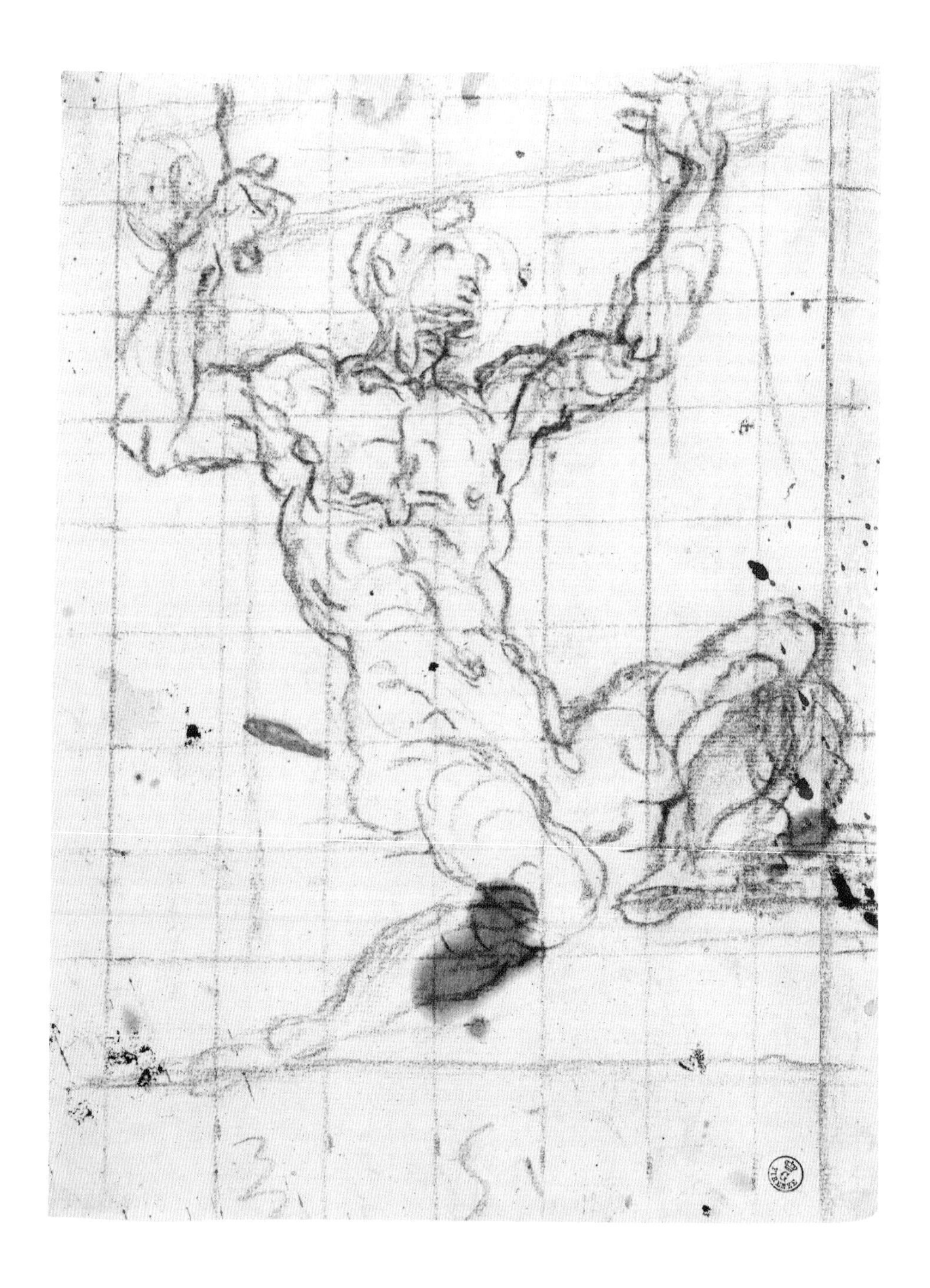

Pierre noire, mise au carreau à la pierre noire, taches d'atelier, sur papier blanc. H. 27 ; L. 19,8 cm
Annotation, en bas, au milieu : *Si*
Florence, Gabinetto Disegni e Stampe degli Uffizi, inv. 12985 F
Exposé à Paris seulement

Provenance : collection du cardinal Leopoldo de' Medici

Bibliographie : von Hadeln, 1922, p. 50, fig. 37 ; Tietze-Conrat, 1936, p. 91 ; Tietze et Tietze-Conrat, 1944, p. 283, nº 1624 ; Delogu, 1953, p. 12 ; Rossi, 1975, p. 31, fig. 177.

Exposition : Florence, 1956, p. 35-36, nº 54 (notice par Anna Forlani).

Cette étude a peut-être servi à préparer l'un des saints guerriers assis au milieu à gauche dans l'esquisse du *Paradis* du Louvre.

20

Jacopo Robusti, dit Tintoret

Modèle nu debout, mains jointes (un docteur de l'Église ?)

Pierre noire, mise au carreau à la pierre noire, sur papier bleu passé. H. 35,2 ; L. 16,7 cm
Florence, Gabinetto Disegni e Stampe degli Uffizi, inv. 12992 F
Exposé à Paris seulement

Provenance : collection du cardinal Leopoldo de' Medici

Bibliographie : Tietze et Tietze-Conrat, 1944, p. 283, nº 1497 (Domenico Tintoretto) ; Rossi, 1975, p. 33, fig. 170 ; Rearick, 2001, note 252, p. 229.

Exposition : Florence, 1956, p. 19, nº 16 (notice par Anna Forlani).

Cette étude, qui prépare, en sens inverse, la figure masculine nue joignant les mains, à droite du groupe d'Adam et Ève dans l'esquise du *Paradis* du Louvre, semble proche aussi de la figure d'un docteur de l'Église debout, en haut du même tableau, à droite du groupe des quatre évangélistes.

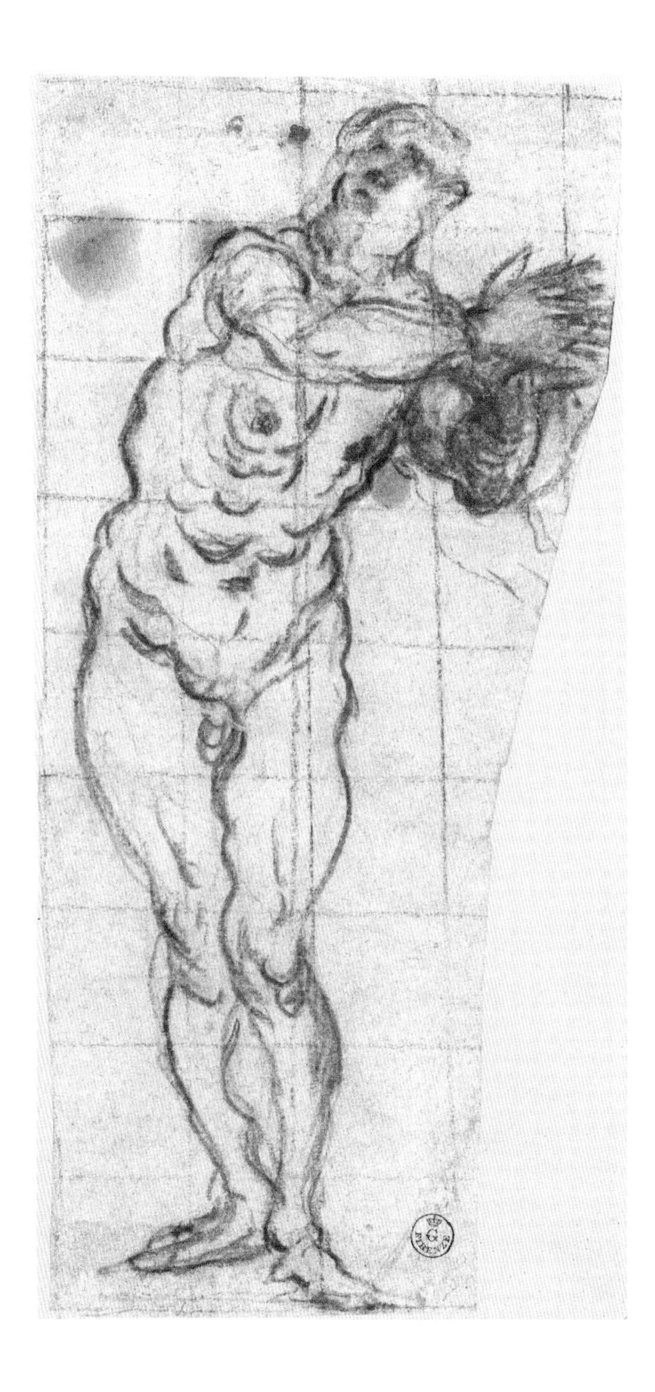

21

Jacopo Robusti, dit Tintoret

Modèle étendu, une jambe en avant, recto

Étude d'une figure d'ange au verso.
Pierre noire et fusain avec rehauts de blanc, mise au carreau à la pierre noire, taches d'atelier, sur papier bleu passé. H. 14,8 ; L. 22,8 cm
Cambridge, The Fitzwilliam Museum, inv. PD.34-1959
Exposé à Paris seulement

Provenance : collection Sir Joshua Reynolds.

Bibliographie : Scrase, 1999, p. 251, 254, fig. 3.

Identifiée par Roger Rearick, cette étude magistrale (dont seul le recto est exposé) pour l'homme se levant de terre, en bas à droite dans le *Jugement dernier* de l'église de la Madonna dell'Orto (Venise) datée de 1563[9], semble avoir été réutilisée pour la figure de saint Luc, en haut vers le milieu de l'esquisse du *Paradis* du Louvre.

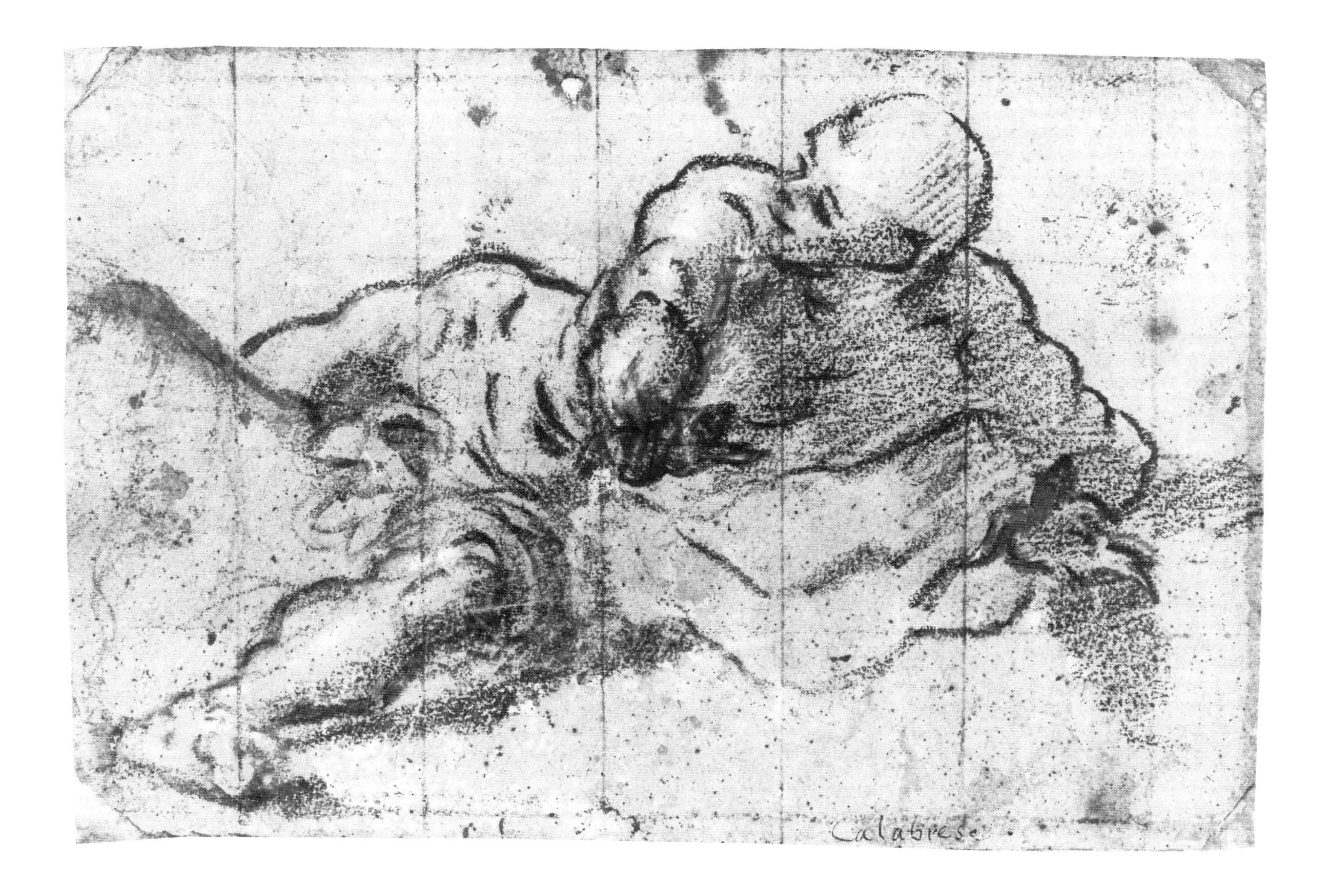
Calabrese

22

Jacopo Robusti, dit Tintoret

Modèle nu assis sur des nuages, jouant d'un instrument de musique, recto

Modèle assis tourné vers la gauche, au verso.
Pierre noire, rehauts de blanc, mise au carreau à la pierre noire, taches d'atelier, sur papier bleu vert.
H. 39,4 ; L. 27,9 cm
Annotations à la pierre noire en bas à droite : *Piadiso* (pour paradiso) / *pie 8*
Cambridge (Mass.), Harvard University Art Museums, Fogg Art Museum, inv. 1932.284 (n° 182)
Exposé à Paris seulement

Provenance : collection Charles A. Loeser, don de ce dernier.

Bibliographie : Tietze, 1944, p. 279, n° 1574 ; Mongan et Sachs, 1946, p. 98 ; Pallucchini, 1949, p. 173 ; Rossi, 1975, p. 17, fig. 186.

Cette étude (dont seul le recto est exposé) est à rapprocher, en sens inverse, de l'ange assis, jouant du luth en bas vers la droite, dans l'esquisse du *Paradis* du Louvre.

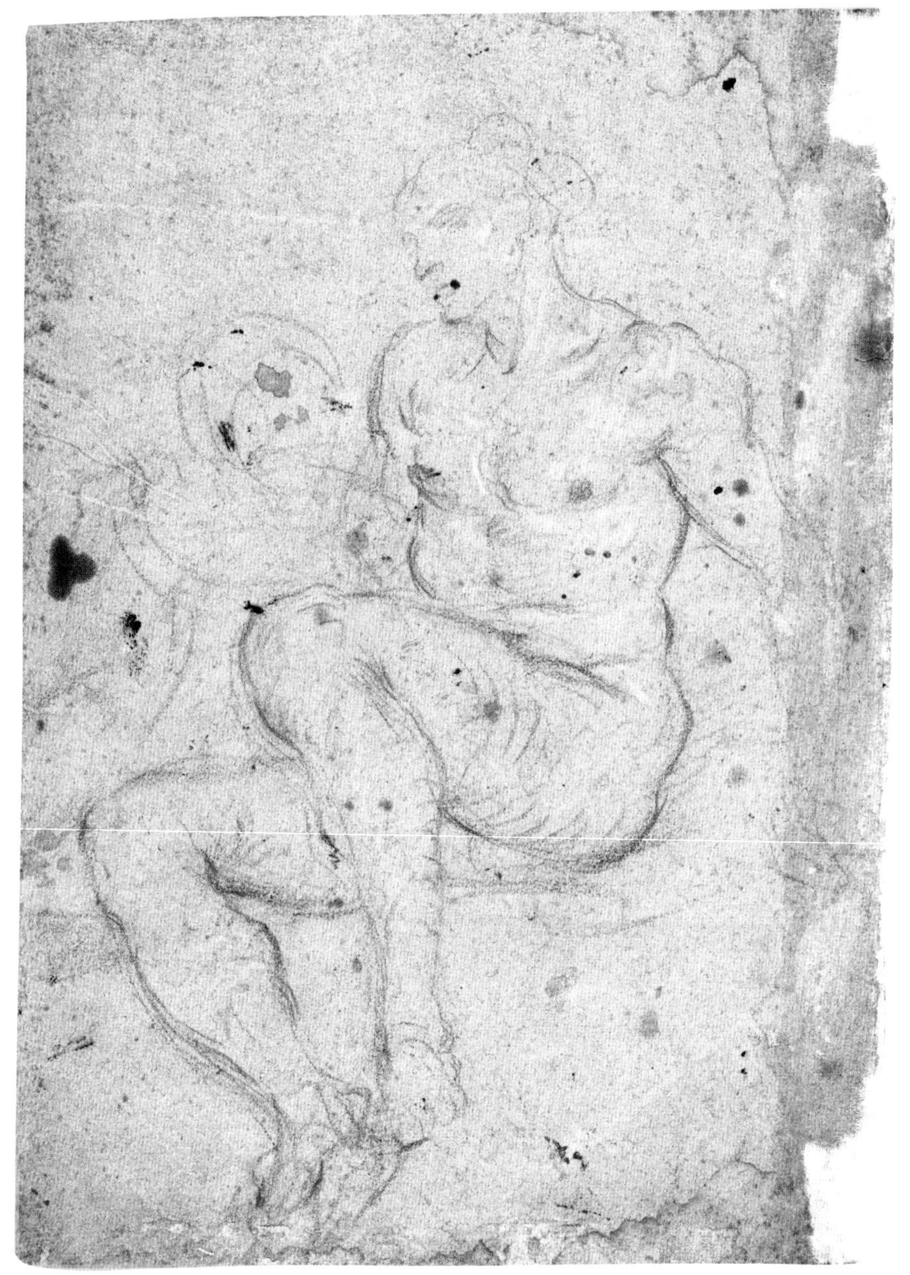

22 v°

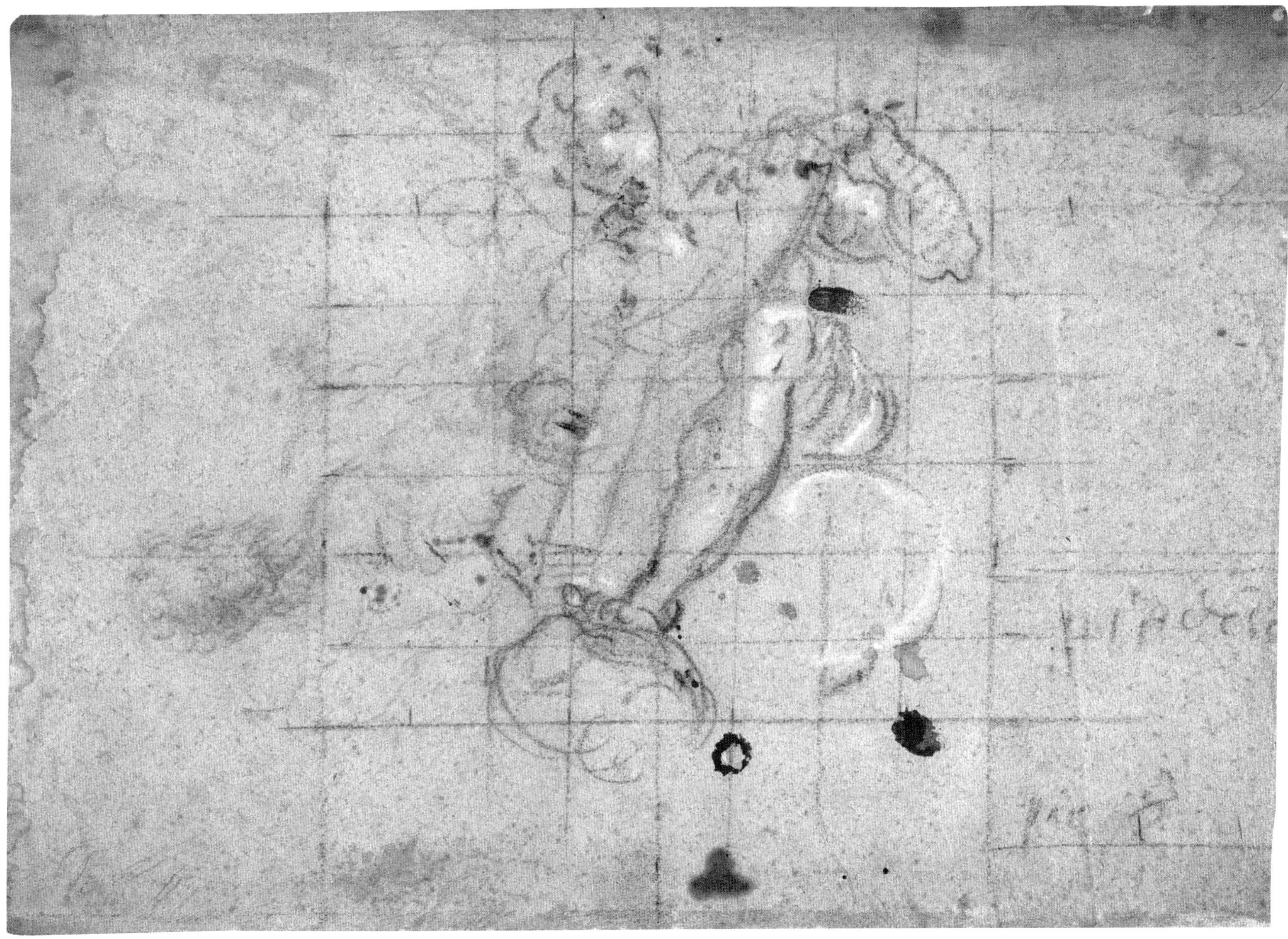

22 r° exposé

23

Jacopo Robusti, dit Tintoret
Modèle nu agenouillé, mains jointes, recto
Modèle nu agenouillé, tenant un livre, verso

Pierre noire sur papier non traité (beige), mise au carreau à la pierre noire au verso. H. 27,4 ; L. 17,1 cm
Florence, Gabinetto Disegni e Stampe degli Uffizi, inv. 12959 F
Exposé à Paris seulement

Provenance : collection du cardinal Leopoldo de' Medici

Bibliographie : Soulier, 1920, p. 381 ; Tietze et Tietze-Conrat, 1944, p. 282, n° 1608 ; Rossi, 1975, p. 62 (attribution à Tintoret rejetée) ; Rearick, 1996, p. 176, 181, note 46, p. 342, fig. 6, 8 (Tintoret).

Exposition : Florence, 1956, p. 37, n° 57 (notice par Anna Forlani).

Ces deux études (recto et verso) peuvent être rapprochées des deux figures masculines à demi nues (des ermites ou des prophètes ?), situées à droite dans l'esquisse du *Paradis* du musée Thyssen-Bornemisza, l'une drapée de jaune, l'autre de rouge.

23 r° exposé

23 v° exposé

24

Jacopo Robusti, dit Tintoret

Modèle nu tenant un instrument de musique (?) dans la main gauche

(avec variantes pour la main gauche)

Pierre noire, mise au carreau à la pierre noire, sur papier bleu, taches d'atelier. H. 29,7 ; L. 18,7 cm
Florence, Gabinetto Disegni e Stampe degli Uffizi, inv. 12972 F
Exposé à Paris seulement

Provenance : collection du cardinal Leopoldo de' Medici.

Bibliographie : von Hadeln, 1922, p. 50, fig. 36 (Tintoret) ; Tietze et Tietze-Conrat, 1944, n° 1495 (plutôt Domenico Tintoretto) ; Rossi, 1975, p. 30, n° 195 (Tintoret).

Exposition : Florence, 1956, p. 37, n° 58 (notice par Anna Forlani : Tintoret).

Cette étude peut être rapprochée de la figure de saint Christophe située en bas vers la droite dans l'esquisse du *Paradis* du musée Thyssen-Bornemisza. L'une des variantes proposées pour la main gauche reproduit exactement le geste de ce saint dans le même tableau.

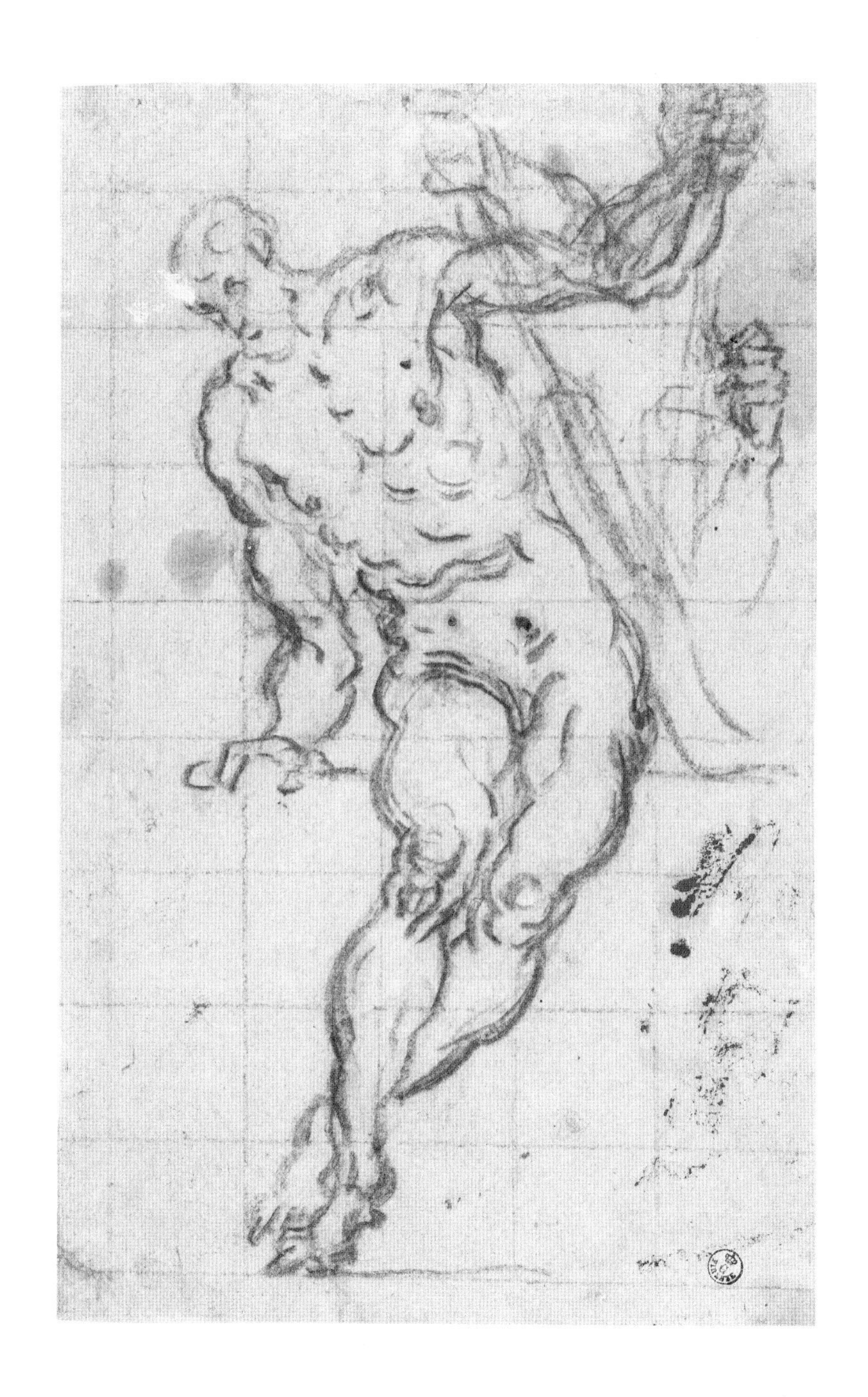

25

Jacopo Robusti, dit Tintoret
Modèle nu en mouvement tournant vers la gauche (saint Christophe ?),
verso

Modèle nu, vu frontalement, avec les bras derrière le dos et la jambe droite repliée en arrière (Christ flagellé) au recto.
Pierre noire, mise au carreau à la pierre noire sur papier blanc.
H. 29,5 ; L. 19,2 cm
Annotation à la plume en bas vers la droite : *Tintoretto*
Florence, Gabinetto Disegni e Stampe degli Uffizi,
inv. 12.952 F
Exposé seulement à Paris

Provenance : collection du cardinal Leopoldo de' Medici

Bibliographie : von Hadeln, 1926, p. 115-116 ; Tietze et Tietze-Conrat, 1944, p. 281, n° 1603 ; Rossi, 1975, p. 26, fig. XXXI (verso : école de Tintoret) ; Rearick, 2001, p. 172 et note 252, p. 229.

Exposition : Florence, 1956, p. 37, n° 58 (notice par Anna Forlani).

Cette étude (dont seul le verso est exposé) est probablement une adaptation par un assistant de la figure apparaissant sur le recto de la feuille pour le personnage de saint Christophe, en bas à droite dans l'esquisse du *Paradis* du musée Thyssen-Bornemisza.

25 r°

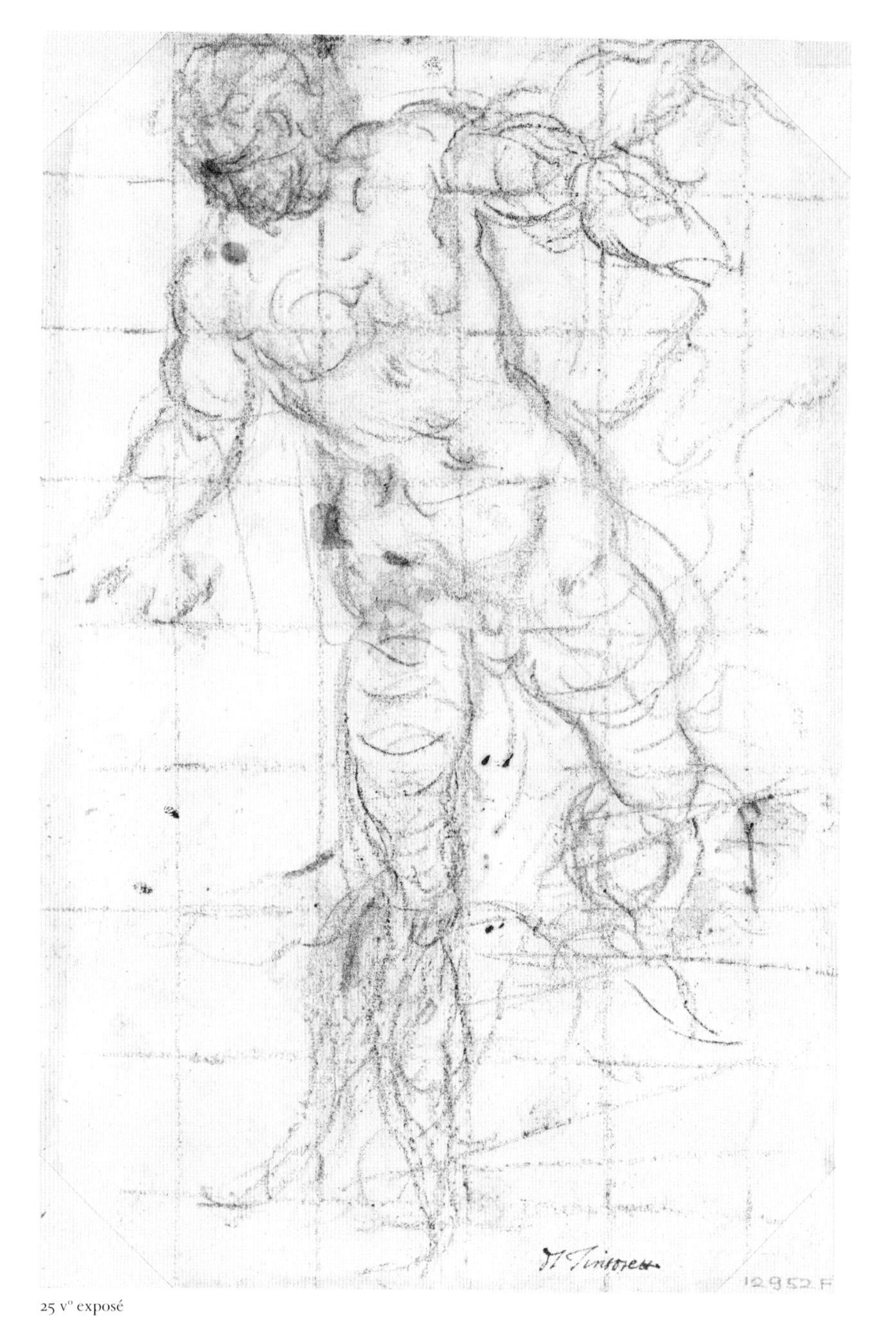

25 v° exposé

26

Jacopo Robusti, dit Tintoret
Modèle nu assis, bras étendus vers la droite

Pierre noire, rehauts d'huile, gouache blanche,
mise au carreau, sur papier bleu. H. 37; L. 26,1 cm
Annotation à la plume en bas au milieu : *Tintoretto*
Rotterdam, Museum Boijmans Van Beuningen, inv. I 73
Exposé seulement à Paris

Provenance : collection D'Adda, jusqu'en 1926;
collection Franz Koenigs jusqu'en 1940; acquis en 1940.

Bibliographie : Rearick, 2001, note 252, p. 229.

Cette étude prépare avec précision l'un des patriarches situé vers le milieu à droite dans l'esquisse du *Paradis* du musée Thyssen-Bornemisza.

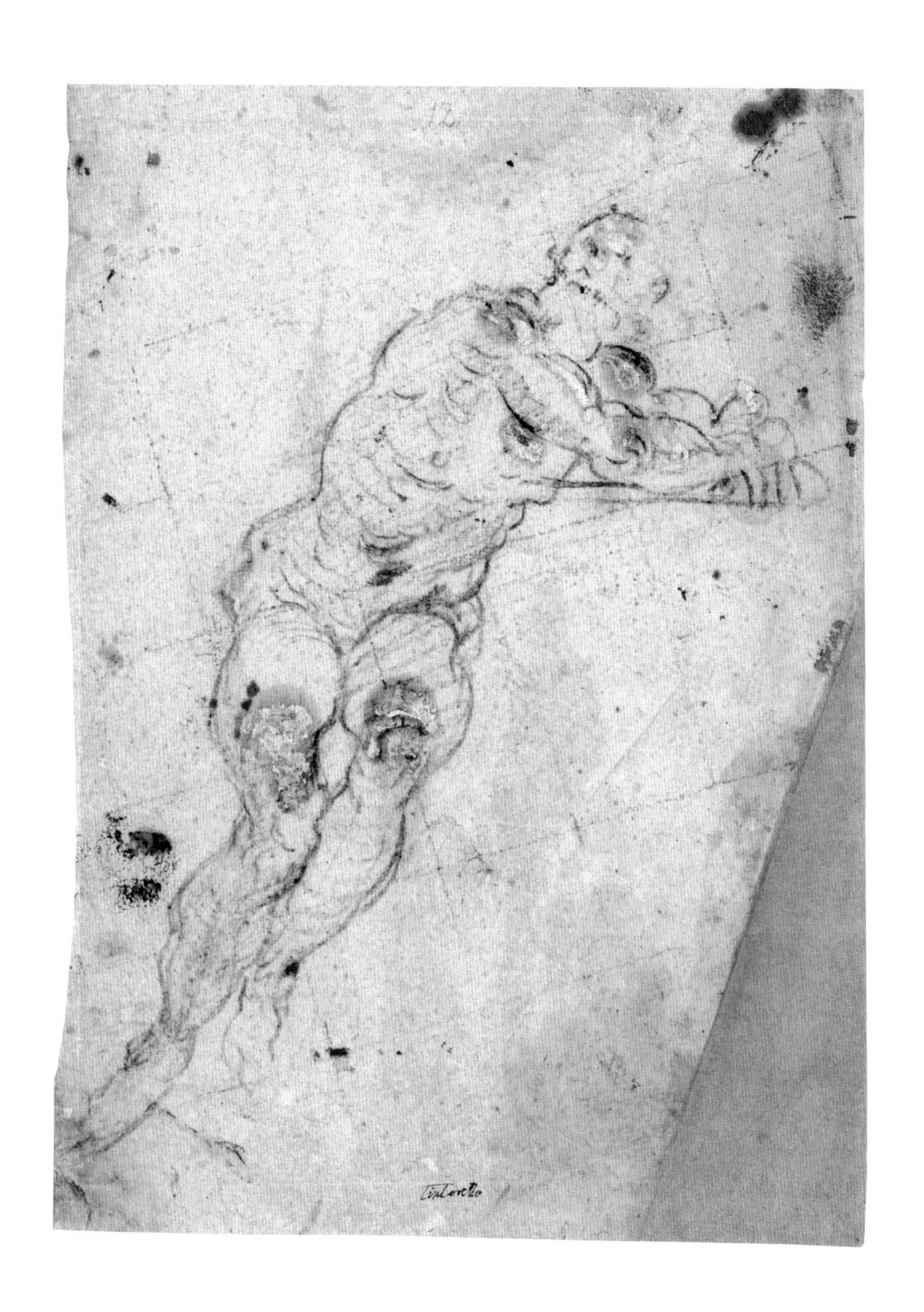

27

Jacopo Robusti, dit Tintoret
Modèle nu plongeant vers la gauche

Pierre noire, mise au carreau à la pierre noire, sur papier bleu passé. H. 17,9 ; L. 21,9 cm
Annotation en bas à droite : *G. Tintoretto*
Royaume Uni, collection M. et Mme Edward D. Baker
Exposé seulement à Paris

Provenance : collection Sir Joshua Reynolds ; collection particulière, Wiltshire.

Exposition : Venise, 1980, p. 32, n° 18, repr. (notice par Julien Stock).

Cette étude prépare avec précision l'ange qui plonge vers le bas, en haut à droite, dans l'esquisse du *Paradis* du Louvre.

Annexes

Notes

Le paradis dans les Saintes Écritures
Gianfranco Ravasi

1. Pour la traduction des citations bibliques, nous avons utilisé la version établie par J.N. Darby. Bien qu'ancienne (1885), elle est considérée comme l'une des versions françaises les plus proches de l'original (NdT).
2. Le texte italien a été respecté mais la version Darby donne « roseau odorant » (NdT).

Venise et le *Paradis*. Un concours au palais des Doges
Jean Habert

1. Cette introduction doit beaucoup au livre de Jean Delumeau, *Une histoire du paradis*, Paris, 2000, 3 vol., source de réflexion inépuisable. C'est le volume 3, *Que reste-t-il du paradis?*, qui sert surtout d'inspiration ici.
2. D'Alembert et Diderot, article « Paradis », *Encyclopédie*.
3. Jean-Paul II, *Catéchisme de l'Église catholique*.
4. Delumeau, 2000, explique que, selon l'eschatologie traditionnelle, le neuvième ciel ou ciel cristallin des anges ne bouge pas; les humanistes et les artistes vénitiens du XVIe siècle, comme Tintoret ou Véronèse, le font cependant tourner autour du ciel supérieur ou empyrée afin de tenir compte des observations de l'astronomie moderne, qui démontrent que tous les corps célestes sont en mouvement.
5. Dante Alighieri, *La Divine Comédie. Le Paradis. Paradiso*, traduction, introduction et notes de Jacqueline Risset, Paris, [1990] 1992. Chant XXX : « Je vis une lumière en forme de fleuve / fulgurant de splendeur, entre deux rives / peinte d'un merveilleux printemps (61-63) [...] Une lumière est là-haut, qui rend visible / le créateur à ses créatures / qui ont leur paix seulement à sa vue. / Elle s'étend en figure circulaire, / si largement que sa circonférence / serait au soleil trop large ceinture. / Tout ce qu'on en voit d'elle est fait de rayons / réfléchis au sommet du premier mobile / qui prend de là sa vie et sa puissance (100-108) [...] dominant la lumière alentour, / je vis se mirer en plus de mille gradins / tout ce qui de nous a fait retour là-haut (112-114) ». Chant XXXI : « En forme donc de rose blanche / m'apparaissait la sainte milice / que Christ épousa dans son sang (1-3) [...] et, dans le milieu, les ailes déployées, / je vis plus de mille anges en liesse, / tous différents par l'art et par l'éclat (130-132) ». Chant XXXII : « De ce côté où la fleur est mûre, / de toutes ses feuilles, sont assis / ceux qui crurent dans le Christ à venir ; / de l'autre côté, où les demi-cercles / sont coupés de vides, se tiennent ceux / qui eurent le regard sur le Christ advenu (22-27) ».
6. Delumeau, 2000, vol. 3, p. 166.
7. Sansovino, [1581] 1663, [fac-similé Filippi, Venise, 1968], livre 8, « Delle Fabriche Publiche », « Palazzo Publico », p. 325-326.
8. 1365, selon Guiffrey, 1929; 1366, selon Mazza, 1996.
9. Levi d'Ancona, 1967, p. 34-44, p. 40.
10. Ridolfi, 1648, I, p. 17 « Vita di Guariento Padovano ».
11. Flores d'Arcais, 1965, p. 72-73, et fig. 121-127.
12. Sansovino, [1581] 1663, p. 326.
13. Sansovino, [1581] 1663, p. 4 : *Venezia [come] Vergine, la quale, con la sua incorrotta purità, si difende dall'insolenza altrui e s'appoggia al mondo, perch'ella sola, fra tutte l'altre restata incorrotta e intatta dagli altrui barbari e tirannici imperi. [Questo governo] composto a guisa di harmonia, proportionato, e concordante tutto a se stesso, é durato già tanti secoli [...] inviolabile, e immacolato.*
14. Frey, 1923-1930, II, 1930, p. 107 (fac-similé, Hildesheim-New York, 1982); pour toute l'affaire concernant Zuccaro et le *Paradis*, voir Acidini Luchinat, I, 1998, p. 237-239, 261, notes 92-97, fig. 26-27, p. 274, II, 1999, p. 247, 269, notes 37, 39, p. 283-284, citation 6 f., p. 291, notes 39-42; voir aussi les écrits de Zuccaro lui-même : F. Zuccaro, *Lettera a Prencipi et Signori Amatori del Dissegno, Pittura, Scultura, et Architettura, scritta dal Cavaglier Federico Zuccaro nell'Accademia Insensata detto Il Sonnacchioso. Con Lamento della Pittura*, Francesco Osanna Stampator Ducale, Mantoue, 1605, publié par Heikamp, 1961, p. 127-128.

15. *Pur non è anco risoluto, che par che li sia data intentione di farli lauorar qui non so che historia nella sala grande del consiglio.*
16. Vasari-Milanesi, VII, 1881, p. 98.
17. *Il quale Federigo, dopo aver finita la capella del patriarca, era in pratica di tôrre a dipignere la facciata principale della sala grande del Consiglio, dove già dipinse Antonio Viniziano* [c'est-à-dire Guariento].
18. Mazza, 1996, p. 85.
19. Lorenzi, Parte I, 1868, doc. 386 et 389; Moschetti, 1904, p. 394-397, p. 394.
20. Vasari-Milanesi, VI, p. 593.
21. Acidini Luchinat, I, 1998, p. 236, 238, fig. 23.
22. Inv. n° 1946-7, H. 0,260; L. 0,268.
23. Cocke, 1984, p. 338, n° 161, repr.
24. Priever, 1992, p. 298-299, fig. 109, p. 308, A 18; Acidini Luchinat, II, 1999, p. 140-141, fig. 39, pense que ce dessin est tracé par Zuccaro durant son deuxième et non pas premier séjour à Venise, donc en 1582, moment où l'artiste réfléchit à une *Dernière Cène*, jamais réalisée, qui lui a été commandée par le duc d'Urbin pour la chapelle du Saint-Sacrement de sa cathédrale.
25. Acidini Luchinat, II, 1999, p. 142; et Hochmann, 2004, p. 407-408.
26. Foscari, 1979, n° 1, p. 68-83, p. 75.
27. Gere, cat. exp. Paris, 1969, n° 49, pl. XII.
28. Mundy, cat. exp. Milwaukee-New York, 1989-1990, n° 57.
29. Voss, 1954, p. 172-175, fig. 17.
30. Rearick, 1995, p. 143, note 22.
31. Vizthum, 1954, p. 291.
32. Schulz, 1962, p. 193-208.
33. Schulz, 1962, p. 198, note 22.
34. Schulz, 1980, p. 112-117, 120.
35. Wolters, 1987, p. 285.
36. Mundy, 1989, p. 184, n° 57.
37. Voir Rossi, 1982, 1990.
38. Acidini Luchinat, I, 1998, p. 238-239; voir aussi Acidini Luchinat, Venise, 2001, p. 236-237.
39. Hochmann, 2004, p. 410-411.
40. Voss, 1954, p. 172-174.
41. Sinding-Larsen, 1974, p. VI, reproduit cette pièce de monnaie.
42. Vasari-Milanesi, VII, 1881, p. 98 : *Il quale Federigo, dopo aver finita la capella del patriarca, era in pratica di tôrre a dipignere la facciata principale della sala grande del Consiglio, dove già dipinse Antonio Viniziano* [Guariento]. *Ma le gare e le contrarietà che ebbe dai pittori viniziani furono cagione che non l'ebbero né essi, con tanti lor favori, né egli parimente.* Pour le séjour de Zuccaro à Venise, voir surtout Rearick, 1992, p. 151 et Hochmann, 2004, p. 410-411.
43. Vasari, 1568, Milanesi éd., 1878-1885, VII, 1981, p. 98 et note 1 : *Qui non fu né gara né controversia. Ma la Signoria di Venezia, che* [aveva] *a pensare per alora ad altro che a piture, per l'armata del Turcho, che poi ando a male : per tanto non si risolse detta opera.*
44. Wolters, *Storia e politica nei dipinti di Palazzo Ducale*, Venise, 1987, p. 281-296, traduction en italien de la première version en allemand de 1983.
45. Voss, 1954, et Giltaij, 1983; Tolnay, 1970b, p. 105, fig. 136, reproduit la photographie de la fresque quand elle était encore sur le mur.
46. Voir à ce sujet Voss, 1954, p. 172-175, p. 172; et Mason Rinaldi, 1980, p. 214-219.
47. Selon Wolters, 1987, p. 299 : Museo Civico Correr, MS Cicogna 105 et MS Cicogna 3007/26; Archivio di Stato di Venezia, ASV, Prov. al Sal, Misc. B 49; Marciana, Marc. It. IV, 22 (5361).
48. Soulier, 1911, et von der Bercken-Mayer, 1923, p. 30, pensent même que ce programme est connu dès 1578, mais Sinding-Larsen, 1974, p. 23, démontre que la décision de remplacer la fresque de Guariento, au lieu de la restaurer, n'est prise qu'après août 1579, ce qui doit être la vraie date du nouveau programme iconographique des salles du Scrutin et du Grand Conseil.
49. Wolters, 1966, p. 303, et 1987, p. 300.
50. Thode, 1900, p. 427-442, 1901, p. 22, 1904, p. 24-45 : cet auteur argumente pour une datation du programme vers 1570; mais voir aussi von Hadeln, 1919, p. 119-125; von

der Bercken et Mayer, 1923, p. 30; Wolters, 1987, p. 38.

51. Il est à noter que c'est également un camaldule, saint Pierre Damien, qui a écrit au XIe siècle une « Hymne à la gloire du paradis » (*Hymnis de gloria paradisi*). Voir Delumeau, 2000, 3, p. 94, 125, 134.
52. *Dichiaratione di tutte le Istorie, che si contengono nei quadri posti nuovamente nelle Sale dello Scrutinio e del Gran Consiglio del Palagio Ducale della Serenissima Repubblica di Vinegia...*, Museo Civico Correr, Venise, MS Cicogna 105, publié par Wolters, 1966, p. 303-318; voir aussi Mason Rinaldi, 1980; et Wolters, 1987, p. 38, note 4, et p. 299-310.
53. Wolters, 1966, p. 310-311, 1987, p. 307: *In una de le teste de la salla vi è il tribunale sopra il quale doverà esser dipinta com'era anco avanti la gloria de' Beati in Paradiso et di questa inventione si doveranno far fare diverse inventioni per eleggere poi il meglio.*
54. Ridolfi, 1648, éd. von Hadeln, 1914-1924, II, p. 61 : *poichè essendosi veduti molti modelli* ; voir aussi von Hadeln, 1919, p. 119-125; et Wolters, 1965-1966, p. 271-318, qui publie en appendice un des manuscrits du programme, conservé à Venise, musée Correr, Cod. Cicogna DLXXXV-105, voir pour *Le Paradis*, p. 310-311.
55. L'œuvre de même sujet peinte avant l'incendie par Tintoret fut détruite et remplacée plus tard, vers 1594-1595, par une toile de même sujet de Palma le Jeune.
56. Sinding-Larsen, 1974, p. 23; Lorenzi, 1868, doc. 892.
57. Pallucchini, Rossi, [1982] 1990, p. 98-99, p. 215-216, no 400.
58. Schulz, 1979, p. 150.
59. Cocke, 1984, p. 221.
60. Rearick, 1995, p. 137, 143, note 22, et 1996.
61. Schulz, 1980, p. 117.
62. Mazza, 1996, p. 85.
63. Sansovino, [1581] 1663.
64. Mason, 2000, p. 243-255, p. 245-247.
65. Ce n'est pas, semble-t-il, l'œuvre vue en 1660 par Marco Boschini dans la collection Mocenigo (Marco Boschini, *La carta del navegar pitoresco*, Venise, 1660; von Hadeln, 1919, p. 119-125; Suida, 1938, p. 77-83). Voir l'essai de Stefania Mason dans ce catalogue.
66. Mason Rinaldi, 1972, p. 92-110.
67. Tietze-Conrat, 1936, n° 3, p. 88-100.
68. Delumeau, 2000, 3, p. 358.
69. Wolters, 1987, p. 208 et note 3, et p. 290.
70. Tolnay, 1970b, p. 107.
71. Ridolfi, 1648, von Hadeln éd., 1914-1924, II, p. 61 : *...fù lungamente trattato da Signori, destinati sopra quelle innouationi, della persona del Pittore; poiche essendosi veduti molto modelli, conforme gli affetti erano anco diuersi i pareri per quella elettione. Finalmente fù stabilito, preualendo la parte, che à Paolo Veronese et à Francesco Bassano communemente si dasse, ...*
72. Ridolfi, 1648, éd. von Hadeln, 1914-1924, I, p. 409, écrit que leur collaboration « n'eut pas de suite à cause de la diversité de leurs manières » (*non hebbe effetto per la diversità delle maniere*), et répète, II, p. 61 : « leurs manières étaient difficiles à accorder », ajoutant aussitôt : « et quand Paolo mourut peu après, aucun n'avait réussi à commencer la réalisation, si bien qu'il fut nécessaire de procéder à un nouveau choix » (*le maniere loro erano difficile da accordarsi, e perche anco non molto dopo Paolo si mori, non capito alcun di loro à darvi principio, si che fù di mestieri, che a nouella elettione si diuenisse*); voir Wolters, 1987, p. 286.
73. Ridolfi, 1648, éd. von Hadeln, 1914-1924, I, p. 345, 409.
74. Après ses ennuis avec l'Inquisition en 1573, Véronèse semble s'en tenir à la prudente *Cosmographia* (1524, rééditée en 1584) d'Apian, grand astronome allemand du XVIe siècle, plutôt qu'au sulfureux *De revolutionibus* de Copernic : Delumeau, 2000, I, p. 390.
75. Tolnay, 1970b, p. 109; Wolters, 1987, p. 288 et note 2.
76. Ridolfi, 1648, éd. von Hadeln, 1914-1924, II, p. 61 : *Compose egli per tanto più di un modello per l'inuention...*
77. Schulz, 1980, p. 112-126; Hochmann, 2004, p. 409-410, note 30.
78. Soulier, 1920, p. 376.
79. Thode, 1901, est le premier à faire ce rapprochement.
80. Benesch, 1947, p. 138-139.
81. Soulier, 1920, p. 376, 379.
82. Soulier, 1920, p. 379.
83. Coletti, 1944, p. 44.
84. Ridolfi, 1648, éd. von Hadeln, 1914-1924, I, p. 345 : *...ma perché le maniere loro erano difficili da accordarsi, e perché anco non molto dopo Paolo si mori, non capito alcun di loro a darvi principio, si che fu di mestieri, che a novella elezione si divenisse. Ma tuttoche si facessero di nuovo da Pittori efficaci uffici per ottenerlo, fu allogato finalmente al Tintoretto, che non manco d'ogni artificio anch'egli, per conseguirlo... Compose egli pertanto più di un modello per l'inventione...*
85. Wolters, 1987, p. 296.
86. Ridolfi, 1648, éd. von Hadeln, 1914-1924, II, p. 61.
87. Von der Bercken, Mayer, 1923, p. 66 (en 1588-1590); Pignatti, cat. exp. Los Angeles, 1979, p. 110 (vers 1590); Rossi, 1979-1982, p. 233, no 465, et 1983-1984, p. 217, no 111 (entre 1588 et 1592); Rearick pense en 1995 (p. 143, note 22) que la toile est excutée entre 1589 et 1595, mais écrit en 1996 (p. 181, note 47) qu'elle est commencée seulement en 1590 et n'est terminée que vers 1592. Fosca, 1929, p. 59-60, pense qu'elle fut terminée et marouflée en 1590.
88. Ridolfi, 1648: *non potendo resistere, aggravato dagli anni, a quelle si lunghe fatiche.*
89. De Vecchi, 1970; Pallucchini, 1982 [1990], p. 99.
90. Soulier, 1920, p. 381-382; et von der Bercken, Mayer, 1923, p. 30.
91. Von der Bercken, Mayer, 1923, p. 223; Tietze-Conrat, 1936, p. 98.
92. Soulier, 1920, p. 380, parle joliment d'« une bousculade d'angelots ».
93. Von der Bercken, Mayer, 1923, p. 223.
94. Tolnay, 1970b, p. 110.
95. Soulier, 1920, p. 380.
96. Lanckoronska, 1932; Tolnay, 1970b, p. 107-108.
97. Zuccaro, 1605, Heikamp éd., 1961, p. 128; voir aussi Acidini Luchinat, II, 1999, p. 284, 6 f, et Hochmann, 2004, p. 411, note 35.
98. Soulier, 1920, p. 380.
99. Von der Bercken, Mayer, 1923, p. 66.
100. Coletti, 1944, p. 45; Pallucchini, 1982 [1990], p. 99.
101. Dans ses fameuses *Lettres d'Italie*, le président de Brosses (1709-1777) exprime, par exemple, un avis admiratif mais nuancé : « *Le Paradis*, ouvrage célèbre du Tintoret, étonnant en effet par sa grandeur et la quantité des figures, d'un génie abondant et peu agréable, d'une manière fort

noire » (*Lettres d'Italie du président de Brosses*, texte établi, présenté et annoté par Frédéric d'Agay, Paris, 1987, I, *Lettre XVII… Mémoire des principaux tableaux de Venise avec de courtes remarques*, p. 221-222).

102. Ridolfi, 1648, écrit : « il semble impossible qu'une intelligence humaine puisse arriver à exprimer de si vastes conceptions ».

103. Ridolfi, 1648; Von der Bercken, Mayer, 1923, p. 30; Coletti, 1944, p. 44.

Le *Paradis* de Palma le Jeune: la « fortune » d'un exclu
Stefania Mason

1. Boschini, 1660, p. 447, II, vers 7-18 : « C. Ma tra tutti i stupori, per mio aviso, / che in quel Palazzo egregio se contien, / E che infinita laude ghe convien, / La palma porta certo un Paradiso. / Ec. Sì, sì, v'intendo : questo è quel dessegno, / De man del Palma, che chi sa far tanto / Forma el model del Paradiso santo, / Che per don singular vien fato degno. / C. Quelo d'un gran saver fa sazo e fede, / Quelo à del belo tuta la sustancia ».
2. Bardi, 1587, p. 46.
3. Ridolfi, 1648, I, p. 345, sur deux « inventions » de Véronèse, p. 409, à propos de Francesco Bassano; II, p. 61 « poichè essendosi veduti molti modelli, conforme gli affetti erano anco diversi i pareri per quella elettione ».
4. Von Hadeln, XL, 1919, p. 119 à 125.
5. Suida, 1938, p. 77 à 83.
6. Tietze-Conrat, 1936, n° 3, p. 88 à 100.
7. Mason Rinaldi, 1972, p. 92 à 110.
8. Voir le texte du programme dans Wolters, 1987, p. 351.
9. Pour les paiements de Francesco Bassano, voir Mason Rinaldi, 1980, p. 214 à 219.
10. Mason, 2000, p. 243 à 255, en particulier p. 245 à 247.
11. Venise, Archivio di Stato (ASVe), *Segretario alle voci*, registri 4, 5. Les deux personnages sont en fonction au même moment entre le 22 novembre 1578 (lorsque Girolamo Priuli remplace Alvise Zorzi et devient collègue de Giacomo Foscarini, déjà élu depuis le 20 janvier 1577 *more veneto*, soit 1578) et le 21 février 1578 *more veneto* (1579).
12. Aurigemma, 1995, p. 207 à 246; Hochmann, 2004, p. 413.
13. Borghini, 1584, p. 560 et 561. Borghini rend compte, à propos de Palma le Jeune, des trois toiles du plafond du Grand Conseil, mais aussi des œuvres que le peintre n'avait pas terminées, comme le plafond pour la Scuola di Santa Maria della Giustizia et « quelques tableaux, qui vont dans les salles du palais ».
14. Ridolfi, 1648, p. 177.
15. Mason Rinaldi, 1975, p. 197 à 204.
16. Salzbourg, Universitätsbibliothek, Sondersammlungen, Inv. n° H. 179. *Le Christ et la Vierge* (recto); *Études pour une figure endormie dans un ovale (Élie et l'ange?) et pour un ange* (verso). Plume et encre brune sur papier blanc, H. 9,5; L. 15,5 cm. Voir Tietze, 1944, p. 220, n° 1142; Mason Rinaldi, 1984, p. 163, D 174.
17. Schulz, 1980, p. 117.
18. Cat. exp. Rome, 1978, p. 34 à 36.
19. Paris, Bibliothèque nationale de France (BNF), Ed. 23, fol. (p. 4 et 5). Pour la personnalité de Brébiette, voir les études de Thuillier, 1961, p. 48 à 56; *Id.*, 1996, p. 274 à 323, l'essai de P. Pacht Bassani dans, cat. exp. Orléans, 2002, et l'article soigné de Fries, 1996, p. 44 et 45.
20. On soulignera que l'inventaire de 1643 mentionne, parmi les plaques trouvées dans l'atelier de Claude Vignon à la mort de sa femme, celles que Brébiette exécuta pour le *Paradis* de Palma et pour une petite et une grande Nativités du même auteur (dans cat. exp. Orléans 2002, p. 43). La gravure d'une de ces *Nativités*, une *Adoration des bergers* plus exactement, est conservée à Paris, BNF, Estampes, Inv. Ed 23-fol., c. 3, et porte les inscriptions « Iacobus Palma Inventor » et « P. Brebiette sculpsit ». Une autre épreuve du même thème est inventoriée Bc. 16 a, fol. (p. 13), à laquelle on peut ajouter une *Adoration des Mages* Bc 16ᵉ, fol. (p. 15). Voir Weigert, 1951, p. 111. Je remercie Laura de Fuccia pour son aide dans les bibliothèques parisiennes.
21. Voir Olivier, Gernal, Roton, 1929, vol. 16. Né à Valençay (Berry) en 1589, Léonor d'Étampes meurt à Paris en 1651. Parmi ces nombreuses interventions, on rappellera l'*Avis de l'Assemblée Générale du Clergé de France à Messieurs les archevêques et évêques de ce royaume* de 1625, où il dressait un portrait de l'évêque idéal selon les propositions des pères conciliaires. Voir *Dictionnaire de biographie française*, XIII, 1970, col. 175 et 176 et *Bibliographie ancienne et moderne,* XIII, 1855, p. 93.
22. Cat. exp. Paris, 2004.
23. Schnapper, 1994, p. 91 à 96, qui parle surtout des liens entre Vignon, Perruchot et le marché de l'art.
24. ASVe, *Giudici del Proprio*, Mobili, b. 376, cc. 6 seg. L'inventaire, rédigé par les peintres Francesco Fontebasso et Francesco Zugno, a été signalé par Cicogna, 1840 et publié par Levi, 1900, II, p. 230 à 236, qui ne mentionne pas la cote d'archives.
25. L'aquarelle, signée et datée du 4 septembre 1839, a été montrée à l'exposition de Londres, 1955, voir cat. p. 14 et 15, pl. IV. Je remercie Linda Borean pour cet aimable signalement. Voir aussi G. Pavanello dans cat. exp. Milan-Venise 1983-1984, p. 148 et 149, où figure une lithographie de William Lake Price et Joseph Nash faisant partie d'une série imprimée en 1843 et reproduisant l'aquarelle de Scarlett Davis.
26. Voir les catalogues : cat. exp. Florence, 1933; cat. vente, Londres, 1966, p. 41, n° 77. Le tableau, dont l'auteur est aujourd'hui reconnu avec une forte probabilité comme étant Domenico Tintoretto (voir Rossi, 1982, p. 233), correspondrait à celui en-dessous duquel est allongé Byron, représenté sur l'aquarelle; on peut enfin exclure que le deuxième modèle mentionné par l'inventaire cité soit celui de Palma aujourd'hui conservé à l'Ambrosienne, car sa « taille moyenne » ne coïncide pas avec les mesures de la toile de l'Ambrosienne (1,25 x 4,10 m), proches de celles du tableau de la *Cassa di Risparmio* (1,50 x 4,50 m) désigné lui, comme un « grand tableau ».
27. Voir note 1.

Le *Paradis* de Véronèse: le dossier d'un grand artiste en pleine création (1578-1585)
Sylvie Béguin

1. Fiocco, 1928, introduction, p. VIII.
2. Habert, 1992, p. 76.
3. Berlin, Staatliche Museen, Kupferstichkabinett.

4. Bardi, 1587, p. 46 : « …si ritroua vna gloria de i beati del Paradiso… fatta parte da Francesco Bassano, & parte da Paolo Veronese ».
5. Wolters, 1987, p. 288.
6. Rearick, 1988, p. 104.
7. Le frère Bernardo Torlioni, prieur des Hiéronymites de San Sebastiano.
8. À gauche la correction est moins claire.
9. Non seulement la technique du détail sur le dessin du Fogg Art Museum est stylistiquement légèrement différente, mais le dessin recouvre les inscriptions. Je remercie Mme Miriam Stewart (Assistant Curator of Drawings, Fogg Art Museum, Harvard Univerity Art Museums, Cambridge) d'avoir bien voulu vérifier pour nous le dessin.
10. Rearick, 1995, p. 140 et 2001, p. 166-168. Nous verrons plus loin que l'esquisse de Lille a été diminuée en hauteur. Cependant on ne peut soutenir que les pendentifs auraient pu y apparaître auparavant (comme ils apparaissent dans l'esquisse de Tintoret au Louvre) puisque deux d'entre eux encadrent le motif du Couronnement de la Vierge sur le dessin. Pour une idée analogue à la nôtre sur la chronologie dessin-esquisse cf. Pignatti, 1995, p. 390.
11. Cocke, 1984, n° 117, p. 275, repr. p. 274.
12. Cocke, 1984, n° 117, p. 275, repr. p. 277.
13. Cocke, 1984, p. 223, note 8, qui cite Ridolfi, 1648, p. 328.
14. Pour une hypothèse concernant le *modello* de ce tableau cf. note 20.
15. Date admise pour le tableau par Rearick et Cocke (1984, p. 276). Voir Sansovino, 1581, éd. Stringa, 1604, p. 190 b.
16. Canova, 1962, p. 88-89, fig. 147.
17. La publication de Girolamo Bardi en 1587 (p. 46) sur les tableaux nouvellement placés au palais des Doges prouve que l'on a cru longtemps que le projet Véronèse-Bassano aboutirait.
18. Ridolfi, 1648, p. 345.
19. L'esquisse signalée chez les *Caliari heredi di Paolo* par Gattinoni (1914, p. 42 n° 897) dans l'inventaire de la collection Caliari, le 4 août 1682, mesurait : 7 quarte sur 5 quarte, c'est-à-dire 1,09 sur 0,85 mètre. Ces dimensions ne correspondent pas à celles de l'esquisse de Lille, de plus elles sont inversées par rapport à son format ; pourraient-elles correspondre à celles d'un *modello* pour *Le Paradis* des Ognissanti dont le format est vertical ? Il existe une autre hypothèse pour l'esquisse cf. note 52.
20. Cocke, 1984, p. 223, note 3 (voir Lechi, 1968, p. 95). Le nom Rosini est écrit Rasini dans la note de Cocke; peut-être un lapsus confondant le nom du professeur Rosini avec celui du collectionneur milanais Comte Tito Rasini dont le dessin de Véronèse (autrefois Oppenheimer, aujourd'hui collection part.) est présenté dans l'exposition (cat. 10).
21. Lechi, 1968, p. 100.
22. *Ibidem*, p. 100.
23. On ne trouve aucune trace, semble-t-il, de l'esquisse du *Paradis* dans la collection Lechi par la suite… à moins qu'elle ne corresponde au «*bozzetto*» de Véronèse que Lechi céda à Giacomo Irvine de Bologne, en septembre 1827 (Lechi, 1968, p. 52).
24. Même si certains historiens ont écrit que les *modelli* des différents concurrents étaient semblables, ils ont des dimensions fort différentes : Véronèse H. 0,87 ; L. 2,34 m ; Bassano H. 1,27 ; L. 3,51 m ; Palma H. 1,25 ; L. 4,10 m ; Tintoret (Louvre) H. 1,43 ; L. 3,62 m ; Tintoret (Madrid) H. 1,64 ; L. 4,92 m.
25. Le musée de Lille confirme que le rentoilage est antérieur à l'entrée du tableau au musée. H. Foulard, 2002, p. 131 dit à tort que le tableau a été rentoilé le 1er août 1992.
26. Nous n'avons pas trouvé trace de l'affirmation contraire rapportée par H. Foulard, 2002, p. 131.
27. Wolters, 1987, p. 289.
28. Voir schéma sur l'aspect original du tableau (figure C).
29. Toutes les photographies publiées du tableau jusqu'à ce jour sont inexactes car elles ont toujours été prises sans le décadrer.
30. Rioux, 1992, p. 110.
31. Boschini, 1660, p. 181.
32. Boschini, 1664, p. 569-570.
33. Rearick, 1988, p. 103.
34. Rioux, 1992, p. 142-143.
35. Pignatti, 1992, n° 28, p. 56. Le compartiment central du plafond de la salle de la Boussole est au Louvre (*Saint Marc couronnant les Vertus*). Le style des *Histoires romaines* rappelle Giulio Romano et la culture antiquisante mantouane.
36. Rearick, 2001, p. 168.
37. Béguin, 1990, p. 219. Pour des observations plus fines sur la technique de Véronèse cf. Rearick, 1988, et 1989.
38. Lorenzi, 1960, p. 180 ; Rearick, 2001, p. 129.
39. Moschetti, 1904, p. 394, 397.
40. Flores d'Arcais, 1965, p. 72-73.
41. Levi d'Ancona, 1967, p. 41.
42. Delumeau, 2000, III, p. 127-131.
43. C'est peut-être le nom de la rose, plutôt que sa couleur, qui a influencé le choix de Véronèse car la Vierge est plutôt symbolisée par une rose rouge.
44. Delumeau, 2000, III, p. 149.
45. Pour des exemples de techniques comparables dans le processus de l'élaboration d'une œuvre, voir par exemple la salle de l'Anticollegio, vers 1582, cf. Rearick, 1988, p. 104.
46. Cette disposition fait penser à une évocation des limbes.
47. Pour l'identification de quelques figures, voir la notice du dessin du Fogg Art Museum (cat. 8).
48. Wolters, 1987, p. 289. Peut-être a-t-il confondu avec la femme couronnée d'étoiles de l'Apocalypse dont Réau (tome I, 1957, p. 622) remarque qu'elle a servi de prototype à la reine des Cieux. L'analogie de la forme de ces «boules» avec les têtes des chérubins et des séraphins dans le tableau des Ognissanti (Venise, Académie) est vraiment frappante.
49. Réau, 1957, I, p. 623.
50. Cette remarque ne vise évidemment que le thème du Couronnement de la Vierge.
51. Ridolfi, 1648, II, p. 61, (*Poiché essendosi veduti molti modelli, con forme gli affetti erano anco diversi i pareri per quella elettione*). Rearick, 1995, p. 140, surévalue, probablement, l'enthousiasme du jury quand il découvrit les projets de Véronèse pour le plafond et le mur.
52. Rearick, 1988, p. 104, suppose, d'une manière plausible, que Véronèse exécuta plusieurs *modelli*, qui sont perdus, un pour le concours de 1582, (qui n'est évidemment pas l'esquisse de Lille), peut-être encore un autre en collaboration avec Bassano et un troisième en vue de l'exécution de la toile. À propos de ce dernier et ultime *modello*, étant donné que la part revenant à Véronèse était limitée à la

Trinité et au groupe des élus au dessous d'elle, son format pourrait aussi correspondre à celui de l'esquisse de l'inventaire de 1682 (voir note 19) pour laquelle nous avons proposé une autre hypothèse (cf. notes 6 et 20).

53. Rearick, (1988, p. 104) a remarqué le caractère particulier du tableau de Lille et hésite donc à l'associer au concours de 1582: cependant en 2001 (p. 168) il l'appelle encore *modello*. Pignatti le considère comme un moment du processus de création du *modello* (1991, n° 117, p. 250), une idée à laquelle nous étions parvenus dés 1988 (publié en 1990, p. 219).
54. Fiocco, 1928.
55. Cocke, 1984, n° 90, 90 v., p. 212-213; Rearick, 1988, n° 41, 42, p. 79-80 (Angleterre, collection privée; Oxford, Ashmolean Museum); Cocke, 1984, n° 91, p. 214-215; Rearick, 1988, n° 40, p. 77-78 (Cassel, Staatliche Kunstammlungen); Cocke, 1984, n° 92-93, p. 216-219, Rearick, 1988, n° 44, 45, p. 81-84 (Munich, Staatliche Graphische Sammlung; Vienne, Albertina).
56. Cocke, 1984, n° 88, p. 208-209; Rearick, 1988, n° 37, p. 75-76.
57. *A chi non è venuto in mente, indagando la vivezza inaudita del suo pennello, la chiarità dei colori degli impressionisti, del resto gli innamorati più naturali e fedeli di Paolo? E non si è sentito spinto di parlare di certe invenzioni più tecniche che di vera arte, quali il complementarismo e il divisionismo? Accostamenti tutti in cui c'è un fondo di verità, perché anche molti dei pittori francesi del settanta furono pittori a canto scoperto, come Paolo, e insegnino il Renoir e il Monet; amici delle tinte azzurrine, rosee, vive, di getto, e perché la pennellata di Veronese anticipa spesso le teorie dei divisionisti e le preoccupazioni del complementarismo. Ma nulla vi è nel pittore nostro di virtuoso, di meccanico, di complicato. Le sue stupefacenti invenzioni cromatiche nascevano dal solo istinto, senza progetti e senza calcolo*, Fiocco, 1928, p. 172, voir Marini, 1970, éd. française p. 13.
58. Pignatti, 1995, p. 12.
59. Longhi, 1946, p. 32 : *Agli occhi del Veronese [...] il mondo sciamava così, come in un arazzo sontuoso e lieve che per un alito di vento, sollevandosi dalla parete, cangi affatto colore. Ed era difficile con tali occhi veder passare, svariando, altro che trionfi ed apoteosi*, cité dans Marini, 1970, éd. française, p. 13.
60. Nous remercions Alain Tapié, directeur des musées de Lille, de nous avoir facilité l'étude du tableau de Lille et Donatienne Dujardin de son assistance.
61. W.R. Rearick même lecture; *Cerafin* (F. Borne); *Carubin* (M. dal Borgo et P. Scarpa).
62. W.R. Rearick, M. dal Borgo et P. Scarpa même lecture; *Dio e - madona* (F. Borne).
63. *S. Zjoans S:Gisape con spirito santo* (F. Borne); *S. Zuani S. Gisppi con spiriti dossà* (W.R. Rearick); *S. Zuanne S. Gisepe con angeli ch*[e] *sonà* (M. dal Borgo et P. Scarpa).
64. M. dal Borgo et P. Scarpa même lecture; *Ci li apostoli e evangelisti mezo* (F. Borne); *gli apostoli evangelisti in mezo* (W.R. Rearick).
65. F. Borne même lecture; *patriarchi e profeti a banda* (W.R. Rearick); *patriarchi e profeti p*[er] *banda* (M. dal Borgo et P. Scarpa).
66. M. dal Borgo et P. Scarpa même lecture; *pontifici e conferori e dottori ed episcopali* (F. Borne); *pontifici e confesori e dottori et episcopi* (W.R. Rearick).
67. M. dal Borgo et P. Scarpa même lecture; *martiri ei eremiti sacerdoti christi* (F. Borne); *marteri et erimiti et... esti* (W.R. Rearick).
68. F. Borne même lecture; *vergini e vidue* (W.R. Rearick); *verzini e vedoe* (M. dal Borgo et P. Scarpa).
69. M. dal Borgo et P. Scarpa même lecture; *inconsolite beatti intorno* (F. Borne); *con anzoli ed alli* [?] *atorno* (W.R. Rearick).
70. W.R. Rearick même lecture; *Giosua* (F. Borne); *Golat* (M. dal Borgo et P. Scarpa).
71. M. dal Borgo et P. Scarpa même lecture; *S. Bartolomi* (F. Borne); *S. bortilamio* (W.R. Rearick).
72. W.R. Rearick même lecture; *Partian* (F. Borne).
73. W.R. Rearick même lecture; *c S. theodoro* (F. Borne); *S. Todero* (M. dal Borgo et P. Scarpa).
74. F. Borne, M. dal Borgo et P. Scarpa même lecture; *Christo e la madoa* (W.R. Rearick).
75. M. dal Borgo et P. Scarpa même lecture; *S Apostilli Sn Gioseph* (F. Borne); *S. Z battista S. Giosepe* (W.R. Rearick).
76. W.R. Rearick même lecture; *li evangelisti e a banda ogli apostolic* (F. Borne); *evanzilisti per banda* (M. dal Borgo et P. Scarpa).
77. M. dal Borgo et P. Scarpa même lecture; *patriarchie e profetti e banda* (F. Borne); *patriarchi e profetti e abanda* (W.R. Rearick).
78. M. dal Borgo et P. Scarpa même lecture; *pontifici e confesori e dottori* (F. Borne); *pontifici et confissori e dotori* (W.R. Rearick).
79. F. Borne et W.R. Rearick même lecture; *sacerdoti e christo* (M. dal Borgo et P. Scarpa).
80. *virgini e vidoré* (F. Borne); *vergini et vidui* (W.R. Rearick); *virzini e vidue* (M. dal Borgo et P. Scarpa).
81. Nous remercions Mme Miriam Stewart (Assistant Curator of Drawings, Fogg Art Museum) d'avoir vérifié pour nous les particularités techniques du dessin.

Le *Paradis* de Francesco Bassano
Jean Habert

1. Voir à ce propos, Kagané, 1998, p. 286, 300, note 27.
2. Bardi, 1587, p. 41; Ridolfi, 1648, p. 398 et suiv.; Dal Pozzo, 1718; Verci, 1775, p. 178-179.
3. Magagnato-Passamani, 1978, p. 30-31, n° 18.
4. Artemieva, cat. exp. Bassano del Grappa et Barcelone 2001, p. 122-123 n° 37.
5. Je remercie Guillaume Nicoud pour les renseignements concernant les archives et les catalogues du musée de l'Ermitage.

Les deux esquisses de Tintoret pour le *Paradis*
Jean Habert

1. Dal Pozzo, 1718; Maffei, 1732; Cochin, 1758; Goethe, 1786; voir aussi Franzoni, 1970.
2. Pallucchini, Rossi [1982] 1990.
3. Schulz, 1979 et 1980; Pallucchini, Rossi, [1982] 1990.
4. Schulz, 1962.
5. Schulz, 1980, p. 123, fig. 15.
6. Goethe, 1786, éd. 1976, p. 62-63 (*Ein sogenanntes Paradies von Tintorett, eigentlich aber die Krönung der Maria zur Himmelskönigin in Gegenwart aller Erzväter, Propheten,*

Apostel, Heiligen, Engel, u.s.w., eine Gelegenheit, den ganzen Reichtum des glücklichen Genies zu entwickeln. Leichtigkeit des Pinsels, Geist, Mannigfaltigkeit des Ausdrucks, dies alles zu bewundern und sich dessen zu erfreuen, müsste man das Stück selbst besitzen und es zeitlebens vor Augen haben. Die Arbeit geht ins Unendliche, ja die letzten in der Gloria verschwindenden Engelsköpfe haben noch Charakter. Die grössten Figuren mögen einen Fuss noch sein, Maria und Christus, der ihr die Krone aufsetzt, etwa vier Zoll. Die Eva ist doch das schönste Weibchen auf dem Bilde und noch immer von alters her ein wenig lüstern.)

7. Wolters, 1983, 1987; Rearick, [1994] 1996.
8. von der Bercken, 1942, p. 134, nº 568; De Vecchi, 1970, p. 130-131, nº 275 et Rossi [1982] 1990, p. 230, nº 456.
9. Voir notamment Thode, 1901, p. 121 et suiv.; Madrazo, 1884 (copie peinte pour Philippe II vers 1588, mais jamais envoyée); Soulier, 1920, p. 376-378, repr. p. 375 (copie d'atelier); Pittaluga, 1921, p. 96; von der Bercken et Mayer, 1923, I, p. 30, 223, 225 (copie libre, peut-être espagnole, d'après une esquisse disparue pour le tableau de Venise); Pittaluga, 1925, p. 210-211, 231 (réplique d'un imitateur); von der Bercken, 1942, p. 115, nº 203; Coletti, 1944, p. 36, 44 (copie d'atelier d'après le tableau de Venise); Tietze, 1948, p. 354, 366 (pas de Tintoret, mais d'un imitateur); Tietze, 1951, p. 61, note 1 (copie d'après le tableau de Venise); Tietze, 1958, p. 354 (copie d'après le tableau de Venise avec quelques variantes); Tolnay, 1970, p. 107, fig. 142, p. 110, note 12 (copie espagnole); De Vecchi, 1970, p. 138, nº G 9, éd. française 1971, p. 132 (pas de Tintoret); Sinding-Larsen, 1974, p. 11 (Tintoret et atelier); Pallucchini, Rossi, [1982] 1990, t. I, p. 233, cité au nº 465, p. 247, nº A 61, t. II, p. 656, fig. 685 (réplique avec variantes par l'école).
10. Voir cat. exp. Florence 1933. Acquis par la Cassa di Risparmio di Venezia à Londres en 1966 (cat. vente p. 41, nº 77) et restauré en 1985. Probablement le tableau mentionné par Cicogna, 1840, p. 25-26, au palais Mocenigo. Publié par Charles de Tolnay, 1970b, p. 107, fig. 143, et p. 110, note 12 (peut-être réplique du tableau du Prado). Voir aussi Rossi, 1980, p. 83, nº 39 (Tintoret ?); Pallucchini, Rossi, [1982] 1990, t. I, p. 233, cité au nº 465, p. 256, cité au nº A 123, t. II, p. 694, fig. 11a (peut-être Domenico Tintoretto, dont on disait au palais Mocenigo que c'était l'autoportrait en bas vers la droite : le tableau serait-il un *ricordo* rapidement brossé de la toile finale ?); et Mazza, [1994] 1996, p. 86, 88, note 39. Coletti, 1944, p. 44 écrit qu'il y aurait une autre copie du tableau définitif à Liverpool.
11. Ridolfi, 1648, éd. von Hadeln, 1924, II, p. 61; Dal Pozzo, 1718, p. 281; Cochin, 1758, éd. 1991, p. 202-203; Goethe, 1786, éd. 1976, p. 62-63; Maffei, 1826, IIIe partie, chap. VII, col. 212; Franzoni, 1970, p. 65, 77-78, nº 8, fig. 44; G.B., 1973, p. 14; Biadego et Avena, 1906, p. 73).
12. Restauré en 1930 et 1974. Publié par Giovanna Nepi Scirè, 1974, p. 246-248 (Tintoret et atelier). Voir Rossi, 1980, p. 83, nº 39, repr. coul. p. 13 (Tintoret ?); Pallucchini, Rossi [1982] 1990, t. I, p. 233, cité au nº 465, p. 256, A 123, t. II, p. 686, fig. 745 (pas Tintoret, plutôt une réplique pour un particulier); Mason Rinaldi, 1984, p. 92, nº 146; Mazza, [1994] 1996, p. 89, doc. 2 et 3, repr. p. 305 (Tintoret et atelier); et cat. exp. Venise, 2004, p. 194-195, nº 6, notice par Barbara Mazza Bocazzi.

Les études de Tintoret pour le *Paradis*
Catherine Loisel

1. Rearick, 2004.
2. Rearick, 2001, p. 162-163, fig. 82, p. 226, note 242.
3. Rearick, 2001, p. 119, fig. 54.
4. Rearick, dans cat. exp. Paris, 1993, nº 240.
5. Rossi, 1975, p. 24 et fig. 75.
6. 12953F; Palluchini-Rossi, [1982] 1990, cité sous le nº 168, p. 167.
7. Rearick, 2001, p. 170-173 et fig. 86-87.
8. Rossi, 1975, p. 34-36, 44, 58 et fig. 51 à 53.
9. Pallucchini Rossi, [1982] 1990, I, p. 182-183, nº 237, II, fig. 308.

Bibliographie

Expositions

1798, Paris
Musée du Louvre (salon Carré), *Notice des principaux tableaux recueillis en Italie par les commissaires du gouvernement français, seconde partie, comprenant ceux de l'État de Venise et de Rome*, Paris, s.d. [1798]
1918, Valenciennes
Musée des beaux-arts, *Kunstwerke aus dem Besetzen Nordfrankreich ausgestellt im Museum zu Valenciennes* (Erich Biehahn), Munich, 1918
1933, Florence
Galleria Bellini, *Collezione del Palazzo dei dogi Mocenigo di S. Samuele a Venezia di proprietà del Conte Andrea di Robilant*, Florence, 1933 (cat. de vente)
1935, Paris
Petit Palais, *L'Art italien de Cimabuè à Tiepolo* (Paul Jamot, Seymour de Ricci), Paris, 1935
1945, Paris
Musée du Louvre, *Chefs-d'œuvre de la peinture du musée du Louvre*. Paris, 1945
1955, Londres
The Arts Council, *British Watercolours and Drawings from the Gilbert Davis Collection* (Gilbert Davis), Londres, 1955
1956, Florence
Gabinetto Disegni e Stampe degli Uffizi, *Mostra di disegni di Jacopo Tintoretto e della sua scuola* (Anna Forlani), Florence, 1956
1958, Venise
Fondation Giorgio-Cini, *Disegni veneti di Oxford* (K. T. Parker), Venise, 1958
1958, Florence
Gabinetto Disegni e Stampe degli Uffizi, *Mostra di disegni di Jacopo Palma il Giovane* (Anna Forlani), Florence, 1958
1959, Londres
756 Princes Gates, *Italian Paintings and Drawings at 56 Princes Gate London SW7* (Anton von Seilern), Londres, 1959
1964, Berlin
Staatliche Schlösser und Gärten, château de Charlottenburg, *Meisterwerke aus dem Museum in Lille* (Albert Chatelet), Berlin, 1964
1965-1966, Paris
Petit Palais, *Le XVIe Siècle européen. Peintures et dessins dans les collections publiques françaises* (Adeline Cacan de Bissy, Michel Laclotte), Paris, 1965
1966, Londres
Sotheby's, *Important Old Masters Paintings*, Londres, 1966
1969, Paris
Musée du Louvre, *Dessins de Taddeo et Federico Zuccaro*, XLIIe exposition du Cabinet des dessins (John A. Gere), Paris, 1969
1974-1975, Washington Fort-Worth-Saint Louis
Washington, National Gallery of Art, Fort Worth, Kimbell Art Museum, Saint Louis, Museum, *Venetian Drawings from American Collections. A Loan Exhibition* (Terisio Pignatti), Washington, International Exhibitions Foundation, 1974
1976, Los Angeles
County Museum of Art, *Old Master Drawings from American Collections* (Ebria Feinblatt), Los Angeles, 1976
1978, Rome
Gabinetto Nazionale delle Stampe, *Immagini dal Veronese. Incisione dal sec. XVI al XIX dalle collezioni del Gabinetto Nazionale delle Stampe* (Piero Ticozzi), Rome, 1978
1979, Nice
Musée national du message biblique Marc Chagall, *L'Art religieux à Venise 1500-1600. Tableaux, dessins et gravures des collections publiques et privées en France* (Pierre Provoyeur), Paris, 1979
1979-1980, Los Angeles
County Museum of Art, *The Golden Century of Venetian Painting* (Terisio Pignatti, Kenneth Donahue)
1980, Venise
Palazzo Ducale, *Architettura e utopia nella Venezia del Cinquecento* (Lionello Puppi), Milan, 1980
1980, Vicence
Disegni veneti di collezioni inglesi (Julien Stock, présentation par Rodolfo Pallucchini, introduction par James Byam Shaw), Vicence, 1980
1982, New York
The Metropolitan Museum of Art, *15th and 16th Century Italian*

Drawings in the Metropolitan Museum of Art (Jacob Bean, Lawrence Turcic), New York, 1982
1983, Turin
Mole Antonelliana, *Arte e scienza per il disegno del mondo*, section 18, Milan, 1983
1983-1984, Londres
Royal Academy of Arts, *The Genius of Venice 1500-1600* (Jane Martineau, Charles Hope), Londres, 1983
1983-1984, Rotterdam
Musée Boijmans Van Beuningen, *Schilderkunst uit de eerste hand. Olieverfschetsen van Tintoretto tot Goya*, 1984, Brunswick, Herzog Anton Ulrich-Museum, *Malerei aus erster Hand. Ölskizzen von Tintoretto bis Goya* (Jeroen Giltaj), Rotterdam, 1983
1983-1984, Venise
Museo Correr, *Venezia nell'Ottocento. Immagini e mito* (Giuseppe Pavanello, Giandomenico Romanelli), Milan, 1983
1988, Venise
Fondazione Giorgio Cini, *Paolo Veronese. Disegni e dipinti*, Grafica veneta 5 (W. Roger Rearick), Vicence, 1988
1988-1989, Washington
National Gallery of Art, *The Art of Paolo Veronese 1528-1588* (W. Roger Rearick), Washington, 1988
1989-1990, Milwaukee-New York
Milwaukee, Art Museum, et 1990, New York, National Academy of Design, *Renaissance into Baroque. Italian Master Drawings by the Zuccari 1500-1600* (E. James Mundy), Cambridge University Press, Cambridge-Melbourne-New York-Port Chester-Sydney, 1989
1993, Paris
Grand Palais, *Le Siècle de Titien. L'âge d'or de la peinture à Venise* (Michel Laclotte), Paris, 1993 (2e éd. revue et corrigée)
1994, New York
The Metropolitan Museum of Art, *Sixteenth-Century Italian Drawings in New York Collections* (William M. Griswold, Linda Wolk-Simon), New York, 1994
1998-1999, Bruxelles
Masterpieces from the Hermitage (Irina Artemieva, Giuseppe Pavanello), Milan, 1998
2000, Cambridge
Massachusetts, Harvard University Art Museums (Fogg Art Museum), *A Decade of Collecting. Recent Acquisitions by the Harvard University Art Museums*, Cambridge, 2000 (Harvard University Art Museums Bulletin, *Prints and Drawings, Fogg Art Museum*)
2000-2001, Paris
Grand Palais, *Visions du Futur. Une histoire des peurs et des espoirs de l'humanité* (Annie Caubet, Zev Gourarier), Paris, 2000
2001, Bassano del Grappa et Barcelone
Bassano del Grappa, Museo Civico, et Barcelone, Museu Nacional d'Art de Catalunya, *Cinquecento veneto. Dipinti dall'Ermitage* (Irina Artemieva), Milan, 2001
2002, Orléans
Musée des Beaux-Arts, *Pierre Brébiette (1589?-1642)* (P. Paola Pacht Bassani, introduction par Jacques Thuillier), Orléans, 2002
2004, Venise
Fondazione Giorgio-Cini, *Il Buono e il Cattivo Governo. Rappresentazioni nelle Arti dal Medioevo al Novecento* (Giuseppe Pavanello), Venise, 2004
2004, Paris
Bibliothèque nationale de France, *Abraham Bosse. Savant graveur (Tours vers 1604-Paris 1676)* (Sophie Joint-Lambert, Maxime Préaud), Paris, 2004

Sources

Manuscrits

Dichiaratione
Dichiaratione di tutte le Istorie, che si contengono nei quadri posti nuovamente nelle Sale dello Scrutinio e del Gran Consiglio del Palagio Ducale della Serenissima Repubblica di Vinegia..., Museo Civico Correr, Venise, Cicogna 105, publié par W. Wolters, 1966, p. 303-318.
Inventaire Fontebasso et Zugno
Inventaire rédigé par les peintres Francesco Fontebasso et Francesco Zugno, Archivio Statale di Venezia, Giudici del Proprio, Mobili, b. 376, cc. 6 seg., signalé par E. A. Cicogna, 1840 et publié par C. A. Levi, 1900, II, p. 230-236, qui ne mentionne pas la cote d'archives.
Inventario di una casa veneziana
Inventario di una casa veneziana del secolo XVII (La casa degli eccellenti Caliari eredi di Paolo il Veronese), éd. G. Gattinoni, Mestre, 1914.
Catalogue de l'Ermitage 1797-1850
Catalogue des tableaux, conservés dans la galerie impériale de l'Ermitage... rédigé... avec la participation de F.I. Labensky, commencé en 1797, dernières annotations en 1850 (manuscrit en russe; Archives du musée d'État de l'Ermitage, fonds I, opus VI-A, liasse n° 87).
Planat s.d.
Planat A., Catalogue des Tableaux Acquis sous le règne de sa Majesté Alexandre Ier (manuscrit en français; Archives du musée d'État de l'Ermitage, fonds I, opus VI, liasse n° 149), publication partielle par Liudmila Kagané, 1998.
Inventaire des tableaux de l'Ermitage 1859-1929
Inventaire des tableaux et des plafonds, conservés... dans la IIe section de l'Ermitage impérial, commencé en 1859, dernières annotations en 1929 (manuscrit en russe ; Archives du musée d'État de l'Ermitage, fonds I, opus VI-B, liasse n° 1).

Anonymes

***Ermitage impérial*, 1863**
Ermitage impérial. Catalogue des tableaux, Saint-Pétersbourg, 1863, n° 133 (en russe).
***L'Ambrosiana*, 1967**
L'Ambrosiana, Milan, 1967.

Acidini Luchinat, 1998-1999
Acidini Luchinat Cristina, *Taddeo e Federico Zuccari fratelli pittori del Cinquecento*, Milan-Rome, 2 vol., I, 1998, II, 1999.
Acidini Luchinat, 2001
Acidini Luchinat Cristina, « Federico Zuccari e Venezia », dans *Per l'arte. Da Venezia all'Europa. Studi in onore di Giuseppe Maria Pilo*, Mario Piantoni, Laura De Rossi éd., *Dall'Antichità al Caravaggio*, ARTE / Documento / Collezione di Storia e tutela dei Beni Culturali / Liber Extra VII, Venise, 2001, p. 236-237.
Arslan Wart, 1931
Arslan Wart Edoardo, *I Bassano*, Bologne, 1931.

Arslan Wart, 1935
Arslan Wart Edoardo, « Alcuni dipinti di Francesco e Leandro da Ponte », *Rivista del R. Istituto d'Archeologia e Storia dell'Arte*, 1935.
Arslan Edoardo, 1960
Arslan Wart Edoardo, *I Bassano*, Milan, 1960, 2 vol.
Aurigemma, 1995
Aurigemma Maria Giulia,« Lettere di Federico Zuccaro », *Rivista dell'Istituto nazionale d'archeologia e storia dell'arte*, IIIe s., XVIII, 1995, p. 207-246.

B.G.
« Collections et collectionneurs », *Gazette des Beaux-Arts*, mars 1973, p. 14 (« Chronique des Arts »).
Bacou, 1968
Bacou Roseline*, Dessins du Louvre. Ecole italienne*, Paris, 1968 (éd. anglaise, *Drawings in the Louvre. The Italian Drawings*, Londres, 1968).
Ballarin, 1973-1974
Ballarin Andreina, « Tavola sinotteca dei Dogi di Venezia, dei Podestà e dei Capitani di Vicenza nel sec. XVI », dans cat. exp. *Il gusto e la moda...*, Vicence, 1973-1974, p. 29-36.
Bardi, 1587
Bardi Girolamo, *Dichiaratione di tutte le Istorie che si contengono ne i quadri posti nouamente nelle Sale dello Scrutinio, & del Gran Consiglio, del Palagio Ducale della Serenissima Republica di Vinegia*, Venise, 1587 (2e éd. « con aggiunte »).
Bauer, 1999
Bauer H., « Artist's inventories and the language of the sketch », *The Burlington Magazine*, vol. CXLI, no 115-8, 11 sept. 1999.
Bazin, 1958
Bazin Germain, *Musée de l'Ermitage. Les grands maîtres de la peinture*, Paris, 1958.
Béguin, 1990
Béguin Sylvie, « Tableaux de Véronèse dans les Musées français », dans *Nuovi Studi su Paolo Veronese*, Massimo Gemin éd., Techné 8, Venise, 1990, p. 214-221.
Bell, 1914
Bell Charles Francis, *Drawings by the Old Masters in the Library of Christ Church, Oxford*, Oxford, 1914, 3 vol.
Benesch, 1965
Benesch Otto, *The Art of the Renaissance in Northern Europe*, [Cambridge, Harvard, 1947], Londres, 1965.
Benzoni, 1996
Benzoni Gino, « Verso il Paradiso », dans *Jacopo Tintoretto nel quarto centenario della morte*, Atti del Convegno Internazionale di Studi, Paola Rossi, Lionello Puppi éd. (Venise 24-26 novembre 1994), Università Ca' Foscari di Venezia, Dipartimento di storia e critica delle arti « Giuseppe Mazariol », Venise, 1996, p. 191-198.
Berchet, 1899-1900
Berchet Federico « La Sala del Maggior Consiglio nel Palazzo Ducale di Venezia », Atti del R. Istituto Veneto di Scienze, Lettere ed Arti, LIX, P. II, 1899-1900, p. 949-985.
von der Bercken, 1942
Bercken Erich von der, *Die Gemälde des Jacopo Tintoretto*, Munich, 1942.
von der Bercken et Mayer, 1923
Bercken Erich von der et Mayer August Ludwig, *Jacopo Tintoretto,* Munich, 1923, 2 vol.
Berenson, 1894
Berenson Bernard, *The Venetian Painters of the Renaissance*, New York-Londres, 1894 (deux autres éditions par la suite).
Berenson, 1907
Berenson Bernard, *North Italian Painters of the Renaissance*, New York, 1907.
Berenson, 1930
Berenson Bernard, *The Italian Painters of the Renaissance*, Oxford, 1930.
Berenson, 1932
Berenson Bernard, *Italian Pictures of the Renaissance. A List of the Principal Artists and their Works*, Oxford, 1932 (éd. italienne *Pitture Italiane del Rinascimento*, Milan, 1936).
Berenson, 1957
Berenson Bernard, *Italian Pictures of the Renaissance. A List of Principal Artists and Their Works with an Index of Places. Venetian School*, Londres, 1957, 2 vol. (éd. italienne *Pitture Italiane del Rinascimento. La scuola veneta*, Londres-Florence, 1958).
Bernheim et Stravrides, 1991
Bernheim Pierre Antoine et Stravrides Guy, *Paradis, Paradis*, Plon, Paris 1991 (trad. italienne: *Paradiso Paradisi*, Einaudi, Turin, 1994).
Biadego et Avena, 1906
Biadego Giuseppe et Avena Antonio, *Fonti della Storia di Verona nel periodo del Risorgimento (1796-1870)*, Vérone, 1906.
Blumer, 1936
Blumer Marie-Louise, « Catalogue des peintures transportées d'Italie en France de 1796 à 1814 », *Bulletin de la Société d'histoire de l'art français*, 1936, 2e fasc. (« Notes et Documents »).
Boisset, 1921
Boisset Jean-François, *La Renaissance italienne*, Paris, 1982 (« Tout l'art. Grammaire des styles »).
Borenius, 1921
Borenius Tancred, « A group of drawings by Paul Veronese », *The Burlington Magazine*, CCXIV, t. XXXVIII, 1921, p. 54-59.
Borghini, 1584
Borghini Raffaello, *Il Riposo*, Florence, 1584 (éd. M. Rosci, Milan, 1967).
Boschini, 1660
Boschini Marco, *La carta del navegar pitoresco*, Venise, 1660 (*fac simile* Filippi, Venise, 1965).
Boschini, 1664
Boschini Marco, *Le minere della pittura* (éd. F. Nicolini), Venise, 1664.
Boschini, 1674
Boschini Marco, *Le ricche minere della pittura veneziana*, Venise, 1674.
Both de Tauzia, 1883
Both de Tauzia Louis, *Notice des tableaux exposés dans les galeries du musée national du Louvre*, Ière partie, *Écoles d'Italie & d'Espagne*, Paris, 1883.
Bouchot, 1895
Bouchot Henri, *Le cabinet des Estampes de la Bibliothèque nationale. Guide du lecteur et du visiteur. Catalogue général et raisonné des collections qui y sont conservées*, Paris, 1895.
Boyer et Champion, 1955
Boyer Guy et Champion Jean-Loup, *Mille peintures des musées de France*, Paris, 1993.
Briganti, 1982
Briganti Giuliano, *Pietro da Cortona*, Florence, [1962] 1982.
de Brosses Président, 1987
de Brosses, Président, *Lettres d'Italie du Président de Brosses*, texte établi, présenté et annoté par Frédéric d'Agay, Paris, 1987, I,

Lettre XVII... Mémoire des principaux tableaux de Venise avec de courtes remarques.
Byam-Shaw, 1976
Byam-Shaw James, *Drawings by Old Masters at Christ Church Oxford*, Oxford, 1976, I, *catalogue*, II, *planches*.
Byam-Shaw, 1985
Byam-Shaw James, « Veronese's drawing », *The Burlington Magazine*, 1985, p. 308-309.

Caliari, 1888
Caliari Pietro, *Paolo Veronese, sua vita e sue opere. Studi storico-estetici*, Rome, 1888.
Canova, 1964
Canova Giordana, *Paris Bordon*, introduction de Rodolfo Pallucchini, Venise, 1964.
Cavalcaselle et Crowe, 1903-1924
Cavalcaselle Giovanni Battista et Crowe James Archer, *A History of Painting in North Italy*, Londres, 1903-1924, 6 vol. (L. Douglas, T. Borenius éd.).
Champlin et Perkins, 1887
Champlin John Denison, Perkins Charles, *Cyclopedia of Painters and Paintings*, New York, 1887, 4 vol.
Chatelet, 1970
Chatelet Albert, « Cent chefs-d'œuvre du musée de Lille », numéro spécial du *Bulletin de la Société des amis du musée de Lille*, Lille, 1970.
Chatelet, 1993
Chatelet Albert, « Dessins de maîtres anciens », *Christies's Magazine*, 1993, n° 19.
Cicogna, 1840
Cicogna Emmanuele Antonio, *Personaggi illustri della tirolese famiglia dei conti di Spaur richiamati alla memoria per celebrare le nozze Mocenigo-Spaur*, Venise, 1840.
Cipollato, 1942 a
Cipollato Angelo, « Die Widerherstellung des *Paradieses* von Tintoretto », *Pantheon* XXIX, juin 1942, p. 129-131.
Cipollato, 1942 b
Cipollato Angelo, « La Resurrezione del *Paradiso* del Tintoretto », *Le Tre Venezie*, XX, 1942, n° 5, p. 180-182.
Cloulas, 1968
Cloulas Annie, « Les Peintures du grand retable au monastère de l'Escurial », *Mélanges de la Casa Vélasquez*, 1968, p. 173-183.
Cochin, 1991
Cochin Charles-Nicolas, *Voyage d'Italie ou Recueil de notes sur les ouvrages d'Architecture, de Peinture et de Sculpture que l'on voit dans les principales villes d'Italie*, Paris, 1758, éd. Ch. Michel, *Le voyage d'Italie de Charles-Nicolas Cochin (1758)*, Rome, 1991.
Cocke, 1984
Cocke Richard, *Veronese's Drawings. A Catalogue Raisonné*, Londres, 1984.
Coffin, 1951
Coffin David, « Tintoretto and the Medici Tombs », *The Art Bullettin*, 33, juin 1951.
Coletti, 1940
Coletti Luigi, *Il Tintoretto*, Bergame, 1940; 2e éd. Bergame, 1944; 3e éd., Bergame, 1951.
Colvin, 1903-1907
Colvin Sidney, *Drawings of the Old Masters in the University Galleries and in the Library of Christ Church, Oxford*, Oxford, 1903-1907, 3 vol.
Communaux, 1914
Communaux Eugène, « Emplacements actuels des tableaux du musée du Louvre catalogués par Frédéric Villot (écoles d'Italie et d'Espagne) », *Bulletin de la Société de l'histoire de l'art français*, Paris, 1914.
Contarini, [vers 1542]
Contarini Pietro (q. domini Jo. Alberti), *Argo Volgar*, Venise s.d. [vers 1542], c. A VIII*r* et suiv. (description minutieuse de la fresque de Guariento).
Cothenet, 1960
Cothenet Édouard, *Paradis*, dans Louis Pirot, André Robert et Henri Cazelles éd., *Dictionnaire de la Bible. Supplément*, vol. VI, Paris, 1960, coll. 1177-1220.

Dalli Regoli, 1967
Dalli Regoli Gigetta, *Parigi Louvre*, Milan, 1967 (« Musei del Mondo »).
Dal Pozzo, 1718
Dal Pozzo Bartolomeo, *Le vite de' pittori, degli scultori ed architetti veronesi*, Vérone, 1718.
D'Amat, 1970
D'Amat Roman, *Dictionnaire de biographie française*, 18 vol., Paris, 1933-1994, XIII, 1970.
Dante, 1992
Dante Alighieri, *La Divine Comédie. Le Paradis. Paradiso*, traduction, introduction et notes de Jaqueline Risset, Paris, [1990] 1992.
Dantraique, 1989
Dantraique Pierre, *La Peinture vénitienne*, Neuchâtel, 1989 (« Ides et calendes »).
Deimel, 1925
Deimel J., « Wo lag das Paradis ? », *Orientalia*, 15, 1925, p. 44-45.
Delogu, 1953
Delogu Giuseppe, *Tintoretto. I grandi maestri del disegno*, Milan, 1953.
Delumeau, 1995 a
Delumeau Jean, *Le jardin des délices*, Fayard, Paris, 1995 (trad. italienne: *Il giardino delle delizie*, Mulino, Bologne, 1994).
Delumeau, 1995 b
Delumeau Jean, *Mille ans de bonheur*, Fayard, Paris 1995.
Delumeau, 2000
Delumeau Jean, *Une histoire du paradis*, Fayard, Paris, 2000, 3 vol. (3, *Que reste-t-il du Paradis?*) (tr. italienne: *Quel che resta del Paradiso*, Mondadori, Milan 2001).
De Vecchi, 1971
De Vecchi Pierluigi, *Tutta la pittura di Jacopo Tintoretto*, introduction par C. Bernari, Milan, 1970 (« Classici dell'Arte »); éd. française, *Tout l'œuvre peint de Tintoret*, introduction par S. Béguin, Paris, 1971 (« Les Classiques de l'Art »).
Dvorak, 1927-1929
Dvorak Max, *Geschichte der Italienischen Kunst im Zeitalter der Renaissance*, Munich, 1927-1929.

Ellero, 1987
Ellero Giuseppe, *L'Archivio IRE: inventari dei fondi antichi degli ospedali e luoghi pii di Venezia*, Venise, 1987.
Errandonea Alzugeren, 1996
Errandonea Alzugeren J., *Eden y Paradiso. Fondo cultural mesopotámico en el relato biblico de la creación*, Madrid, 1996.

Falchetti, 1969
Falchetti Antonia, *La Pinacoteca Ambrosiana*, Vicence, 1969.
Feinblatt, 1976
Feinblatt Ebria, cat. exp. *Old Master Drawings from American Collections*, Los Angeles County Museum of Art, 1976.

Ferrari, 1990
Ferrari Oreste, *Bozzetti italiani dal Manierismo al Barocco*, Naples, 1990.
Fiocco, 1928
Fiocco Giuseppe, *Paolo Veronese*, Bologne, 1928.
Fiocco, 1934
Fiocco Giuseppe, *Paolo Veronese*, s.l. [Rome], 1934.
Fiocco, 1942-1954
Fiocco Giuseppe, « Un capolavoro giovanile del Tintoretto nel Museo Civico di Padova », *Bollettino del Museo Civico di Padova*, XXXI-XLIII, 1942-1954.
Flores D'Arcais, 1965
D'Arcais Francesca Flores, *Guariento. Tutta la pittura*, Venise, 1965 (introduction de Sergio Bettini).
Fomitchova, 1974
Fomitchova Tamara Demianovna, « Venetian Painting of the Fifteenth to Eighteenth Centuries », *Apollo*, décembre 1974, p. 468-479.
Fomitchova, 1974
Fomitchova Tamara Demianovna,« I dipinti di Jacopo e dei figli Francesco a Leandro nella collezione dell'Ermitage », *Arte Veneta*, XXXV (1981), p. 86-94.
Fomitchova, 1992
Fomitchova Tamara Demianovna, *Musée d'État de l'Ermitage. Peintures de l'Europe de l'Ouest. Catalogue raisonné en 16 volumes*, II, *Peinture vénitienne. XIVe-XVIIIe siècle*, Florence, 1992 (en russe).
Forlani, 1956
voir cat. exp. 1956, Florence.
Fosca, 1929
Fosca François, *Tintoret*, Paris, 1929.
Foscari, 1979
Foscari Antonio, « Ricerche sugli *Accesi* e su *quest benedetto theatro* costruito dal Palladio in Venezia nel 1565 », *Notizie da Palazzo Albani*, VIII, 1979, n° 1, p. 68-83.
Foulard, 2002
Foulard Hélène, *Catalogue raisonné des peintures italiennes du Cinquecento au Palais des beaux-arts de Lille*, Mémoire de maîtrise d'histoire de l'art moderne, sous la dir. de S. Raux-Carpentier, université des sciences humaines-lettres et arts, Lille, sept. 2002.
Franzoni, 1970
Franzoni Lanfranco, *Per una storia del collezionismo. Verona: la Galleria Bevilacqua*, Milan, 1970.
Fries, 1996
Fries Gerhard, « Brébiette, Pierre », dans *Allgemeines Künstler-Lexicon*, 14, Munich-Leipzig, 1996, p. 44-45.
Frey, 1932
Frey J. B., « La vie de l'au-delà dans les conceptions juives au temps de Jésus-Christ », dans *Biblica*, 13, 1932, p. 129-168.
Frey, 1930
Frey Karl, *Der literarische Nachlass Giorgio Vasaris*, Munich, 2 vol., I, 1923, II, 1930 [*fac simile*, Hildesheim-New York, 1982].
Frizzoni, 1893
Frizzoni Gustavo « I capolavori della pinacoteca del Prado in Madrid. V. I pittori italiani della scuola veneta », *Archivio Storico dell'Arte*, VI, 1893.
Furlan, 1996
Furlan Caterina, « La fortuna di Michelangelo a Venezia nella prima metà del Cinquecento », dans *Jacopo Tintoretto nel quarto centenario della morte*, Atti del Convegno Internazionale di Studi, Paola Rossi, Lionello Puppi éd. (Venise 24-26 novembre 1994), Università Ca' Foscari di Venezia, Dipartimento di storia e critica delle arti « Giuseppe Mazariol », Venise, 1996, p. 19-25.

Gattinoni, 1914
voir *Liste des manuscrits*.
Gimpel, 1963
Gimpel René, *Journal d'un collectionneur*, Paris, 1963.
Gnoli, 1976
Gnoli Umberto, « L'arte italiana in alcune gallerie francesi di provincia », *Rassegna d'Arte*, 1908.
Goethe, 1976
Goethe Johann Wolfgang, *Italienische Reise*, Vérone, éd. Insel Taschenbuch 175, Francfort-Leipzig, 1976.
Goldner, 1981
Goldner George R., « A Baptism of Christ by Veronese in the Getty Museum », *The J. Paul Getty Museum Journal*, vol. 9, 1981, p. 111-126.
Gould, 1965
Gould Cecil, *Trophy of Conquest. The Musée Napoléon and the Creation of the Louvre*, Londres, 1965.
Grelot, 1967
Grelot Pierre, « Aujourd'hui tu seras avec moi dans le Paradis » (Luc XXIII, 43), dans *Revue biblique*, 74, 1967, p. 194-214.
Gruyer, 1891
Gruyer François-Anatole, A, *Voyage autour du salon Carré au musée du Louvre*, Paris, 1891.

Habert, 1994
Habert Jean, « Jacopo Robusti dit Tintoret (1518-1594). *Le Couronnement de la Vierge* dit *Le Paradis*. Détail de la partie centrale », notice dans *Musiques au Louvre* (ouvrage offert à Michel Laclotte), Paris, 1994, p. 74-75.
Habert, 2002
Habert Jean, « La peinture vénitienne du XVIe siècle dans les collections royales, de François Ier à Louis XIV », dans *Venise en France. La fortune de la peinture vénitienne. Des collections royales jusqu'au XIXe siècle*, Actes de la journée d'étude Paris-Venise, G. Toscano éd., (École du Louvre, 5 février 2002), École du Louvre et Istituto Veneto di Scienze, Lettere ed Arti, p. 15-38 (« Rencontres de l'École du Louvre »).
von Hadeln, 1911
von Hadeln Detlef, « Caliari, Benedetto, Carlo, Gabriele, Paolo », *Allgemeines Lexicon der bildenden Künstler*..., V, Leipzig, 1911, p. 390-397.
von Hadeln, 1919
von Hadeln Detlef « Die Vorgeschichte von Tintorettos Paradies im Dogenpalast », *Jahrbuch der Preussischen Kunstsammlungen* XL, 1919, p. 119-125.
von Hadeln, 1925
von Hadeln Detlef, « Drawings by Paolo Veronese », *The Burlington Magazine*, XLVII, décembre 1925, p. 298-305.
von Hadeln, 1926
von Hadeln Detlef, *Venezianische Zeichnungen des Spätrenaissance*, Berlin, 1926.
von Hadeln, 1928
von Hadeln Detlef, « Pictures left from Veronese in his studio », *The Burlington Magazine*, LIII, 1928, p. 3-4.
Hauser, [1965]
Hauser Arnold, *Il manierismo: la crisi del Rinascimento e l'origine dell'arte moderna*, Turin, [1965].

Hautecœur, 1926
Hautecœur Louis, *Musée national du Louvre. Catalogue des peintures exposées dans les galeries.* II. *École italienne et école espagnole*, Paris, 1926.
Heikamp, 1958
Heikamp Detlef, « Ancora su Federico Zuccari », *Rivista d'Arte*, XXXIII, 1958, p. 45-50.
Heikamp, 1958
Heikamp Detlef, *Scritti d'arte di Federico Zuccaro*, « Fonti per lo studio della storia dell'arte inedite o rare », I, Florence, 1961.
Heikamp, 1958
Heikamp Detlef, « Federico Zuccari a Firenze 1575-1579 », *Paragone*, 205, mars 1967.
Hochmann, 2004
Hochmann Michel, *Venise et Rome 1500-1600: deux écoles de peinture et leurs échanges*, « Hautes études médiévales et modernes », 85, Genève, 2004.
Holborn, 1907
Holborn Stoughton, *Jacopo Robusti*, Londres, 1907.
Huber, 1979
Huber J., « Franceso Podesti. Zum Werk eines römischen Malers des 19. Jahrhunderts », *Storia dell'Arte*, n° 36-3, 1979, p. 253-268.
Humfrey, 1998
Humfrey Peter,« Venezia 1540-1600 », dans *La pittura nel Veneto. Il Cinquecento*, Milan, 1998.
Huse et Wolters, 1986
Huse Norbert et Wolters Wolfgang, *Die Kunst der Renaissance: Architektur, Skulptur, Malerei 1460-1590*, Munich, 1986.

Ingersoll-Smouse, 1927
Ingersoll-Smouse Florence, « L'Œuvre peint de Paul Véronèse en France », *Gazette des beaux-arts*, LXIX, II, 1927, p. 211-235.
Ingersoll-Smouse, 1928
Ingersoll-Smouse Florence, « L'Œuvre peint de Paul Véronèse en France », *Gazette des beaux-arts*, LXX, II, 1928, p. 25-48.
Ivanoff et Zampetti, 1980
Ivanoff Nicola et Zampetti Pietro, « Giacomo Negretti detto Palma il Giovane » dans *I Pittori Bergamaschi*, III, *Il Cinquecento*, Bergame, 1979 (extrait, Bergame, 1980).

Jacobsen, 1902
Jacobsen Emil, « Italienische Gemälde im Louvre », *Repertorium für Kunstwissenschaft*, XXV, 1902.
Jedin, 1949
Jedin Hubert, *Storia del Concilio di Trento*, Brescia, 1949.
Jedin, 1967
Jedin Hubert, « Venezia e il Concilio di Trento », *Vita religiosa a Venezia nel 1500 e nel 1600* (conférence pronononcée à la Fondation Cini, 1967).
Jeremias, 1974
Jeremias Joachim, « Parádeisos », in G. Kittel et G. Friedrich, *Grande lessico del Nuovo Testamento*, vol. IX, Brescia, 1974, coll. 577-600.

Kagané, 1997
Kagané Liudmila, « Le rôle de Dominique Vivant-Denon dans l'acquisition des tableaux destinés à l'Ermitage », dans *L'Ermitage. Lectures en mémoire de V. F. Levinson-Lessing (12 mars 1893 – 27 juin 1972)*, comptes rendus résumés, Saint-Pétersbourg, 1997, p. 3-6.
Kagané, 2001
Kagané Liudmila, « Denon et la Russie: intermédiaire pour l'Ermitage impérial », dans *Les Vies de Dominique Vivant-Denon*, Actes du colloque musée du Louvre, 8-11 décembre 1999, Daniela Gallo éd., Paris, 2001, p. 279-324.

Laclotte, 1989
Donateurs du Louvre (les), cat. exp. Paris, musée du Louvre, 1989.
Laclotte et Cuzin, 1979
Laclotte Michel et Cuzin Jean-Pierre, *Favourite Old Master Paintings from the Louvre Museum*, Paris, New York, 1979.
Lafenestre et Richtenberger, 1895-1905
Lafenestre Georges et Richtenberger Eugène, *La Peinture en Europe,* XXIV, *Venise,* 1895-1905.
Lafenestre et Richtenberger, 1902
Lafenestre Georges et Richtenberger Eugène, *La Peinture en Europe,* XVI, *Le Louvre*, 1902.
Lanckoronska, 1932
Lanckoronska Charlotte, « Le Paradis de Tintoret », *Société savante des sciences et des lettres de Léopol* (Lemberg), 1932, p. 35 et suiv.

Lanzi, 1795-1796
Lanzi Luigi, *Storia Pittorica della Italia*, Bassano, 1795-1796.
Lechi, 1968
Lechi Fausto, *I quadri delle collezioni Lechi in Brescia*, Florence, 1968.
Levi, 1900
Levi Cesare Augusto, *Le collezioni veneziane d'arte e antichità dal secolo XIV ai nostri giorni*, Venise, 1900.
Levi D'Ancona, 1967
Levi D'Ancona Mirella, « Giustino del fu Gherardino da Forli e gli affreschi perduti del Guariento nel Palazzo Ducale di Venezia », *Arte Veneta,* XXI, 1967, p. 34-44.
Levinson-Lessing, 1958
Levinson-Lessing Vladimir Frantzevich, *Musée d'État de l'Ermitage. Département de l'art de l'Europe de l'Ouest. Catalogue des peintures*, Léningrad-Moscou, 1958, I (en russe).
Levinson-Lessing, 1976
Levinson-Lessing Vladimir Frantzevich, *Musée d'État de l'Ermitage. Peinture de l'Europe de l'Ouest. Catalogue*, I, *Italie, Espagne, France, Suisse*, Léningrad, 1976 (en russe).
Levinson-Lessing, 1986
Levinson-Lessing Vladimir Frantzevich, *Histoire de la galerie de tableaux de l'Ermitage*, Léningrad, [1985] 1986 (2e éd. annotée et corrigée par L. Kagané).
Liphart, 1913
Liphart E., « Reisendrücke », *Zeitschrift für bildende Kunst*, N.F. XXIV, 1913.
Loire, 2004
Loire Stéphane, « Les acquisitions de peinture vénitienne par les musées français au XIXe siècle et au début du XXe siècle (1798-1940) », dans *Venise en France: la fortune de la peinture vénitienne, des collections royales jusqu'au XIXe siècle*, actes de la journée d'étude Paris-Venise, École du Louvre, 5 février 2002, GennaroToscano éd., Paris, 2004, p. 165-192 (« Rencontres de l'École du Louvre »).
Longhi, 1946
Longhi Roberto, *Viatico per cinque secoli di pittura veneziana*, Florence, 1946.
Lorenzetti, 1956
Lorenzetti Giulio, *Venezia e il suo estuario*, 1ère éd. Venise-Milan-Rome-Florence, 1926; 2e éd. Rome, 1956.

Lorenzi, 1868
Lorenzi Giambattista, *Monumenti per servire alla Storia del Palazzo Ducale di Venezia ovvero serie di atti pubblici dal 1253 al 1797 che variamente lo riguardano, tratti dai veneti archivii e coordinati*, I, *dal 1253 al 1600*, Venise, 1868.
Lugt, 1921
Lugt Frits, *Marques de collections de dessins et d'estampes*, Amsterdam, 1921.

Madrazo, 1884
de Madrazo Pedro, *Viaje artistico de tres siglos por las colleciones de cuadros de los reyes de Espana*, Barcelone, 1884.
Maffei, 1826
Maffei Scipione, *Verona Illustrata*, Milan, 1826.
Magagnato et Passamani, 1978
Magagnato Licinio et Passamani Bruno, *Il Museo Civico di Bassano del Grappa. Dipinti dal XIV al XX secolo*, Vicence, 1978.
Marini, 1970
Marini Remigio, *Tutta la pittura di Paolo Veronese*, Milan, 1968 (éd. française *Tout l'œuvre peint de Véronèse*, Paris, 1970, introduction par S. Béguin).
Mason Rinaldi, 1972
Mason Rinaldi Stefania, « Disegni preparatori per dipinti di Jacopo Palma il Giovane », *Arte Veneta*, XXVI, 1972, p. 92-112.
Mason Rinaldi, 1975
Mason Rinaldi Stefania, « Tre momenti documentati dell'attività di Palma il Giovane », *Arte Veneta*, XXIX, 1975, p. 197-204.
Mason Rinaldi, 1980 a
Mason Rinaldi Stefania, « Storia e mito nei cicli pittorici di Palazzo Ducale », dans cat. exp. *Architettura e Utopia nella Venezia del Cinquecento* (Lionello Puppi), Venise, 1980, 1, p. 80-81.
Mason Rinaldi, 1980 b
Mason Rinaldi Stefania, « Francesco Bassano e il soffitto del Maggior Consiglio in Palazzo Ducale », *Arte Veneta,* XXXIV, 1980, 2, p. 214-219.
Mason Rinaldi, 1984 a
Mason Rinaldi Stefania, *Palma il Giovane. L'opera completa*, Milan, 1984.
Mason Rinaldi, 1984 b
Mason Rinaldi Stefania, « Aspetti del modelletto a Venezia nel Secondo Cinquecento », dans *Beiträge zur Geschichte der Ölskizze*, Brunswick, 1984, p. 25-34.
Mason Rinaldi, 2000
Mason Rinaldi Stefania, « Il patriarca Francesco Vendramin committente e collezionista d'arte », dans *L'arte nella storia. Contributi di critica e storia dell'arte per Gianni Carlo Sciolla*, V. Terraroli, F. Varallo, L. De Fanti éd., Milan, 2000, p. 243-255.
Mayer, 1923
Mayer August Ludwig, « Tintoretto Drawings in the Louvre », *The Burlington Magazine*, XLIII (1923).
Mazza, 1995
Mazza Barbara, « *Paradiso, Giudizio o Incoronazione della Vergine* ? In margine a una mostra dell'IRE », *Venezia Arti*, 9, 1995, p. 126-129 (« Mostre. Spettacoli. Convegni »).
Mazza, 1996
Mazza Barbara, « Tracce dei Tintoretto nei fondi archivistici dell IRE », dans *Jacopo Tintoretto nel quarto centenario della morte*, Atti del Convegno Internazionale di Studi, Paola Rossi, Lionello Puppi éd. (Venise 24-26 novembre 1994), Università Ca' Foscari di Venezia, Dipartimento di storia e critica delle arti « Giuseppe Mazariol », Venise, 1996, p. 83-90 (« Quaderni di Venezia Arti », 3).
Meder, 1931
Meder Josef, « Tintorettos Erster Entwurf zum *Paradies* im Dogenpalast », *Die Graphischen Künste*, Vienne, LIV, 1931, fasc. 2/3, p. 75-82.
Meder, 1933
Meder Josef, « Tintorettos Erster Entwurf zum *Paradies* und Andere Zeichnungen Seiner Hand (Fortsetzung des Artikels im Jahrgang 1931, Heft 2/3) », *Die Graphischen Künste*, LVI, 1933, p. 1-6.
Michaud, 1855
Michaud J.-Fr., [L.G.], *Bibliographie universelle ancienne et moderne*, 46 vol., Leipzig, 1856-1866, XIII, 1855 (éd. française, Paris, 1998).
Mongan et Sachs, 1940
Mongan Agnes et Sachs Paul J., *Drawings in the Fogg Museum of Art*, Fogg Art Museum, Cambridge, Mass., 1940.
Moschetti, 1904
Moschetti Andrea, « Il *Paradiso* del Guariento nel Palazzo Ducale di Venezia », *L'Arte*, VII, 1904, p. 394-397.
Moschini, 1817
Moschini Giannantonio, *Guida per la città di Venezia*, Venise, 1817, 2 vol.
Nepi Sciré, 1974
Nepi Sciré Giovanna, « Un modelletto di Jacopo Tintoretto per il *Paradiso* di Palazzo Ducale », *Arte Veneta,* XXVIII, 1974, p. 246-248.
Nepi Sciré, 1994
Nepi Sciré Giovanna, « Renaissance Art », dans New History of World Art, t. 13, III, 1994.
Nichols, 1999
Nichols Tom, *Tintoretto. Tradition and Identity*, Londres, 1999.

Oehler, 1953
Oehler Lisa, « Eine Gruppe von Veronese Zeichnungen in Berlin und Kassel », *Berliner Museen*, 3, 1953, p. 27-36.
Olivier, Gernal et Roton, 1929
Eugène Olivier, Georges Gernal et R. de Roton, *Manuel de l'amateur de reliures armoriées françaises*, Paris, 1929, t. 16.
Osmaston, 1910
Osmaston F. P. B., *The Paradise of Tintoretto*, Bognor, 1910.
Osmaston, 1915
Osmaston F. P. B., *The Art and Genius of Tintoretto*, Londres, 1915, 2 vol.
Oursel, 1984
Oursel Hervé, *Le Musée des beaux-arts de Lille*, 1984.

Pacht, 2002
Pacht Bassani Paola, cat. exp. Orléans, Musée des beaux-arts, *Pierre Brébiette (1598?-1642)*, Orléans, 2002 (intr. de J. Thuillier).
Pallucchini, 1968
Pallucchini Anna, *Jacopo Tintoretto*, ad vocem *Le Muse*, Istituto Geo. de Agostini, Novare, 1968, XII.
Pallucchini, 1969
Pallucchini Anna, « Considerazioni sui grandi teleri del Tintoretto della Madonna dell'Orto », *Arte Veneta*, 1969.
Pallucchini, 1970
Pallucchini Anna, « L'abozzo del *Concilio di Trento* di Jacopo Tintoretto », *Arte Veneta*, XXIV, 1970.
Pallucchini, R. 1943
Pallucchini Rodolfo, *Veronese*, Bergame, 1943 (et rééd. en 1953 ?).

Pallucchini, R. 1944
Pallucchini Rodolfo, *La Pittura veneziana del Cinquecento*, Novare, 1944, 2 vol.
Pallucchini, R. 1949
Pallucchini, Rodolfo, « Studi sui disegni veneti », *Arte Veneta*, III, 1949.
Pallucchini, R. 1962-1963
Pallucchini Rodolfo, *Jacopo Tintoretto*, cours polycopié, Istituto di Storia dell'Arte, Università di Padova, Cattedra di Storia dell'Arte Moderna, années 1962-1963.
Pallucchini, R. 1965
Pallucchini Rodolfo, « Tintoretto », dans *Enciclopedia Universale dell'Arte*, XIII, Venise-Rome, 1965.
Pallucchini, R. 1966
Pallucchini Rodolfo, « Veronese Paolo », *Enciclopedia Universale dell'Arte*, XIV, Venise-Rome, 1966, p. 723-735.
Pallucchini, R. 1969
Pallucchini Rodolfo, *Tintoretto*, Florence, 1969.
Pallucchini, R. 1984
Pallucchini Rodolfo, *Veronese*, Milan, 1984, p. 183.
Palluchini et Rossi, 1982
Pallucchini Rodolfo et Rossi Paola, *Tintoretto. Le opere sacre e profane*, Milan, 1982, 2e éd. 1990, 2 vol.
Paoletti, 1968
Paoletti John T., « Hartford. The Italian School: Problems and Suggestions », *Apollo*, déc. 1968, p. 420-429.
Pecirka, 1937
Pecirka Jaromir, *Tintoretto*, Prague, 1937 (en tchèque).
Penther, 1883
Penther Daniel, *Kritische Besuch in der Ermitage zu St. Petersburg*, Vienne, s. d. [vers les années 1880].
Phillips, 1911
Phillips E.M., *Tintoretto*, Londres, 1911.
Pignatti, 1971
Pignatti Terisio, « Cinque secoli di pittura veneziana », dans *Il Palazzo Ducale di Venezia* (Alvise Zorzi, Elena Bassi, Terisio Pignatti, Camillo Semenzato éd.), Turin, 1971, p. 91-168.
Pignatti, 1976
Pignatti Terisio, *Veronese. L'Opera completa*, Venise, 1976.
Pignatti, 1986
Pignatti Terisio, *Per la storia del* Paradiso *del Tintoretto a Palazzo Ducale*, Venise, 1986.
Pignatti, 1989
Pignatti Terisio, « La mostra di Paolo Veronese alla National Gallery di Washington », *Venezia Arti*, 3, 1989, p. 144-145.
Pignatti, 1990 a
Pignatti Terisio, « Pittura », dans *Il Palazzo Ducale di Venezia*, U. Franzoi, Terisio Pignatti, Wolfgang Wolters éd., Trévise, 1990.
Pignatti, 1990 b
Pignatti Terisio, « Paolo Veronese intorno al 1550: Cristo deposto nel sepolcro », *Nuovi studi su Paolo Veronese*, Massimo Gemin éd., Venise, 1990, p. 333-334.
Pignatti et Pedrocco, 1992
Pignatti Terisio et Pedrocco Filippo, *Veronese. Catalogo completo dei dipinti*, Florence, 1991 (I gigli dell'arte. Archivi di arte antica e moderna), éd. française, *Véronèse. Catalogue complet des peintures*, Paris, 1992.
Pignatti et Pedrocco, 1995
Pignatti Terisio et Pedrocco Filippo, *Veronese*, Milan, 1995, 2 vol.
Pignatti et Valcanover, 1985
Pignatti Terisio, Valcanover Francesco, *Tintoretto*, Milan, 1985.
Pignatti et Wolters, 1990
Pignatti Terisio et Wolters Wolfgang, *Il Palazzo Ducale di Venezia*, Trévise, 1990.
Pilo, 1993
Pilo Giuseppe Maria, *IRE: i restauri del patrimonio monumentale e d'arte*, Venise, 1993.
Pinardi, 1961
Pinardi Wolfango, *La collezione Attilio Brivio alla Pinacoteca Ambrosiana*, Milan, 1961.
Pittaluga, 1921
Pittaluga Mary, « Di alcune tracce sul verso della *Crocifissione* del Tintoretto nella Scuola di San Rocco », *L'Arte*, XXIV, 1921.
Pittaluga, 1922
Pittaluga Mary, « L'attività del Tintoretto in Palazzo Ducale », *L'Arte*, XXV, 1922.
Pittaluga, 1925
Pittaluga Mary, *Il Tintoretto*, Bologne, 1925.
Popham, 1931
Popham Arthur Ewart, *Italian Drawings Exhibited at the Royal Academy, Burlington House London 1930*, 1931.
Priever, 1992
Priever Andreas, « Copies: XVIe, XVIIe, XVIIIe siècles », dans cat. exp. *Les Noces de Cana de Véronèse. Une œuvre et sa restauration*, Jean Habert, Nathalie Volle éd., Paris, 1992, p. 298-313.
Priever, 1997
Priever Andreas, « Caliari Paolo », dans Sour Allgemeines Künstlerlexikon. Die Bildenden Künstler aller Zeiten und Völker, 15, Munich-Leipzig, 1997.
Priever, 2000
Priever Andreas, *Veronese*, Cologne, 2000.

Rearick, 1959
Rearick W. Roger, « Battista Franco and the Grimani chapel », *Saggi e Memorie di Storia dell'Arte* II (1958-1959), Venise, 1959, p. 107-139.
Rearick, 1991
Rearick W. Roger, « The *Twilight* of Paolo Veronese », dans *Crisi e rinnovamenti nell'autunno del Rinascimento a Venezia*, V. Branca, C. Ossola éd., Florence, 1991, p. 237-253.
Rearick, 1992
Rearick W. Roger, « The *Twilight* of Paolo Veronese », dans *Crisi e rinnovamenti nell'autunno del Rinascimento a Venezia*, V. Branca, C. Ossola éd., Florence, 1992, p. 149-151.
Rearick, 1995
Rearick W. Roger, « More Veronese Drawings from the Sagredo Collections », *Master Drawings*, XXXIII, 1995, p. 132-143.
Rearick, 1996
Rearick W. Roger, « From Drawing to Painting. The Role of *Disegno* in the Tintoretto Shop », dans *Jacopo Tintoretto nel quarto centenario della morte*, Atti del Convegno Internazionale di Studi, Paola Rossi, Lionello Puppi éd. (Venise 24-26 novembre 1994), Università Ca' Foscari di Venezia, Dipartimento di storia e critica delle arti « Giuseppe Mazariol », Venise, 1996, p. 173-181 (« Quaderni di Venezia Arti », 3).
Rearick, 2001
Rearick W. Roger, *Il disegno veneziano del Cinquecento*, Milan, 2001.
Rearick, 2004
Rearick W. Roger, « The Uses and Abuses of Drawings by Jacopo Tintoretto », *Master Drawings*, 42-4, hiver 2004, p. 349-360.
Réau, 1955, 1956-1957
Réau Louis, *Iconographie de l'art chrétien*, Paris, 3 tomes en 6 volumes, I, 1955, II, 1956-1957, III, 1958-1959.

Ricci, 1929
Ricci Corrado, *North Italian Painting of the Cinquecento*, Florence, 1929.
Ridolfi, 1648
Ridolfi Carlo, *Le Maraviglie dell'Arte, Ovvero, le Vite de Gl'illustri pittori veneti, e dello Stato*, Venise, 1648, 2 vol., éd. von Hadeln, Berlin, 2 vol., I, 1914, II, 1924.
Rioux, 1992-1993
Rioux Jean-Paul, « La matière picturale », dans cat. exp. *Les Noces de Cana de Véronèse. Une œuvre et sa restauration*, Paris, musée du Louvre, 1992-1993, p. 130-154.
Rossi, 1975
Rossi Paola, *I disegni di Jacopo Tintoretto*, Florence, 1975, « Corpus graphicum », 1 [R. Pallucchini éd.].
Rossi, 1980
Rossi Paola, « Il Paradiso », dans cat. exp. *Architettura e utopia nella Venezia del Cinquecento* (Lionello Puppi), Venise, 1980.
Rouchès, 1929
Rouchès Gabriel, « Écoles italiennes (XVIe, XVIIe et XVIIIe siècle) », dans Guiffrey J., *La peinture au musée du Louvre* (publié par *L'Illustration*), II, *Écoles étrangères*, Paris, 1929.
Ruskin, 1900
John Ruskin, *The Stones of Venice*, Londres, 1900.
Russel, 1996
Russel Jeffrey Burton, *Storia del Paradiso*, trad. par F. Cezzi, Rome, 1996.

Sanchez, 1963
Sanchez Canton Francisco Jav., *Museo del Prado. Catalogo de las pinturas*, Madrid, 1963.
Sansovino, 1604
Sansovino Francesco, *Venetia città nobilissima, et singolare ; descritta già in XIIII Libri da M. Francesco Sansovino: Et hora con molta diligenza corretta, emendata, e più d'un terzo di cose nuove ampliata dal M. R. D. Giovanni Stringa, Canonico della Chiesa Ducale di S. Marco...*, Venise, 1604.
Sansovino, 1663
Sansovino Francesco, *Venetia citta nobilissima et singolare, Descritta in XIIII. Libri Da M. Francesco Sansovino... Con aggiunta Di tutte le Cose Notabili della stessa Città, fatte, & occorse dall' Anno 1580. fino al presente 1663. Da D. Giustiniano Martinioni primo prete titolato in SS. Apostoli*, [Venise, 1581], Venise, 1663, [*fac simile* Filippi, Venise, 1968].
Sartre, 1991
Sartre Jean-Paul, *La reine Albemarle ou le dernier touriste. Fragments*, texte établi et annoté par Arlette Elkaïm-Sartre, Paris, 1991.
Savini, [1965]
Savini Branca Simona, *Il collezionismo veneziano nel 1600*, Florence, s. d. [1965].
Scannelli, 1657
Scannelli Francesco, *Il microcosmo della pittura...*, Cesena, 1657.
Scaramuccia, 1674
Scaramuccia Luigi, *Le finezze de'pennelli italiani*, Pavia, 1674.
Schnapper, 1994
Schnapper Antoine, *Curieux du Grand Siècle. Collections et collectioneurs dans la France du XVIIe siècle*, Paris, 1994, 2 vol. (Série art histoire société, P.-M. Menger, A. Mérot éd.).
Scholz, 1968
Scholz Janos, *Italian Drawings from the Collection of Janos Scholz*, Londres, Arts Council, 1968.
Schulz, 1962
Schulz Jürgen, « Christofero Sorte and the Ducal Palace of Venice », *Mitteinungen des Kunsthistorischen Institutes in Florenz*, X (1961-1963, 1962), fasc. IV, p. 193-208.
Schulz, 1968
Schulz Jürgen, *Venetian Painted Ceilings of the Renaissance*, Berkeley-Los Angeles, 1968.
Schulz, 1979
Schulz Jürgen, « Staale Sinding-Larsen. Christ in the Council Hall. Studies in the Religious Iconography of the Venetian Republic... Rome, 1974 », compte-rendu, dans *Kunstchronik*, XXXII avril 1979, p. 141-156.
Schulz, 1980
Schulz Jürgen, « Tintoretto and the First Competition for the Ducal Palace *Paradise* », *Arte Veneta* XXXIV, 1980, p. 112-126.
von Seilern, 1959
von Seilern Anton, *Italian Paintings and Drawings at 56 Princes Gate*, Londres, 1959.
Sinding-Larsen, 1974
Sinding-Larsen Staale, *Christ in the council Hall. Studies in the Religious Iconography of the Venetian Republic, with a contribution by A. Kuhn*, Institvtvm Romanvm Norvegiae, Acta ad archeologiam et artivm historiam pertinentia V, Rome, 1974.
Sinding-Larsen, 1980
Sinding-Larsen Staale, « L'immagine della Repubblica di Venezia », dans cat. exp. *Architettura e utopia nella Venezia del Cinquecento*, Lionello Puppi éd., Milan, 1980, p. 40-49.
Sinding-Larsen, 1984
Sinding-Larsen Staale, « The *Paradise* Controversy: A Note on Argumentation », dans *Interpretazioni veneziane. Studi di storia dell'arte in onore di Michelangelo Murano*, David Rosand éd., Venise, 1984, p. 363-370.
Sinding-Larsen, 1988
Sinding-Larsen Staale, « Paolo Veronese a Palazzo Ducale », dans cat. exp. *Paolo Veronese. Disegni e dipinti*, Venise, fondation Giorgio Cini, 1988, p. 23-29.
Smirnova, 1976
Smirnova Irina Alekseevna, « Jacopo Bassano et la Résurrection plus tardive de Venise », Moscou, 1976.
Soulier, s. d.
Soulier Gustave, *Le Tintoret*, Paris, s. d. [1911] (« Grands artistes »).
Soulier, 1920
Soulier G., « Un fragment du Tintoret pour la *Gloire du Paradis* », *Gazette des beaux-arts*, décembre 1920, II, p. 375-384.
Suida, 1938
Suida Wilhelm, « Il *Paradiso* di Palma il Giovane », *Rivista d'Arte* XX, série II, année X, janvier-mars 1938, p. 77-83.
Sutton, 1979
Sutton Denis, « Venetian Painting in the Golden Age », compte-rendu de l'exp. de Los Angeles, 1979, *Apollo*, 1979, p. 374-387.
Sviderskaia, 1968
Sviderskaia Marina Ilinichna, « Tintoret (à l'occasion du 450e anniversaire de la naissance) », *Isskoustvo*, 1968, n° 9, p. 58-67.
Svoboda, 1973
Svoboda Karl M., « Le rapport entre l'esquisse de Francesco Bassano de l'Ermitage et le *Paradis* de Tintoret au palais des Doges à Venise », dans *Byzance. Europe de l'Ouest. Les Slaves du Sud. Ancienne Russie* (Mél. V.N. Lazareff), Moscou, 1973, p. 547-555 (en russe).

Teichert, 1995
Teichert Wolfgang, *Gärten: Paradies. Kulturen*, Stuttgart, 1986 (tr. italienne : *I giardini dell'anima*, Côme, 1995).

Thode, 1901
Thode Henry, *Tintoretto*, Bielefeld-Leipzig, 1901.
Thode, 1900, 1901, 1904
Thode Henry, « Kritische Studien über des Meisters Werke », *Repertorium für Kunstwissenschaft* XXIII, 1900, p. 427-442; XXIV, 1901, p. 7-35; XXVII, 1904, p. 24-45.
Thuillier, 1961
Thuillier Jacques, « Brébiette », *L'Œil*, 77, mai 1961, p. 48-56.
Thuillier, 1996
Thuillier Jacques, « Pierre Brébiette dessinateur. Essai de chronologie », dans *Hommage au dessin. Mélanges offerts à Roseline Bacou* (Maria Teresa Caracciolo éd.), Rimini, 1996, p. 274-323.
Ticozzi, 1977
Ticozzi Paolo, cat. exp., *Paolo Veronese e i suoi incisori*, Venise, Museo Correr, 1977.
Ticozzi, 1978
Ticozzi Paolo, cat. exp. *Immagini dal Veronese. Incisioni dal sec. XVI al XIX dalle collezioni del Gabinetto Nazionale delle Stampe*, Rome, 1978.
Tietze, 1948
Tietze Hans, *Tintoretto. Gemälde und Zeichnungen*, Londres, 1948; éd. anglaise *Tintoretto. The Paintings and Drawings*, Londres, 1948.
Tietze, 1951
Tietze Hans, « Bozzetti di Jacopo Tintoretto », *Arte Veneta*, V, 1951, p. 55-64.
Tietze, 1958
Tietze Hans, *Tintoretto. Paintings and Drawings*, Londres, 1958.
Tietze-Conrat, 1936
Tietze-Conrat Erika, « Echte und unechte Tintoretto-zeichnungen », *Die graphischen Künste*, Neue Folge, I, 1936, n° 3, p. 88-100.
Tietze-Conrat, 1936
Tietze-Conrat Erika, « Noch eine unechte Tintoretto-Zeichnung », *Die graphischen Künste*, Neue Folge, I, 1936.
Tietze et Tietze-Conrat, 1944
Tietze Hans et Tietze-Conrat Erika, *The Drawings of the Venetian Painters in the 15th and 16th Centuries*, New York, 1944 (rééd. en 1970, 1979).
de Tolnay, 1943
de Tolnay Charles, « The Music of The Universe. Notes on a Painting by Bicci di Lorenzo », *The Journal of the Walters Art Gallery* VI, 1943, p. 83-104.
de Tolnay, 1970 a
de Tolnay Charles, *Michelangelo*, [1ère éd.] Princeton, 1943-1960, 5 vol., 2e édition : Princeton, 1947-1971, 5 vol., t. III, *The Medici Chapel*, [1948] 1970.
de Tolnay, 1970 b
de Tolnay Charles, « Il *Paradiso* del Tintoretto. Note sull'interpretazione della tela in Palazzo ducale », *Arte Veneta* XXIV, 1970, p. 103-111.
Tozzi, 1933
Tozzi Pedrazzi Rosanna, « Notizie Biografiche su Domenico Tintoretto », *Rivista di Venezia*, XII, juin 1933.

Van Marle, 1923-1934
Van Marle Raimond, *The Development of the Italian Schools of Painting*, La Haye, 1923-1934, 15 vol.
Vasari, 1568
Vasari Giorgio, *Le Vite de' più eccelenti pittori, scultori et architettori italiani, da Cimabue insino a' tempi nostri...*, Florence, 1568, éd. G. Milanesi, 1878-1885, VI, VII (éd. Club del Libro, Milan, 1962).
Venturi, 1929
Venturi Adolfo, *Storia dell'Arte Italiana*, Milan, 1901-1940, *La pittura del Cinquecento*, IX, 4e partie, Milan, 1929 (éd. Kraus Reprint Ltd, Nendeln, Liechtenstein, 1967).
Verci, 1775
Verci Giambatista, *Notizie intorno alla vita, e alle opere de' pittori, scultori, e intagliatori della città di Bassano*, Venise, 1775.
Vertova, 1953
Vertova Luisa, *Veronese*, Milan, 1953 (2e éd. 1959; 3e éd. 1960).
Villot, 1849
Villot Frédéric, *Notice des tableaux exposés dans les galeries du Musée national du Louvre, 1ère partie, écoles d'Italie et d'Espagne*, Paris, 1849 (21 rééd. jusqu'en 1876).
Vizthum, 1954
Vizthum Walter, « Zuccari's *Paradiso* for the Doges' Palace », *The Burlington Magazine*, XCVI, sept. 1954, p. 291.
Vliege, 1988
Vliege H., « À propos d'un portrait de trois hommes par Simon Vos (1603-1676) au Louvre » *Revue du Louvre*, 1988.
Voss, 1954
Voss Herman, « A Project of Federico Zuccari for the *Paradise* in the Doge's Palace », *The Burlington Magazine*, XCVI, juin 1954, p. 172-175.
Vriezen, 1937
Vriezen Th. C., *Onderzoek naar de Paradijsvoorstelling bij de oude semietische Volken*, Wageningen, 1937.
Vsevolojskaia, 1981
Vsevolojskaia Svetlana Nikolaevna, *Italian Painting from the Hermitage Museum. 13th to 18th century*, New York-Léningrad, 1981.
Vsevolojskaia, Grigorieva et Fomitchova, 1964
Vsevolojskaia Svetlana Nikolaevna, Grigorieva I. S., Fomitchova Tamara Demianovna, *Peinture italienne XIIIe-XVIIIe siècle dans les collections de l'Ermitage*, Léningrad, 1964 (en russe).

Weigert, 1951
Weigert Roger-Armand, *Inventaire du fonds français. Graveurs du XVIIe siècle. II. Boulanger-Chauveau, Paris. Bibliothèque nationale. Cabinet des estampes*, Paris, 1951.
Willumsen, 1927
Willumsen Jens Ferdinand, *La Jeunesse du peintre El Greco*, Paris, 1927.
Wolters, 1966
Wolters Wolfgang, « Der Programmentwurf zur Dekoration des Dogenpalastes nach dem Brand vom 20. Dezember 1577 », *Mitteilungen des Kunsthistorischen Institutes in Florenz*, XII, (déc. 1965 – déc. 1966), p. 271-318.
Wolters, 1987
Wolters Wolfgang, *Storia e politica nei dipinti di Palazzo Ducale. Aspetti dell'autocelebrazione della Repubblica di Venezia nel Cinquecento*, Venise, 1987.

Zanotto, 1853-1861
Zanotto Francesco, *Il Palazzo Ducale di Venezia*, Venise, 1853-1861, 4 vol.
Zuccaro, 1605
Zuccaro Federico, *Lettera a Prencipi et Signori Amatori del Dissegno, Pittura, Scultura, et Architettura, scritta dal Cavaglier Federico Zuccaro nell'Accademia Insensata detto Il Sonnacchioso. Con Lamento della Pittura*, Francesco Osanna Stampator Ducale, Mantoue, 1605, publié dans *Scritti d'arte di Federico Zuccaro*, éd. D. Heikamp, Fonti per lo studio della storia dell'arte inedite o rare, I, Florence, 1961.

Crédits photographiques

Berlin
RMN/ Jörg P. Anders : cat. 9, 11
Cambridge
Harvard University Art Museums, Fogg Art Museum, Gift a Donald Outerbridge and Robert M. Light and purchase through the generosity of Sheldon and Leena Peck, Melvin R. Seiden, Sarah-Ann and Werner H. Kramarsky, Sally and Howard Lepow, and an anonymous donor, 1995.1123 © Macintyre, Alla, : cat. 5
Fogg Art Museum, Harvard University Art Museums, purchase through the generosity of an Anonymous Donor, 1994.152 © Mathews, David : cat. 8
Fitzwilliam Museum, University of Cambridge : cat. 21
Courtesy of the Fogg Art Museum, Harvard University Art Museums, Bequest of Charles A. Loeser, 1932.284 © Macintyre, Allan : cat. 22
Florence
Galerie des Offices, Gabinetto dei disegni e delle stampe, Soprintendenza Speciale per il Polo Museale Fiorentino : cat. 19, 20, 23, 24, 25
©1990, Photo Scala : fig. 28, 53
©1997, Photo Scala : fig. 48
Leeds
Reproduced with the kind permission of the Earl and Countess of Harewood and Trustees of the Harewood House Trust : fig. 46, 49
Londres
National Gallery : fig. 27
Sothebys : cat. 27
Madrid
Musée Thyssen-Bornemisza : cat. 14, fig. 31, 32, figure F
Milan
Biblioteca Ambrosiana - Auth NO INT 49/05 : cat. 3 ; fig. 21 ; figure B
New York
The Metropolitan Museum of Art, Rogers Fund, 1961 (61.201) Photograph © 2005 The Metropolitan Museum of Art : cat. 2, fig.16, 17 ; figure A
Oxford
By permission of the Governing Body of Christ Church : cat. 15, 16 ; fig. 42, 43
Paris
Akg-images/ Cameraphoto : fig. 25, 26 placé précédemment dans Venise
Akg-images/Electa : fig. 19
RMN/T. Le Mage : cat. 1, fig. 14, 15, 49 ; RMN/M. Beck-Coppola : cat. 7, fig. 11, 22, 23, 47, 49 50, 51, figure C ; RMN/ R.G. Ojéda : cat. 13, fig. 29, 30, figure E ; RMN/M. Bellot : cat. 17, 18 ; RMN/J. Schormans : fig. 3 ; RMN/ D. Arnaudet: fig. 34 ; RMN/ B. Hatala : fig. 37
F. Douar : fig. 4.
L2RMF : fig. 63, 64
Bibliothèque nationale de France, département des estampes et de la photographie : cat. 6
Rotterdam
Collection Musee Boijmans van Beuningen : cat. 26 ; fig. 66
Saint-Pétersbourg
The State Hermitage Museum : cat. 12, 24 ; fig. 38, 39, figure D
Salsburg
Universitätsbibliotek : cat. 4
Trevise
Collezione del museo bailo di Treviso © Luigi Baldin Fotografo d'Arte : fig. 45
Venise
Palais des Doges : fig. 1, 2, 6, 8, 10, 11, 33, 35, 36
Cameraphoto - arte, Venezia : fig. 58
Museo Correr : fig. 9
Su concessione del Ministero per i Beni e le Attività Culturali, Soprintendenza Speciale per il polo Museale Veneziano : fig. 44
Soprintendenza per i Beni Architeettonici, per il Paesaggio e il patrimonio storico, artistico e demoetnoantropologico di Venezia e laguna, Palazzo Ducale, San Marco : fig. 61, 62
Vienne
Erich Lessing : fig. 18, 59, 60
DR
Cat. 10 ; fig. 5, 7, 12, 13, 20, 40, 41, 52

Papier
Cet ouvrage est imprimé sur papier couché 2 faces demi-mat Satimat 150 g,
revêtu d'une couverture papier couché 2 faces demi-mat Satimat 170 g du groupe Arjowiggins.

Photogravure
Eurofotolit, Cernusco sul Naviglio, Milan.

Impression
Cet ouvrage a été achevé d'imprimer sur les presses
de Conti Tipocolor, Calenzano, Florence, en janvier 2006
pour le compte du musée du Louvre, Paris
et de 5 Continents Editions, Milan.

Dépôt légal : janvier 2006

Imprimé en Italie